1

COLECCION «VIDA E HISTORIA»

1

LA VIDA ESPAÑOLA EN EL SIGLO XIX

FERNANDO DIAZ - PLAJA

LA VIDA ESPAÑOLA EN EL SIGLO XIX

AFRODISIO AGUADO, S. A.

MADRID

PRIMERA EDICION: MAYO, 1952

IMPRESO POR
TALLERES GRAFICOS DE «EDICIONES CASTILLA, S. A.» - ALCALA, 126, - MADRID

Con esta obra del joven historiador Fernando Díaz-Plaja iniciamos la colección «VIDA E HISTORIA». Por ella procuraremos que vayan desfilando las grandes épocas del pasado y las figuras que les sirvieron de soporte. Momentos y personas que constituyen hoy, bien un acicate que nos dé aliento y norma para seguir construyendo esa Historia, bien un escollo que debemos evitar. En ambos casos serán siempre maestros para nosotros.

El que hoy publicamos abarca el período más próximo a nuestro vivir actual. Da comienzo en uno de los más bellos momentos de la vida española, la vida que tan maravillosamente nos dejaron Bayeu y Goya en sus cartones, y atraviesa luego vicisitudes diversas, despojándose siempre de colorido y viejos sabores. Al llegar a nuestra ribera viene notablemente empobrecido, pero con ella arranca directamente la nuestra y tiene, por lo mismo, soberana importancia para nosotros.

Para otorgar al libro mayor riqueza y vida lo hemos salpicado con escenas y personajes de la època. Algunas pertenecen al inmediato período dieciochesco anterior, pero lo hicimos con plena intención para que sirvan de clave al momento en que arranca el libro. No perdamos de vista que en las modas y costumbres no existen bruscos cortes, sino que se prolongan siempre mucho más de lo que las fechas externas pudieran hacer creer. Tampoco deben enojarse los críticos si encuentran alguna, como la de los peinetones, que pueda proceder de extrañas tierras, pues siempre indican modas que arraigaron profundamente en nuestro país. Tampoco deben fruncir el ceño al encontrarse con que la mayoría de las reproducciones pertenecen al comienzo de la centuria, mientras que el libro se ocupa especialmente de su segunda parte. Siempre les servirán de enlace con el anterior momento, tan saturado de gracia y color.

EL EDITOR.

PORTICO

Como en el caso del siglo XVIII * las costumbres del siglo XIX se presentan apoyadas en tres testimonios que creemos irrefutables cuando, comparándolos entre ellos, podemos asegurar su veracidad. Estos tres testigos se llaman escritores españoles contemporáneos, viajeros extranjeros y periódicos del tiempo.

Buscar la vida cotidiana a través del escritor español, es fácil cuando éste es un inconforme con su ambiente, difícil en otro caso. Evidentemente, quien está de acuerdo con lo que le rodea, no aspira a mostrarlo a la pública curiosidad, porque no imagina pueda ser distinto. El inquieto, en cambio, el revolucionario en germen, el satírico, sobre todo, nos ofrece un cuadro de sus alrededores todo lo completo que su capacidad le permita. Ahí están—nos dice—los defectos de nuestra sociedad. Hay que acabar con ellos para llegar a la felicidad completa; a situar a nuestra patria en el camino de los pueblos civilizados. Al terminar su lectura, podemos estar o no con su consecuencia, podemos creer que es mejor la revolución, mejor la tradición o conjugar ambas cosas en un intento de salvar ambas verdades. Pero lo que evidentemente ya no se nos escapa, es la conciencia de cómo era aquel mundo que el escritor vió y quizá odiara.

Entre ese grupo de historiadores involuntarios, y aun contra su voluntad, porque a nadie gusta fijar para la posteridad lo que se odia, brilla con luz personalísima y propia la figura de Mariano José de Larra. Sus artículos, si apasionados, no dejan de ser perfectamente descriptivos; su pluma, en todo momento, nos sirve de escalpelo. Puede, además, delimitarse fácilmente donde el apasionamiento empieza a cegarle para mirarle con recelo. En la inmensa mayoría de sus artículos, está en él la verdad, toda la verdad y nada más que la

* Díaz-Plaja, Fernando: *La vida española en el siglo XVIII*. Barcelona, 1946.

verdad, y si esta verdad le parece monstruosa, allá él con sus prejuicios europeos por un lado, españolísimos por el otro. A nosotros nos ha servido. Y muy bien.

Lo que Larra anatema, Bretón de los Herreros lo describe con suave gracejo para vestir y ambientar sus comedias. Igualmente Tamayo y Baus, López de Ayala, Serra, etc. Igual hacen con sus novelas los Alarcón, Pérez Galdós, Palacio Valdés, Fernán Caballero, etc. En cambio, Mesonero Romanos, ya se coloca en el papel de dómine, que enseña lo que vió y vivió. Siendo mucho más completa su ficha histórica para nuestra tarea, le falta, sin embargo, la pasión que Larra pone en ella. Larra es un cronista que toma nerviosamente posiciones ante la realidad que le envuelve; Mesonero Romanos, es ya un historiador. Cuando cuenta ya piensa en dos direcciones, en el pasado que describe y en el futuro en que seguirían leyéndole. Este es también el caso de Julio Nombela.

Si el escritor español nos sirve en cuanto se ocupa del ambiente que rodea a sus protagonistas, el extranjero utilizado aquí en la menor cantidad posible, rellena, por decirlo así, los huecos que el indígena dejara en sus páginas por demasiado sabidos y excesivamente familiares para el lector. No es sólo que el viajero lleve abiertas las puertas de las sensaciones para albergar lo más que pueda en sus alforjas, sino que, además, menciona lo que se le presenta con envidiable precisión que el asombro acucia. De sus impresiones, aun escogiendo con cuidado, porque el raudal de viajeros por España es inagotable y su fantasía grande, el investigador puede extraer muchas deducciones.

Y queda, por último, la prensa, el más vivaz de los tres testimonios arriba mencionados porque levanta acta, día a día, del devenir español, de las necesidades, de las apetencias. El periódico se hace eco de una calle siempre dispuesta a dejarse escuchar, levanta modas o las destruye. Tanto en lo que defiende, como en lo que ataca, está claro y preciso el momento de la costumbre española. En sus editoriales, los nuevos gustos, y en sus anuncios, en fin, la necesidad o el ofrecimiento diario de un estilo de vivir al que vamos a asomarnos en las páginas que siguen.

State College (Pensilvania). octubre, 1950.
Madrid, noviembre, 1951.

I

LA CALLE

Cuál es el aspecto general que Madrid presenta al forastero en los albores del siglo XIX? Si hemos de creer a los contemporáneos, muy sombrío. He aquí lo que nos cuenta Mesonero Romanos sobre la iluminación, por ejemplo: Iluminar las ventanas en señal de regocijo, era vieja costumbre española y daba a la calle en un momento una impresión distinta. Así lo hacen los vecinos cuando el 19 de marzo quieren testimoniar su alegría por la caída de Godoy:

«...Los vecinos no bien llegó la noche sacaron a los balcones los candelabros de peltre, los velones de cuatro pábilos, y hasta los candiles de garabato de las cocinas... otros enviaron a las cererías por blandones de cera sin cuidarse de si era blanca o amarilla...» [1].

Y eso era así, distintivo de alegría y cambio, porque normalmente estaba muy oscuro. Oigamos a Zorrilla contarlo refiriéndose a 1827, es decir, a diecinueve años más tarde:

«Madrid mal empedrado, peor enarenado y alumbrado sólo por algunos malos faroles de aceite que se apagaban pronto y por los que los vecinos estaban obligados a poner en los portales que cerraban más pronto para evitar gastos y escándalos en sus sucios rincones y tortuosas escaleras...» [2].

Mesonero insiste en el aspecto miserable de las calles:

«Entonces... (1814)...sólo algunas calles poseían unas estrechas y resquebrajadas losas o piedras de molino con pretensiones de acera» [3].

«Sobre las calles los vecinos colocaban las basuras que dos veces por semana (eran) recogidas alternativamente por los barrenderos...

»...Perros, cabras, corderos, cerdos, pavos y gallinas que los vecinos de los pisos bajos sacaban a pastar a la vía pública; por las recuas de asnos retozones, por las caballerías que, cargadas con inmensos serones llenos de pan o de reses muertas pendientes de garfíos servían para distribuir a las tiendas estos alimentos... La limpieza de los pozos negros se hacía a mano.»

Si el aspecto higiénico no era agradable, se empeoraba al llover:

«Cuando llovía, se inundaba todo porque dos o tres alcantarillas no bebían el agua. Cerrábase la circulación de gentes y se sacaban los pontones de ruedas que los mozos de cuerda explotaban exigiendo al transeúnte la limosna de dos cuartos para atravesarlos» [4].

Inseguridad en las calles. «Se cubrían —dice Zorrilla— de gente de mal vivir (desde el anochecer) que impedían las reuniones y tertulias de las gentes honradas y las buenas entradas de los teatros por temor a los riesgos que corrían a la vuelta a sus hogares» [5].

Si esto lo decía Zorrilla refiriéndose a 1827, no se había adelantado nada desde 1814 y 15 cuando Mesonero decía que por la calle había que ir:

«Con sereno, criado, o linterna y estoque... (había) cuerpos muertos exhibidos en la cárcel de la Corte procedentes de riñas o accidentes. Casi ninguno por suicidio, que entonces eran muy raros.»

El empedrado era parejo a la iluminación y demás condiciones de las calles. Mesonero Romanos sostiene que eran guijarros de pedernal desiguales y que deberían ser lógicamente convexos en lugar de cóncavos que hieren los pies. En 1835 él y el marqués de Pontejos preparan su ordenación de Madrid. Se establecen los números pares e impares, abandonando el sistema de 1750 que seguía la numeración dando vuelta a las manzanas de las casas. Se rotulan las calles y se inician las aceras elevadas. En 1846 llega por fin el alumbrado a gas y cambio del empedrado por adoquines.

Pero la calle sigue teniendo mal aspecto. Doña Jesusa se queja cargada de razón hacia 1854:

> «Jesusa: Hija, vengo sofocada;
> las piedras despiden chispas.
> ¡Jesús! Más polvo se traga
> en la coronada villa
> que en los campos de la Mancha.
> ¡Qué Madrid!»

En sus quejas está implícito, sin embargo, el mejoramiento de la Corte. La desamortización, la venta de los bienes del clero, produjo un gran movimiento de construcción en la capital.

«...y como ya todo el mundo
es propietario, levantan
pisos, derriban conventos,
y entre cascotes y estacas,
se encoje la infantería
y los coches se abarrancan» [6].

LA GENTE DE LA CALLE

¿Quién se encuentra en estas calles tan mal adornadas? Un enjambre de personas. Al madrileño, al español en general, siempre le ha gustado estar en la calle, y el clima, agradable en la mayor parte de los meses del año, protege eficazmente este gusto. Larra ve así la calle madrileña en 1835:

«Enjambre de mozos y sirvientes que viven de las propinas y en quienes consiste que ninguna cosa cueste realmente lo que cuesta, sino mucho más; la abaniquera de «abanicos de novia» en el verano a cuarto la pieza; la mercadera de «torrados» de la Ronda; el de los «tirantes y navajas»; el cartelero que vive de estampar mi nombre y el de mis amigos en la esquina; los comparsas del teatro condenados eternamente a representar por dos reales, barbas, un pueblo numeroso, entre seis o siete; el infinito «corbatines y almohadillas» que está en todos los cafés aun mismo tiempo...; el barbero de la plazuela de la Cebada que abre su asiento de tijera y del aire libre hace tienda...; esos músicos del anochecer que, el calendario en una mano y los reales nombramientos en otra, se van dando días y enhorabuenas a gentes que no conocen...»

Hay otros vendedores ambulantes que cambian su oficio según las estaciones.

«Desempeñan diversos cargos. En noviembre venden ruedos y zapatillas de orillo; en julio venden horchata; en verano son bañeros del Manzanares; en invierno cafeteros ambulantes; los que venden agua en agosto, vendían en Carnaval carta y garbanzos de pega y en Navidades motes nuevos para damas y galanes.

»...otro... higos y pasas por hierro viejo con la balanza rota y la alforja vieja... Otro con su acémila compra «palomino»... alpiste para canarios, pajuelas... (pasa también) la modistilla con el pañuelo de labor en la mano, fichú (pañolito de tres puntas al cuello) y galán detrás» [7].

¿Y la trapera? «Es preciso observarla atentamente—dice Larra como en un susurro—... marcha sola, silenciosa; su paso es incierto, como el vuelo de la mariposa; semejante también a la abeja, vuela de flor en flor... registra los más recónditos nidos, donde pone el ojo pone el gancho.»

Y si es en invierno oiremos también a las castañeras y su pregón. «Sus músculos se entumecen de tantas horas encogidas, su gañote se seca de tanto gritar: ¡«Gordales», seis al cuarto, que se arrematan! ¡Cuántas, que queman! [8].

¿Puede unirse el agua y el fuego? En las calles de Madrid, sí. Hay quien vende agua: «Agua muy rica, que no enferma, no adeuda... ¿Quién quiere agua? Más fresca que la nieve.»

A su lado, un niño con una mecha para encender cigarrillos: Fuego, fuego, candela. ¿Quién quiere candela...?» [9].

Hay otro elemento popular en las calles madrileñas, dentro y fuera de ellas al mismo tiempo. En los portales y en la acera. Es el memorialista protector de analfabetos, que en ese tiempo son muchos, representante de todos los forasteros en el difícil Madrid de los primeros meses, elemento óptimo de enlace. Un cartel dice, por ejemplo, de sus servicios:

> «Proporciona criados de *ambos sexos*.
> Tiene amas de cría.
> Vende cosméticos.
> Da razón de casas de huéspedes.
> Ajusta cuentas en toda clase de idiomas» [10].

O como lo vió Pérez Galdós treinta y siete años más tarde:

«... En el portal de la casa en que Cadalso habitaba, había un memorialista. El biombo o bastidor, forrado de papel, imitando jaspes de variadas vetas y colores, ocultaba el hueco del escritorio o agencia donde asuntos de tanta monta se despachaban de continuo. La multiplicidad de ellos se declaraba en manuscrito cartel que en la puerta de la casa colgaba. Tenía forma de índice y decía de esta manera:

> «Casamientos: Se andan los pasos de la Vicaría con prontitud y economía.
> Doncellas: Se proporcionan.
> Mozos de comedor: se facilitan.
> Cocineras: Se procuran.
> Profesor de acordeón: Se recomienda.
> Nota: Hay escritorio reservado para señoras» [11].

Aparte del movimiento general diario, habrá, naturalmente, mayor movimiento en las fiestas señaladas. Debrowski se asombró de los grupos de muchachos que se arrojaban al paso de la procesión a buscar las imágenes de santos lanzadas desde los balcones. Se llaman aleluyas estos trozos de papel pintado, y como la política lo ha invadido todo desde hace tres años (escribe en 1838), se hacía llover otros que representaban a Córdova en la batalla de Mendigorría, la entrada de Espartero en Bilbao y otros episodios de la guerra actual [12].

Una estampa gaya y coloreada, pues, la que ofrece Madrid. Y a juzgar por otros testigos sin excesos. Un francés nos señala que en las corridas de toros...

«La multitud penetra en la plaza rápidamente, pero con orden, sin tumulto ni ruido. Los hombres se alinean con toda la educación española para dejar pasar a las mujeres; no se aprietan, no se empujan brutalmente como en París, donde la muchedumbre, compuesta de los seres más inteligentes de Europa, es, sin embargo, más estúpida que en ningún otro sitio del mundo» [13].

En 1837, Jorge Borrow nos da otra estampa animada del bullicio y el ambiente «interregional» de la capital de España:

«No existe población en el mundo compuesta de tan varios elementos... Yo os saludo, aguadores de Asturias, sentados en grupos cerca de las fuentes o llenando en ellas vuestras vasijas... Y a vosotros, caleseros de Valencia, apoyados perezosamente en los coches, picando tabaco para vuestros cigarros de papel a la espera de un viaje. Saludo a los mendigos de La Mancha, hombres y mujeres, abrigados en burdas mantas y pidiendo con indiferencia a la puerta de los palacios o de las cárceles. Saludo a los ayuda de cámara de la Montaña, mayordomos y secretarios de Vizcaya o de Guipúzcoa. Y a los toreros de Andalucía, traficantes gallegos, tenderos catalanes... Castellanos, aragoneses, extremeños, os saludo a todos. Y por último, a los genuinos hijos de la capital, populacho de Madrid, a los veinte mil manolos cuyas temibles navajas hicieron tal terrible estrago entre las legiones de Murat el 2 de mayo» [14].

A todos ellos hay que añadir los extranjeros que, gracias a la propaganda romántica, se volcaban en nuestra tierra de leyenda. Otros, en cambio, en vez de admirar venían a ser admirados y a cobrar por ello, a veces, un tanto forzadamente. Como en el caso que se reflejó en un periódico de la capital, seguramente con referencia a un húngaro.

«Denunciado el hecho de que el domador de un oso que anda por las calles de Madrid daba libertad a la fiera, la cual atacaba a las personas que no favorecían con algún donativo a su dueño, ha sido éste debidamente castigado por el señor juez municipal del distrito de La Latina» [15].

A esta auténtica «corte de los milagros» le falta quizá el detalle que Murat añadirá como viajero curioso a últimos de la centuria:

«Dos individuos mal vestidos contaban un crimen a la muchedumbre. Uno hacía la descripción mientras otro, con una varilla señalaba las principales escenas, dibujadas groseramente en un cuadro. De vez en cuando los dos comparsas, uniendo sus voces, se ponían a cantar...

...Un joven recitaba con versos malos, nombres propios y detalles, los horribles asesinatos del 6 de abril de 1892 en la Macarena de Sevilla... Era seis meses después del crimen... Luego lo venderán en pliego por un cuarto: «una perrita», como se dice por alusión graciosa al león de Castilla que figura en la moneda de cobre» [16].

Esos representantes de los «pliegos del cordel» son los auténticos herederos de aquellos juglares que llevaban los romances por los pueblos de Castilla, y todavía el bajo pueblo se detiene y asombra ante las descripciones de los sucesos escogidos entre los más melodramáticos. Pasan también los aguadores sirviendo a domicilio el agua que falta en ellos, y su característica figura, con sus cántaros de cobre, era sobre todo popular en las cercanías de la Mariblanca, en la Puerta del Sol. Uno de ellos, situado en la Plaza de Oriente, se quejó al discutido, pero popular, Rey Fernando VII de que el corregidor de Madrid, Barrafón, le había echado. El Rey le mandó que volviese a su puesto, con un letrero que decía: «Aquí se vende agua de Real Orden» [17].

Este siglo xix es también el de los periódicos. Con la primera libertad de prensa que los españoles han conocido, todos quieren decir su opinión y los chicos en la calle cantan las excelencias de cada periódico. Estos nacen y mueren con idéntica facilidad, y muchas veces están inspirados por auténticos escritores. Mesonero Romanos nos describe en 1833 la «Revista Española», por ejemplo, que hacía él mismo con Alcalá Galiano, Rodríguez Campuzano y Grimaldi; «La Abeja», con Pacheco y Bravo Murillo; «El Progresista», con Joaquín María López y Mateo Ayllón.

En 1834 nace «El Español», en el que colaboran Ríos Rosas, Donoso Cortés, González Bravo, Sartorius; con «El Correo Nacional» y «El Heraldo» son moderados. Son progresistas «El Clamor Público» y «El Castellano». Absolutistas, «La Esperanza», «El Católico», «El Pensamiento de la Nación». Importancia extraordinaria en ese período político tiene la prensa satírica, y sólo los títulos demuestran

PLAZA DE LA CIBELES

BISTA DE LA FUENTE DE LA CIBELES Y DE LA PUERTA DE ALCALA

PUERTA DE ALCALÁ

ya su intención: «El Huracán», «El Guirigay», «El Mundo», «La Postdata», «Fray Gerundio» [18].

De todos éstos sobrevivirán bien pocos cuando Nombela haga otro escrutinio en 1864. Citará entonces «La Correspondencia», el «Diario de Avisos», predilecto de una clase media que había sosegado un poco sus violencias políticas; luego, «La Esperanza», carlista; «El Pensamiento Español» y «La Regeneración», clericales; «Las Novedades» y «La Iberia», progresistas; «La Discusión» y «El Pueblo», demócratas, y «La Epoca», liberal conservador [19].

PASEOS

Los vecinos de Madrid, que quieren ver y ser vistos, van a los paseos. De ellos, el más conocido, porque su fama tiene ya más de siglo y medio cuando la centuria empieza, es el del Prado. Su aspecto, descrito por Mesonero, es éste (en 1826):

«Era de una a tres en invierno y se comía a esta hora. Pieles y bordados, terciopelos y encajes, diamantes y pedrería que ahora (1890) parecerían exageraciones de mal tono y fuera de lugar en un paseo público, eran entonces requisitos indispensables. Lucidos uniformes de guardias de Corps y de Infantería, que por entonces no se reservaban exclusivamente para los actos de servicio.

...Reposados y vetustos «equipajes», que a impulsos de dos modestas mulas dejaban conducir por el paseo de la izquierda... las encumbradas personas, los altos funcionarios y sublimados magnates... y los mismos silenciosos grupos de ancianos respetables, consejeros y religiosos, que en pausado movimiento se veían deslizar por el lado de San Fermín [20].

Dos años más tarde, Bretón de los Herreros hará una burlesca imitación de las delicias del paseo; buscando, no como higiene, sino como moda:

> «¿Paseos? ¡Qué disparate!
> No se pasea en Madrid
> aunque el médico lo mande,
> se rabia. Fuera de puertas,
> ya que nada es agradable
> ni de ameno tiene el campo,
> al menos es puro el aire;
> pero desdeña el buen tono
> lo que alegra a los gañanes.
> ¡Cuánto mejor es el Prado!

Allí se lucen los trajes;
allí se arman las intrigas
y se disponen los bailes;
se corteja a las muchachas;
se hace burla de las madres;
se critica a los de atrás,
se pisa a los de delante.
Ya te llama la atención
aquel delicado talle
donde la naturaleza
gime víctima del arte...
...¡Qué Babilonia! ¡Qué polvo!,
¡qué divertido contraste
hacen aquellos galones
y aquel lacónico fraque,
con los andrajos hediondos
de aquel intonso pillastre
que va vendiendo candela
y el ruido de carruajes;
el guirigay de la gente;
aquel continuo rozarse;
y al lado de Apolo, el numen,
el creador de las Artes!; [21]
aquel batallón de sillas
tan prosaicas, tan infames...» [22].

Hacia 1875 Imbert acabó la descripción del Paseo con su testimonio. Seguía siendo lugar concurrido:

«Puede dividirse el Salón en tres partes: Avenida de consumidores, de coches y de paseantes. En el primero se toma agua fresca con aguardiente y azucarillos. Las mesas que los rodean, están siempre ocupadas porque los madrileños tienen sed incluso en invierno. Hasta media noche, en verano, se permanece estirado sudando. Los que van en coche descubierto, levantan una polvareda que escuece en los ojos.

»En el sitio de paseo hay tres zonas. Niños y niñas se pasean en carritos con banderas, guirnaldas y linternas, tirados por asnos y cabras

»En medio las personas de cierta edad (caminan) reposadamente. Al otro lado, las chicas y sus adoradores. Ellas con sombrero exagerado, otras con sólo un clavel rojo en el pelo..., otras han conservado la mantilla..., el abanico completa el cuadro» [23].

¿Otros paseos? Sí, el de las Delicias, por ejemplo. Así nos lo describe en 1853 un anónimo diplomático:

«Impacientábanse nuestras cabalgaduras, deseosas de lucirse en el paseo; dimos la vuelta y bajamos a la Cibeles... ya allí sorteando la multitud de coches ocupados por elegantes que bajaban por la calle de Alcalá, tomamos a la derecha hacia la Fuente Castellana... El paseo, que es hermoso, se llama Las Delicias de Isabel II y acababan de regarlo. Muchas lindas muchachas en elegantes trajes de amazona, galopaban acompañadas de sus caballeros. Veíanse pocas mantillas. Dan demasiado calor en ese tiempo.

»...Iba ella reclinada, más que sentada, en un cochecito descubierto tirado por preciosos caballos y conducido por minúsculos postillones ingleses y por palafreneros vestidos con la librea imperial de Francia. Vestía muy elegantemente a la moda de París e iba rodeada de media docena de jóvenes que galopaban alrededor del tren absolutamente irreprochable... nos detuvimos a contemplar el obelisco... y la fuente de las Esfinges... muchos coches se habían detenido en el espacio circular que hay en torno de la fuente y del obelisco mientras sus dueños paseaban a pie por la alameda y el «parterre», pero como casi todo el mundo se dirigía al Prado, dimos la vuelta y seguimos la corriente de la multitud...

»...Merece señalarse... el orden perfecto que reina en estos paseos, en medio del aparente barullo de los coches y caballos y gentío; orden que se debe a la cuidadosa vigilancia de los guardias de a caballo, que andan de continuo de acá para allá para evitar que los coches se salgan de la fila... entre las filas circulaban centenares de jóvenes a caballo: muchos de ellos al lado de los coches que a causa de las apreturas, iban al paso. En medio del Salón se agolpaba inmensa muchedumbre de toda clase, sexos y edades.

»...Todas las sillas que había a lo largo del paseo en múltiples y prolongadas hileras y todos los bancos de piedra, estaban ocupados. Los que estaban sentados en las sillas formando corros» [24].

¿Y la Castellana? También se puede ir a la Castellana: «De cuatro a seis de la tarde en primavera y otoño y de siete a nueve en verano. Peatones, caballeros y coches. Es «un mundo elegante que se agrupa, observa, se saluda con la mano, se besa con la punta de los dedos, se muerde con una sonrisa, sale en fin para ser visto... Las carrozas van y vienen en dos filas cerradas. Los jóvenes galopan junto al coche de sus novias que se inclinan desde la ventanilla y hablan ayudándose con el abanico.

»Pasan en ingrato contraste obreros y mujeres famélicas» [25].

La descripción más colorida y completa, la deberemos como tantas otras veces, a la pluma de Pérez Galdós:

«Era el momento en que la aglomeración de carruajes llegaba a su mayor grado y se retardaba la fila. La obstrucción del paseo impacientaba a los cocheros, dando algún descanso a los caballos... Muchos trenes, algunos muy buenos, otros publicando claramente el quiero y no puedo en la flaqueza de los caballos, vejez de los arneses y en esa tristeza especial que se advierte en el semblante de los cocheros de gente tronada; veía las elegantes damas, los perezosos señores, acomodados en las blanduras de las berlinas, alegres mancebos guiando featones y mucha sonrisa, vistosa confusión de colores y líneas.

»...¡Qué bonito marco el que producían las dos filas encontradas y el cruzamiento de perfiles marchando en dirección distinta! Los jinetes y las amazonas alegraban con su rápida aparición el hermoso tumulto; pero de vez en cuando, la presencia de un ridículo simón la descomponía.

»—Debían prohibir—dijo Isidora con toda su alma—, que viniesen aquí esos horribles coches de peseta».

De allí al Prado para volver a domicilio.

«...Era tarde. Llegaba el momento en que, cual si obedecieran a una consigna, los carruajes rompen filas y se dirigen hacia el Prado. Es tan reglamentario el paseo que todos llegan y se van a la misma hora. Isidora notó la confusión del desfile al galope, tomándose unos a otros la delantera, escurriéndose los más osados entre el tumulto y oía con delicia el chasquido de látigos, el ¡jeh! de los cocheros y aquel profundo rumor de tanta y tanta rueda pautando el suelo húmedo entre los crujidos de la grava» [26].

JARDÍN BOTÁNICO

En 1820 se abre al público el Jardín Botánico. Pero la orden autorizándolo guarda las formas; no crean que va a ser un paseo popular y desordenado, en ningún modo.

«Desde el día 30 del corriente está abierto el Jardín Botánico de esta corte para el paseo del público, y se previene que no se permitirá la entrada si no a personas decentemente vestidas de talar con casaca o fraque, o levita y sombrero, mas no con gorro, gorra, monterilla; las señoras que vayan en traje talar con mantilla o basquiña decentes podrán entrar; pero no las que lleven zagalejo o mantilla de lana; los militares... deberán presentarse con el uniforme que les es propio» [27].

Como se ve se abría al «público».

EL RETIRO

Por su espaciosidad era el favorito para que se celebrase en él espectáculos de mucha gente. Larra describió la fracasada ascensión de un globo en la «Revista Española» de 1833, con una multitud expectante al frente de la cual nada menos que figuraban la Reina y Altezas. Pero el globo no llegó a henchirse nunca y cuando más cansado estaba el público de esperar, una lluvia les precipitó hacia las calles de Madrid malhumoradamente. Otras dos tentativas del aeronauta Rozo fracasaron igualmente.

Al Retiro acuden preferentemente los niños. En su lago se alquilan barcas, los adolescentes presumen de remeros y, haciendo oscilar las embarcaciones, asustan a las muchachas que a su vez les salpican. Otros, en velocípedos marinos, van de un lado a otro en zig-zag, mientras los más pequeños y sus madres se pasean en el vaporcito por el centro del lago [28].

También se puede ir a la Puerta del Sol. Pero a juzgar por el viajero Mazade, la Puerta del Sol no es lugar de diversión ni siquiera un lugar animado. «En general—dice—, aparte de los toros se queda uno impresionado de esta calma como de algo inesperado en un pueblo meridional. La Puerta del Sol está llena de silencio... en medio de estos paseantes que se cubren de su capa y la entreabren solamente para dejar escapar alguna bocanada de humo que se pierde en un rayo de sol, no se oye más que la voz del aguador ofreciendo «¡agua!» y la de la vendedora de naranjas» [29].

Generalmente la calle madrileña es bulliciosa y alegre, y sabe sacar partido de cualquier acontecimiento para demostrar su amor a la algazara y su poco deseo de trabajo. Pero si el acontecimiento no llega sin embargo, tiene una provista lista de fiestas a las que asistir. Son, según Mesonero Romanos, hablando de 1815, pero que se mantendrán a través del siglo: la Pascua y entrada de año..., el manteo de peleles y juegos de gallos en Lavapiés y San Antón (por Carnaval); procesiones de Semana Santa, Corpus y otras; rosarios cantados de noche y solfeados a la Aurora, agitadas verbenas de San Antonio, San Juan y San Pedro; corridas enteras de catorce toros todos los lunes, mañana y tarde; sus establecimientos balnearios de esperas sobre el Manzanares; ferias en la Plaza de la Cebada, misas del Gallo en la noche de Navidad» [30].

Como ejemplo de una de ellas, esta estampa dada por el ignoto diplomático:

«Hacía una noche de luna clarísima. El Prado estaba de gente que no se podía dar un paso. Por acá se tocaba la guitarra, por allá se cantaban aires nacionales, por acullá se bailaban jotas manchegas. Unos se entretenían en engullir buñuelos..., otros en los aguaduchos tomaban agua teñida con vino tinto o con azucarillos.

»Las mujeres del pueblo iban vestidas con sus trajes ordinarios de faena. Los bailarines, muy serios como de costumbre... se esforzaban en sobresalir por la variedad y complicación de las figuras y pasos»[31].

PARQUES DE ATRACCIÓN

Hoy llamaríamos con este nombre el que deleitaba a los madrileños con el nombre de Jardín de Apolo, y cosa rara, ocasionó uno de los pocos elogios de Larra en su descripción (1833):

«Bosquetes esmerados, mesas rústicas, laberinto de espesura. Juegos de la Sortija, Paloma, Flecha, Columpios de barco, Escarpolet, Baile campestre con orquesta militar y teatro para ejercicios de física recreativa. En el café juegos de damas, ajedrez, asalto y chaquete..., arriba sala..., juego de la Románica en gran salón...»

Situado en Fuencarral ese Jardín era además residencia y como tal tenía:

«Baño de piedra mármol capaz para bañarse a la vez ocho personas, cuyos depósitos de agua se llenarán dos veces al día, uno a las doce y otro a las seis de la tarde; en la primera se bañarán las señoras que vivan en el jardín y gusten, y en la segunda los caballeros..., si alguno de los huéspedes quisiere bañarse sólo se dará un baño de lata provista de agua al temple que le agrade»[32].

CAFÉS

Fueron al mismo tiempo calle y casa en el Madrid decimonónico, siendo parte y prolongación de la vía pública constituían al mismo tiempo un refugio hogareño donde se encontraba la misma gente con quien hablar de varias cosas. Al tratar de la comida, usaremos también del nombre café, pues así se llamaron antes los restaurantes; en este momento, sin embargo, nos interesan más los locales en donde sólo se tomaban refrescos o café, chocolate, etc., y se hacía, sobre todo, gran gasto de conversación.

Los cafés nacen como elementos sociales cuando la sociedad se puede ya reunir en ellos y hablar de todo, es decir, nacen con la libertad política y con la incorporación del pueblo a las tareas de gobierno. Surgen, pues, con las primeras manifestaciones de independencia nacional y sublevación de 1808, pero sobre todo, con Riego en 1820. Por espacio de mucho tiempo, ser asistente al café y peligroso revolucionario, fué todo uno. Con el amansarse de las pasiones políticas a lo largo de la centuria, la política fué perdiendo importancia primordial en las reuniones de café, pero el español se envició (y su vicio se va perdiendo hoy poco a poco), en permanecer horas y horas hablando de lo divino y lo humano.

Veamos algunos aspectos del café decimonónico. El más importante, el que rompió el fuego podríamos decir fué el de la Fontana de Oro, título de una novela en la que Pérez Galdós nos lo describe:

«En la Fontana es preciso demarcar... dos hemisferios: el correspondiente al café y el correspondiente a la política. En el primer recinto había unas cuantas mesas destinadas al servicio. Más al fondo, y formando un ángulo, estaba el local en que se celebraban las sesiones. Al principio el orador se ponía de pie sobre una mesa, y hablaba; después el dueño del café se vió en la necesidad de construir una tribuna.»

«...Entre los numerosos defectos de aquel local, no se contaba el de ser excesivamente espacioso; era, por el contrario, estrecho, irregular, bajo, casi subterráneo. Las gruesas vigas que sostenían el techo, no guardaban simetría. Para formar el café fué preciso derribar algunos tabiques dejando en pie aquellas vigas; y una vez obtenido el espacio suficiente, se pensó en decorarlo con arte.»

Pérez Galdós se burla en su descripción de la moda neoclásica que, llegada con retraso a la capital francesa, donde ya desaparecía, se empeñaba todavía en Madrid en adornarlo. Así los artistas decoradores...

«...Convinieron que lo principal era poner unos capiteles a aquellas columnas. Improvisaron unas volutas que parecían tener por modelo las morcillas extremeñas y las clavaron, pintándolas después de amarillo. Se pensó después en una cenefa que hiciera el papel de friso en todo lo largo del salón; mas como ninguno de los artistas sabía tallar bajorrelieves, ni se conocían las maravillas del cartón piedra, se convino que lo mejor sería comprar un listón de papel pintado..., representaba unos cráneos de macho cabrío, de cuyos cuernos pendían cintas de flores que iban a enredarse simétricamente en varios tirsos adornados con manojos de frutas, formando todo un conjunto anacreóntico, fúnebre, de muy mal efecto. Las columnas fueron pintadas de rosa y verde, destinadas a hacer creer que eran de jaspe. En los dos testeros próximos a la entrada, se colocaron espejos como de a vara; pero no enterizos, sino formados por dos trozos de cristal unidos por una barra de hoja de lata. Estos espejos fueron cubiertos con un velo verde para impedir el uso... de todas las moscas de la calle.»

La luz era igual de pobre y triste:

«A cada lado de estos espejos se colocó un quinqué, sostenido por una peana, anacreóntica fúnebre también, donde se apoyaba el receptáculo; y éste recibía diariamente de las entrañas de una alcuza que detrás del mostrador había, la sustancia necesaria para arder maciliento, humeante, triste y hediondo, hasta más de media noche, hora en que su luz, cansada de alumbrar, vacilaba a un lado y otro como quien dice «no» y se extinguía, dejando que salvaran la patria a oscuras los apóstoles de la Libertad.»

El hecho de sentarse en sus asientos y apoyarse en sus mesas los más reputados demagogos de la época, no bastaba a dignificar estos muebles. Si las columnas eran todo imitación, lo mismo ocurría en ellos:

«Los muebles eran muy modestos; reducíanse a unas mesas de palo, pintadas de color castaño, simulando caoba en la parte inferior y embadurnadas de blanco para imitar mármol en la parte superior, y a medio centenar de banquillos de ajusticiado, cubiertos con cojines de hule, cuya crin por innumerables agujeros se salía con mucho gusto de su encierro» [33].

Unos años más tarde, Larra no nos da una versión más amable de un café. Dice que se usaba tomar en ellos ponche o café, aunque él pidió un vaso de naranja «dijera lo que dijera el mozo, de cuya opinión se me da dos bledos, subí mi capa hasta los ojos, bajé el ala de mi sombrero...»; evidentemente no era la temperatura del café la más a propósito para estar descubierto o destapado. Poco después insiste en que son «habitaciones que se hicieron para todo menos para café; ahogadas y mezquinas, frías como neveras en invierno, pudiendo tener a poca costa una estufa siquiera. Y en todas no saben salir de mesas de pino pintadas que no las habrá peores en una taberna» [34].

Nos parece imposible que esa atracción que hemos visto sentían los madrileños por los cafés, pudiera hallar por parte de estos establecimientos tan pocas atenciones. Mesonero Romanos será tan duro como Larra hablando de uno bien famoso:

«De todos los cafés situados en Madrid por los años 1830 y 31 el más destartalado, sombrío y solitario, era sin duda alguna, el que,

MADRID DESDE EL CAMINO DE SEGOVIA

PUERTA DE ALCALÁ

EL PASEO DE LA FLORIDA

PUERTA DE SAN VICENTE

situado en la planta baja de la casita contigua al teatro del Príncipe, se pavoneaba con el mismo título, aunque ni siquiera tenía entonces comunicación con el Coliseo. Esta salita, pues, de escasa superficie, estrecha y desigual... estaba a la sazón en su cualidad de café, destituída de todo adorno de lujo y aún de comodidad. Una docena de mesas de pino pintadas de color de chocolate, con unas cuantas sillas de Vitoria, formaban su pricipal mobiliario; el resto lo completaban una lámpara de candilones pendiente del techo y en las paredes hasta media docena de los entonces apellidados «quinquéts» del nombre de su inventor, cerrando el local unas sencillas puertas vidrieras, con su ventilador de hojalata en la parte superior. En el fondo de la salita y aprovechando el hueco de una escalera, se hallaba colocado el mezquino aparador y a su inmediación, había dos mesas con su conspícula dotación de sillas vitorianas» [35].

A mediados de siglo, alguien se dió cuenta de que se había formado una costumbre especial, típicametne nuestra. La de ir al café. Navarrete la explica:

«Existe entre nosotros una costumbre poco conocida seguramente en los demás países de Europa; la de pasar los hombres en un café y en torno a una mesa las primeras horas de la noche, y algunos, casi las últimas... Entes hay, y por cierto, muy odiados de los dueños de dichas casas, que no han hecho consumición jamás en ellas de un vaso de limón, ni de medio sorbete, pero que asisten en invirno como en verano, todas las noches a éste o al otro café, que no abandonan hasta que la voz imperiosa del mozo soñoliento o del sereno fiel observador de las leyes, se lo ordena por tres veces consecutivas...» [36].

OTROS ASPECTOS DE LA CALLE

Lo religioso: Las opiniones liberales y antirreligiosas podían abrirse camino en la mentalidad española, pero leyes desamortizadoras o lecturas de ultrapuertos no bastaban a cambiar nuestra trayectoria religiosa. Todavía en plena calle de Madrid, las dos grandes fiestas del año marcaban su sello cambiando la fisonomía de la gente y su vestido. Nadie podía evitar el recordar una festividad que estaba en la atmósfera, como por ejemplo la del Corpus Christi. Toda la ciudad se cambiaba a su conjuro; la Iglesia triunfante iba por las calles entre la admiración de chicos y grandes. «Todo era—señala Mesonero Romanos—igual que en 1623, lo único que faltaba era la «Tarasca», especie de serpiente que se retorcía en las procesiones del siglo XVII».

«Toldos blancos y azules, piso blando de arena, doble fila de tropas, balcones henchidos de gente que parecen imprimir movimiento a los edificios...»

Y la gente en las aceras... «artesano vestido de nuevo con sombrero de seda, frac improvisado en los portales de la calle Mayor y guantes amarillos... el mancebo de comercio con su corbatín de a cuarta, sus cadenas de similor y su camisa plegada; la alegre modista con una expresiva rosa a la cabeza, su zapatito primorosamente atado y sus mangas huecas... el mercader de la calle de Postas envuelto en su casaca... caballería despejando, niños expósitos, ancianos mendigos, comunidades, pendones y cruces, consejos, alguaciles y personajes de la Corte, músicas militares y religiosas, incienso, tropas rindiendo armas, campanas...» [37].

Si este entusiasmo y movimiento indican la presencia de la religión en las calles madrileñas, igualmente será palpable ello cuando la calle esté en el más absoluto de los silencios. Se trata del Jueves Santo. No hay por la calle un solo carruaje, y la vieja tradición popular: «No despertéis a Jesucristo en su tumba» se mantiene en el siglo de las luces. Cuentan que un hombre que intentó cruzar la silenciosa muchedumbre a caballo por ignorancia o desafío, fué casi muerto por el público indignado de la profanación. En 1870 cuando él escribe como en 1835 a que se refería Mesonero, la masa sigue absolutamente creyente.

EL VICIO

Por la calle va también el vicio en forma mujeril. De sus andanzas nos da esa poesía popular anónima de hacia últimos de siglo, cumplida información.

Cuántas señoras de éstas
nos echamos a la cara
por las calles y paseos
tan gallardonas y ufanas,
que nos parecen marquesas
por el gran lujo que gastan
con sus botas a la inglesa
mil sortijas de oro y plata
andan saltando, y brincando
y haciendo las mil monadas,
y si acaso algún curioso

le da gana al preguntarlas
dónde son o dónde vienen,
responden muy descaradas:
...oiga usted, caballerito:
yo soy una viuda honrada
de un teniente coronel
que murió en esta campaña;
otra dice: yo soy hija
de un gran brigadier de España
que mataron los franceses;
otra, soy prima hermana
de un caballero sobrino
del Marqués de la Romana;
y de este modo a los tontos
les van sacando la plata.

...son unas tías taimadas,
éstas andan muy bien puestas
por las tardes y mañanas
por los cafés y las fondas
y también por las posadas,
a ver si vienen señores
y se ponen de ordenanza
a la puerta y cuando salen
con amorosas palabras
le dicen: Caballerito:
¿gusta usted de una buena casa,
para pupilo muy decente
que tiene muy ricas camas,
buen gobierno también tiene
y unas muy lindas muchachas?» [39].

LA JUSTICIA

De origen medieval ensalzado por el amor de la ceremonia que los Austrias poseían y a pesar del sentido reformador de los Borbones, llega al siglo XIX el rito de la justicia, especialmente a tratar de la última pena. Evidentemente se consideraba que con esa ampulosidad que acompañaba a la ejecución de un reo, se avisaba el ánimo de los presuntos delincuentes. Los extranjeros se pasmaban ante el espectáculo y pocos viajeros dejaban de describirlo en sus memorias; en el orden cronológico, sin embargo, tocará a una española el primer documento sobre la institución conocida con el nombre de Hermanos de la Caridad, que tenían a gala servir al más humilde y desgraciado de los hombres: al condenado. Fernán Caballero explica:

«Veíanse por las calles de Sevilla... los principales caballeros recorrer las calles con una esportilla en la mano repitiendo con voz grave esta frase:

Para los infelices que van a ajusticiar.»

Una vez consumada la ejecución, los nobles, Conde de... y Marqués de..., van a la cárcel en la que está constituído el juzgado todo el tiempo que dura la ceremonia macabra, a pedirle el cadáver del reo. La fórmula de tipo bíblico es:

«Venimos en nombre de José y de Nicodemus a pedir permiso para descender el cadáver del suplicio.»

El juez se lo concede y ellos se retiran [40].

Unos años más tarde, en 1838, Debrowski nos dió una visión completa del cortejo por las calles de la ciudad.

«Una campanilla en la calle: dos hombres, uno de negro con un escapulario de color verde... seguido por otro de traje gris, teniendo una campanilla en la mano y llevando en la cintura una caja negra con un letrero en amarillo: Paz y Caridad.»

La procesión viene luego. Milicianos a caballo. Hermanos de la Paz y Caridad con escapulario verde y antorchas de cera también verde. Un asno, llevado por un ayudante del verdugo, llevaba al reo vestido de asesino a traición, gorro amarillo, camisa amarilla y ancho pantalón. Sacerdotes a ambos lados. Al final tres alguaciles con varas blancas... Otros hermanos de la Caridad con bastones de imágenes y cruces.

El verdugo se descubre ante el condenado y le dice: «Perdóname, hermano, porque Dios te perdone». Cuando se realiza la ejecución, los padres que han llevado hijos de corta edad, les abofetean para que con el dolor, el ejemplo de adonde conduce la maldad les quede más tiempo.

Los hermanos de la Caridad constituyen elemento de primordial importancia y habían llegado a poder salvar a un condenado si la cuerda se rompía y uno echaba el manto por encima del reo. Luego se suprimió esta costumbre, pero el hermano siguió siendo el enterrador del ejecutado.

Debrowski da detalles de la vida del verdugo. Cobra, dice, dieciocho reales más el carbón, el agua y lugar para vivir. Va vestido de negro y lleva un sombrero gacho con una escalera bordada en él.

Cuando va por la calle, indica con un gesto lo que quiera comprar en una tienda, porque no puede tocar nada con las manos.

Por la mañana del día de la ejecución, va en busca del asno que tiene que usar para conducir al reo, y sus gustos equivalen casi a una requisa, porque el dueño del animal empleado, apenas si alcanza una leve retribución [41].

Esta fuerza de ley que el verdugo emplea, se debe seguramente a que nadie le hubiera cedido de buen grado algo que, dada la atmósfera que alrededor de un suplicio se formaba, quedaba poco menos que «tabú» para el mismo propietario. Tanto era así que en 1842 y en «El Heraldo» se publicó la siguiente nota:

«Para conducir al patíbulo a los dos reos... era preciso y de costumbre embargar dos pollinos que hiciesen este servicio. Sabido es la mala nota que en semejantes casos recae sobre los infelices animales que tienen la desgracia de asistir a este acto; llegando algunas veces la preocupación hasta el extremo de cortarles las orejas para que fuesen conocidos en adelante. El señor Alcalde primero, por razones justas, ha querido evitar este prejuicio al labrador que le tocase la suerte, y mandó que... echase mano de pollinos pertenecientes a gitanos» [42].

Confiando, imagino yo, en la amplitud de criterio y poca superstición de que esa raza ha presumido siempre.

A Debrowski debemos también una estremecedora estampa de justicia militar. Se trata de fusilar a un desertor y los soldados forman el cuadro. El oficial, a la altura de la bandera, ordena el silencio: «En nombre de la reina, pena de la vida a quien diere gritos de gracia». Resuena el tambor enlutado. Aparece el oficial condenado con uniforme completo, menos sombrero y espada. El Sargento Mayor le obliga a arrodillarse ante la bandera y le lee la sentencia. Se le da el sombrero y espada. «La piedad generosa del Rey os concedió cubriros ante su gloriosa bandera, creyendo que por vuestra conducta os haríais digno de este honor; su justicia os la quita.» Alguien le quita el sombrero y le rompe la espada. Inmediatamente después el reo es fusilado.

No se sabe si el espíritu fué ganando en sensibilidad a lo largo de los años, pero parece claro que las ejecuciones perdieron interés, aun continuando en público. El autor de «Mœurs et usages de l'Espagne», visita nuestra patria hacia 1850, y sus palabras son lo menos leyenda negra que puede haber en el mundo.

«Es curioso que en España, a pesar del poco caso que se hace de la vida del hombre en general, es raro que la pena de muerte sea inflingida a los criminales. Las leyes son severas como en otros lugares, pero hay una repugnancia grande a ejecutar las sentencias. El menor pretexto basta a la máquina de justicia para no dar lugar a la ejecución.»

...Para el garrote vil... «una plaza de anfiteatro donde había poquísimas personas; una silla de madera oscura, una cadena de hierro-argolla, que con una o dos vueltas basta a producir la sofocación, probablemente con menos sufrimiento que con cualquier otra clase de muerte adoptada por el código penal de nación civilizada cualquiera... El reo lleva vestidura blanca con manchas amarillas. Antes de dar las vueltas, el verdugo le echa un velo negro encima la cara, que quita al quedar muerto el condenado; y éste apenas tiene la cara alterada» [43].

BIBLIOGRAFIA DEL CAPITULO I

[1] Mesonero Romanos: *Memorias de un setentón*. Madrid, 1880.
[2] Zorrilla, José: *Recuerdos del tiempo viejo*. Madrid, 1882. Cap. II.
[3] Mesonero Romanos: ob. cit. pág. 157.
[4] Ibidem, pág. 163.
[5] Zorrilla: ob. cit., cap. II.
[6] Serra, Narciso: *Un huésped del otro mundo*. Madrid, 1854. Acto único. Escena 1.ª
[7] Larra, Mariano José de: *Modos de vivir que no dan de vivir*. Artículos de costumbres. Madrid, 1923. T. 1, págs. 285 y ss.
[8] Bretón de los Herreros M.: *Las Castañeras. Los españoles vistos por sí mismos*. Madrid, 1851. Pág. 11.
[9] Ford, Richard: *The Spaniards and their Country*. New York, 1848. Vol. II, pág. 140.
[10] García Gutiérrez, A.: *Memorialistas. Los españoles...* Ob., pág. 21.
[11] Pérez Galdós, B.: «*Miau*». Ob. comp. Madrid, 1941. Vol. V, pág. 572 Referencia 1888.
[12] Debrowski, Ch.: *Deux ans en Espagne pendant la guerre civile*. París, 1841.
[13] Valon, Alexis de: *La décima corrida de toros*. «Revue des Deux Mondes». París, 1846. Pág. 68.
[14] Borrow, George: *The Bible in Spain*. New York, 1842.
[15] *Diario Oficial de Avisos*. Madrid, 24 de julio de 1880.
[16] Murat, E.: *Un hiver en Espagne*. París, 1893.
[17] Mesonero Romanos, R.: ob. cit., pág. 389.
[18] Ibidem.
[19] Nombela, J.: *Impresiones y recuerdos*. Madrid, 1909.
[20] Mesonero Romanos, R.: ob. cit.
[21] Se refiere a la estatua del dios que se halla en el Prado aún hoy.
[22] Bretón de los Herreros, M.: *¡A Madrid me vuelvo!* Acto 1.º, escena IV. Madrid, 1876.
[23] Imbert: *Grandeur et misères de l'Espagne*. París.
[24] Anónimo: *Madrid hace cincuenta años a los ojos de un diplomático extranjero*. Trad. D. Ramiro. Madrid, 1904. Pág. 30.
[25] Imbert: ob. cit.
[26] Pérez Galdós, B.: *La desheredada*. Ob. comp. Pág. 1000 y 1002. Vol. V. Referencia 1881.
[27] Recogio por V. C. A.: *Correo Erudito*. Vol. II, pág. 206.
[28] Imbert: ob. cit.
[29] Mazade, Ch. de: *Madrid et la societé espagnole en 1847*. «Revue des Deux Mondes». París, 1847.
[30] Mesonero Romanos: ob. cit.
[31] An: *Madrid hace cincunta años* Ob. cit.

[32] Larra, M. J. de: *Jardines Públicos. Artículos de Costumbres.* Ob. cit. vol. I, pág. 17, vol. IV.

[33] Pérez Galdós: *La fontana de oro,* O. Completas, de Aguilar, tom. IV.

[34] Larra, M. J. de: *Correspondencia del Duende. Artículos de Costumbres.* Ob. cit., págs. 23 y 38.

[35] Mesonero Romanos, R.: Ob. cit., pág. 53, vol. II.

[36] Navarrete, R. de: *Cafés. El Siglo Pintoresco.* «Periódico Universal». Madrid, 1845.

[37] Mesonero Romanos, R.: *Escenas Matritenses.* Ob. cit., pág. 85.

[38] Hay: *Castilian Days.* New York 1899. Pág. 119.

[39] *Cuatro clases de mujeres (Las),* sátira burlona de la vida, milagros. usos y costumbres que hacen algunas mujeres en Madrid. Madrid, Imprenta Universal, pliego s. f.

[40] Fernán Caballero: *La familia de Alvareda.* Ref. 1810. Ca. VIII.

[41] *Debrowski:* ob., cit., ref., 1838.

[42] *Heraldo, El:* 22 de junio de 1842.

[43] *Mœurs et Usages de l'Espagne.* Bibliothèque Universelle. Genéve.

PUERTA DEL SOL EN EL AÑO 1842

PLAZA MAYOR DE MADRID

ALZAMIENTO EN MADRID EN 1854

REAL MUSEO POR S. JERÓNIMO

II

LA CASA Y EL SERVICIO

He aquí una casa del Madrid romántico. Si tiene un poco de buen aspecto, tendrá un portero, al que forzosamente hay que dirigirse. Larra tituló un artículo para la «Revista Española», así: «Nadie pase sin hablar al portero» [1], porque éste era el cartel que aparecía en los portales. Mesonero dice: «Llegado el martes me encaminé a casa del Marqués... Entré en el portalón y a fuer del precepto: «Nadie pase sin hablar al portero», escrito en enormes caracteres sobre la casilla de éste, me dirigí a él para darle mi nombre...) [2].

Al español, y concretamente a los escritores que anteceden, les molestaba la orden.

Pérez Galdós tampoco describe al portero con demasiado afecto. Para él el guardián de la casa actúa de forma distinta, según la categoría social de quien se acerca a ella; así en el caso de Lázaro.

«Entró en el portal y preguntó por don Claudio. El portero, que era hombre de mal genio con los humildes, le contestó con muy desagradable talante, que no estaba.

—...¿Cuándo vendrá?

El otro creyó que esta pregunta, hecha por un joven que no parecía ser de la primera nobleza, que no había venido en coche, que no era militar ni tenía botas a la «farolé», era una pregunta muy inconveniente y falta de sentido común. Se sonrió con aire de superioridad, y metiéndose la mano en los bolsillos, dijo:

—¿Cómo quiere que sepa yo cuándo viene? Vendrá... cuando venga» [3].

Pero estamos en casa de un marqués, es decir, de un rico. Nombela sostiene que las casas donde no había portero eran la mayoría, pero esta falta estaba compensada por el zapatero o vendedor, que casi siempre se había colocado en el portal y hacía sus veces [4]. A Larra no le gustó nada y contra él dirigió el dardo de su feroz crítica:

3

«Hace su nido en los rincones de los portales; allí tiene una especie de gruta, una socavación subterránea, las más veces sin luz ni pavimento. Al rayar el alba fabrica en un abrir y cerrar de ojos su taller en un ángulo (si no es lunes, día de fiesta entonces), dos tablas unidas componen su recinto; una mala banqueta, una vasija de barro para la lumbre indispensablemente, ropa y otra más pequeña para el agua en que ablanda la suela, son todo su *menaje,* el cajón de las leznas a un lado, su delantal de cuero, un calzón de pana y medias azules, son sus signos distintivos. Antes de extender la tienda de campaña, bebe un trago de aguardiente y cuelga con cuidado a la parte de afuera una tabla y, de ella, pendiente, una bota inutilizada: cualquiera al verla creería que quiere decir: aquí se estropean botas.

»No puede establecerse en el portal sin permiso de los inquilinos... La señora del cuarto principal, compadecida, lo consiente; la del segundo, en vista de esa primera protección, no quiere chocar con la señora Condesa; los demás inquilinos no son siquiera consultados... (reconocen que)..., a lo menos, está el portal limpio.»

Una vez instalado, el zapatero empieza su labor de espía.

«...Observa la hora a que sale el amo, qué gente viene en su ausencia, si la señora sale periódicamente, si va sola o acompañada, si la niña es balconera, si se abre casualmente alguna ventanilla o alguna puerta con tiento cuando sube tal o cual caballero; ve quién ronda la calle y desde su puerta conoce al primer golpe de vista, por la inclinación del cuello..., el piso en que está la intriga.

»...Ve salir al empleado en Rentas por la mañana, disfrazado con la capa vieja, que va a la plaza en persona, no porque no tenga criada, sino porque el sueldo da para estar servido, pero no para estar sisado.»

En esta labor el zapatero de viejo es empujado por los mismos vecinos, que a veces no se fían de su propia familia:

«Observe usted quién entra y sale de mi casa». A la vuelta ya sabe quién debe sólo decir que ha estado o habrá salido un momento fuera, y como no haya sido en aquel momento... usted le da un par de reales por su fidelidad. Par de reales que sumados con la peseta que le ha dado el que no quiere que se diga que entró, forma la cantidad de seis reales» [5].

DECORACIÓN DE CASA RICA

Pérez Galdós nos describe una principesca a primeros de siglo: «Don Francisco de Goya había sido encargado del ornato de la casa... desde la escalera hasta el salón había adornado las paredes con guirnaldas de flores y festones de ramaje, hechas aquéllas con papel y éstas con hojas de encina, ambas obras tan perfectas que nada más bello podía apetecer la vista. Las lámparas y candelillas habían sido puestas con sumo arte también en forma de guirnaldas y festones de diversos colores... El primer salón, de cuyas paredes las modas nuevas no habían desterrado aún aquellos hermosos tapices que pasaban de generación en generación... no pendían con tan espléndidas luminarias su grave aspecto; antes bien, las luces, dando reflejos extraños a las armaduras de cuerpo entero que ocupaban los ángulos, visera calada y lanza en mano... Alegres cuadros de toros disipaban la tristeza producida en el ánimo por otros, en cuyos oscuros lienzos habían sido retratados dos siglos antes por Pantoja de la Cruz o Sánchez Coello hasta una docena de personajes, ceñudos y sombríos conquistadores de medio mundo. Con estas joyas del arte nacional contrastaban notoriamente los muebles recién introducidos por el gusto neoclásico de la Revolución francesa y no puedo detenerme a describiros las formas griegas, los grupos mitológicos, las figuras de Hora, o de Nereida o de Hermes, que sobre los relojes, al pie de los candelabros y en las asas de los vasos de flores lucían sus académicas actitudes. Todos aquellos dioses menores que, embadurnados de oro, renovaban dentro de los palacios los esplendores del viejo Olimpo, no se avenían muy bien con la desenvoltura de los toreros y las majas que el pincel y el telar habían representado con profusión en tapices y cuadros; pero la mayor parte de las personas no paraban mientes en esta inarmonía.»

«El salón donde estaba el teatro era el más alegre. Goya había pintado habilísimamente el telón y marco que componía el frontispicio. El Apolo... era un majo muy garboso y a su lado nueve manolas lindísimas demostraban con sus atributos y posturas que el gran artista se había acordado de las musas... en el hueco menudeaban los amorcillos copiados con gran donaire de los pilluelos del Rastro..., hasta el buen Pegaso estaba representado por un poderoso alazán cordobés que, cubierto de arreos comunes brincaba en segundo término. No era aquella la primera vez que el autor de los Caprichos se burlaba del Parnaso» [6].

Como arte menor, pero implacablemente ligado a la escultura y la pintura, la decoración titubeaba por la mano experta del genial sordo entre la influencia clasicista que había lanzado años atrás David y que llegaba tardíamente a España y la revolución artística que con el nombre de impresionismo acompañó al movimiento romántico, y nadie mejor para representar la rebeldía aparentando servir la antigua forma que el arte de Goya, discípulo de Mengs por un lado, padre espiritual de Manet y Degas por el otro. En cuanto a la ironía española por lo místico, basta recordar la actitud de Velázquez, sus «Borrachos» y sus «Martes», sus «Vulcanos», como reacción ante el otro gran movimiento clasicista del siglo xvi y principios del xvii.

Si Delacroix y sus discípulos acaban con la moda de David y su escuela la decoración española a remolque de la francesa fué cambiando primero en las casas ricas y con un gran retraso en las otras, su decoración clasicista por lo romántica y lo medieval (como esas armaduras que resultaban anticuadas en la casa de la actriz en Pérez Galdós) vuelven a ponerse en moda. Quizá lo único que salva el abismo entre ambos mundos, es el amor por la naturaleza que hemos visto reflejado en la decoración vegetal. Años más tarde, en 1882, Alarcón nos hablará de otra fiesta:

«...La noche del 20 de febrero hubo un gran baile en casa de los opulentos Duques de Carmona... Estaban allí todas las personas distinguidas de la Corte... Por fortuna, habíase improvisado un jardín artificial en el gran patio de la casa, cubierto de cristales y templado por multitud de caloríferos, y desde él se pasaba a las amplias estufas del verdadero jardín, todas ellas ricamente alfombradas y llenas de macetones con altos árboles exóticos... Discurrían, pues, por aquellos fantásticos vergeles, en busca de aire y de libertad, muchas parejas, fingiéndose que andaban por el campo; y como la iluminación estaba amortiguada y dispuesta de modo que imitase la plácida claridad de la luna, la ilusión de los paseantes era completa» [7].

Pasemos de las casas excepcionales a las casas simplemente ricas. Como por ejemplo la que en 1870 tiene Jacinta, según Pérez Galdós:

«Salón algo anticuado, con tres balcones. Gabinete de Barbarita, luego otro aposento, después la alcoba. A la derecha del salón, el despacho de Juanito, así llamado... porque había mesa con tintero y dos hermosas librerías... El gabinetito de Jacinta inmediato a esta pieza, era la estancia más bonita y elegante de la casa y la única tapizada con tela; todas las demás no estaban con colgadura de papel, de un arte dudoso, dominando los grises y tórtola con oro. Acuarelas y óleos ligeros... muebles de raso o de felpa y seda combinados con arreglo a la moda. Seguía luego la alcoba del matrimonio joven, la cual se distinguía principalmente de la paterna en que en ésta había lecho común y los jóvenes los tenían separados. Sus dos camas, de palosanto, eran muy elegantes, con pabellones de seda azul. La de los padres parecía un andamiaje de caoba, con cabeceras de morrión y columnas como las de un sagrario del Jueves Santo.»

«El comedor era interior, con tres ventanas al patio, su gran mesa y aparadores de nogal llenos de finísima loza de china, la consabida sillería de cuero claveteado, y en las paredes papel imitando roble, listones claveteados también y los bodegones al óleo... con la raja de sandía, el conejo muerto y unas ruedas de merluza» [8].

Ha sido típico en la sociedad española, aún hasta época muy reciente, cuidar más de la apariencia que de la comodidad personal. Así en la casa descrta por Pérez Galdós, en la cual como hemos visto el salón principal o de recibir tenía tres balcones a la calle mientras que el comedor utilizado continuamente por la familia era interior. El salón, pues, era el sueño de todos los que aspiraban a vivir mejor, como la protagonista de la comedia de Larra:

«Desengáñate, mientras yo no tenga mi magnífica casa y esté recibiendo la gente del gran tono y dando disposiciones para las arañas y los quinqués y la mesa de juego y las alfombras, y no estén mis lacayos abriendo la mampara y anunciando: el Conde tal... y el Vizconde de cual...» [9].

Las casas de clase media sacrificaban en mayores proporciones la luz y visualidad de las demás habitaciones para hacer destacar lo único que del piso veían en general los extraños.

Para uno de los personajes de Pérez Galdós representaba todo:

«La sala. ¡Hipotecar algo de la sala! Esta idea causaba siempre terror y escalofríos a doña Pura, porque la sala era la parte del menaje que a su corazón interesaba más, la verdadera expresión simbólica del hogar doméstico. Poseía muebles bonitos, aunque algo anticuados, testigos del pasado esplendor de la familia Villamil; dos entredoses negros con filetes de oro y laca cubiertas de mármol; sillería de damasco, alfombra de moqueta y unas cortinas de seda... Tenía doña Pura a tales cortinas como a las telas del corazón. Y cuando el aspecto de la necesidad se le aparecía... doña Pura se estremecía de pavor diciendo:

—No, no; antes las camisas que las cortinas.

Desnudar los cuerpos le parecía sacrificio tolerable; pero desnudar la sala... ¡eso nunca!» [10].

Aparte de paisajes y naturalezas muertas, los españoles de la época gustaban de recordar en lo plástico lo literario, es decir, de tener ante su vista los temas que más les habían emocionado al leer libros o poemas. En la decoración de la casa del doctor Centeno, por ejemplo, había sobre las modestas paredes «Diana hallándose con sus ninfas en el baño, sorprende y descubre el estado interesante de la ninfa Calipso», pie que no daba lugar a dudas del interés del dibujo. Había también la aventura medieval, puesta de moda por el romanticismo, especialmente a través de Walter Scott, como en esos grabados: «Matilde, hermana de Ricardo, Corazón de León, desembarca vestida de monja en Tierra Santa», «Matilde ve a Malek-Adbel», «Malek-Adbel roba a Matilde y echa a correr con ella por los desiertos campos» [11]. Igualmente Nombela describe en otra casa modesta:

«La sala tenía las paredes pintadas al temple, y por todo mobiliario, entre los dos balcones que daban a la calle, una consola de caoba sobre la que aparecían dos floreros hechos con diminutas conchas y en el centro, bajo un fanal, un templario de barro cocido con su larga capa blanca ostentando la Cruz de Malta; un sofá y ocho sillas de enea blanca con dibujitos negros; descansando sobre la consola un espejo de marco dorado, y en los otros lienzos de pared seis cuadros también con sus marcos dorados representando escenas de la Corte de Versalles en la época del apogeo de madame Lavallière, de los amores de Abelardo y Eloísa, sin olvidar al triste Chactas y a la sentimental Corina, personajes de las novelas que más fama gozaron en las primeras décadas del siglo.»

La ampliación natural de la sala era el gabinete. lugar, por decirlo así, de mayor intimidad.

«El gabinete estaba separado de la sala por dos puertas vidrieras con visillos de seda encarnada, y en él no había más muebles que cuatro sillas que, con las de la sala, componían la docena; una cómoda, en cuyos cajones guardaba mi abuelo su ropa blanca y la de vestir; sobre el hule que cubría la tabla superior un molde en que todas las noches dejaba su peluca y un diminuto caballete de metal dorado con un colgadero en el que ponía su reloj, aquel reloj de repetición cuyas tenues campanas me gustaba tanto oír. En el centro de la pared que ocupaba la cómoda había en un marco de caoba de gran tamaño una imagen grabada en cobre del Cristo de la Fe» [12].

Estas habitaciones—alcoba principal, gabinete y salón—son las utilizadas durante la estancia del Capitán Veneno en casa de la «Generala».

«...a los pocos minutos las tres mujeres transportaban en peso a su honesta casa y colocaban en la alcoba de honor de la salita principal sobre la lujosa cama de la viuda...» y más tarde

«...se tomó el acuerdo de poner la cama de la viuda en el gabinete que... estaba situado en un extremo de la sala, frente por frente de la ocupada por Jorge» [13].

Dejemos a Nombela explicar el resto de una casa de la clase media:

«Alcoba... en una de las paredes había una percha con sus correspondientes guardapolvo y cortina; en uno de los ángulos se hallaba otra portátil, con cuatro brazos horizontales para la capa y los gabanes, y en el centro un vertical para el sombrero.»

«Comedor... un sofá de Vitoria con un almohadón forrado de paño, frente al sofá una camilla con falda de bayeta verde y sobre la tabla superior un hule negro ribeteado con cinta gris oscuro. Completaba... un reloj de pared con su caja de pino pintado... Ni aparadores ni trinchero, ni platos repujados en las paredes, ni bodegones ni ninguno de los accesorios que adornan en la actualidad los comedores de modestos funcionarios del Estado».

Nombela comparaba la época descrita (1840) con la de la elaboración de las Memorias hacia 1909. Evidentemente el relativo lujo de unos cuadros representando naturaleza muerta, había ido extendiéndose. Ya hemos visto que en la casa de Jacinta se consideraba natural. Nombela describe ahora el dormitorio y el despacho con sus accesorios:

«Mi dormitorio era un cuarto contíguo al comedor, al que también daba ingreso un pasillo que comenzaba en el recibimiento. Otro cuarto con un ventanillo cerca del techo servía de despacho, y desde el comedor se pasaba a la cocina, a la alcoba de la criada y a la despensa...

...(el despacho) un cuarto blanquedo como el comedor y las alcobas, que recibía la luz por un alto ventanillo y servía de escritorio a mi abuelo, sin más muebles que un bargueño, un sillón de baqueta y dos sillas como las del comedor... abrir y cerrar los numerosos cajoncitos del bargueño... coger la pluma de ave, mojarla en el tintero de metal dorado, hacer garabatos sobre el papel de barba y vaciar la salvadera sobre el papel pintarrajeado era una delicia. La escribanía se completaba con una obleera, y sacar las obleas y pegar con ellas papelitos unos sobre otros era otro de mis entretenimientos favoritos» [14].

Para Larra, el sistema de construcción que necesidades de la cada vez más numerosa población madrileña obligaba a intensificar es absurdo, porque mantiene los defectos antiguos con menos espacio y peor material:

«Las casas antiguas que van desapareciendo de Madrid, rapidísimamente, están reducidas a una o dos enormes piezas y muchos callejones interminables, son demasiado grandes; son oscuras por lo general a causa de su mala repartición de entradas, salidas, puertas y ventanas.

Casas nuevas surgen de la noche a la mañana por todas las calles de Madrid... tienen más balcones que ladrillos y más pisos que balcones; ésas, por medio de las cuales se agrupa la población de esta coronada villa, se apiña, se sobrepone y se aleja de Madrid, no por las puertas, sino por arriba, como se marcha el chocolate de una chocolatera olvidada sobre las brasas.»

«Sigue el método antiguo de construcción: Sala, gabinete y alcoba pegada a cualquiera de estas dos piezas y siempre en la misma cocina donde se preparan los manjares, colocando inoportuna y puercamente el sitio más desaseado de la casa... ¿No podría hacerse que este sitio quedase separado de la vivienda?»

A esta petición de higiene, Larra, en muchos conceptos el más europeo de los españoles del siglo como en otros el más ibérico, une la que se verá cumplida muchos años más tarde. Más luz para las habitaciones sumergidas en las tinieblas por la creencia de que los muebles sufrían con la entrada del sol.

«No pudieron llegarse a desusar esos vidrios horribles, desiguales, pequeños, unidos por plomos, generalmente invertidos en las vidrieras. ¿No se les podía substituir con vidrios de mejor calidad, de más tamaño y unidos entre sí con sutiles listones de madera, que harían siempre mejor efecto a la vista y darían más entrada a la luz? ¿No convendría desterrar esas pesadas maderas que cierran los balcones, llenan de inútiles rebajos y costosas labores substituyéndoles puertasventanas de hojas más delgadas y lisas?»

«...las escaleras son cerbatanas por donde pasa la persona como la culebra que se roza entre dos piedras para soltar su piel... cada habitación es en el día un baúl en que están las personas empaquetadas de pie.»

...y citando un caso de un amigo que se muda.

«No cabía nada, el sofá se izó por el balcón y el bufete como taco de escopeta, haciendo más allá la pasada a fuerza de rascarle el yeso con las esquinas.» [15]

Al parecer, años después seguía habiendo una diferencia entre la casa antigua y la moderna en la misma proporción que la señalada por Larra, es decir, que se cambiaba oscuridad por estrechez. En 1880 una escritora de gran éxito entre el público femenino, no vacila en aconsejar...

«Es preferible elegir una casa nueva, porque su aspecto es risueño, limpio y agradable a la vista; pero en la alternativa de encerrarse en una jaula o de vivir con holgura, será más cómodo tomar habitación en un piso que no sea ya moderno, porque esos son siempre de mayores dimensiones»[16].

EL PATIO DE VECINDAD

La casa pobre se une a la casa pobre para aguantar con su promiscuidad el precio bajo de los alquileres. Así nace la casa colmena o patio de vecindad tal y como lo vió Jacinta, señora de Santa Cruz, acompañada de Guillermina y a través de la pluma de Pérez Galdós:

«No tardaron en encontrarse dentro de un patio cuadrilongo. Jacinta miró hacia arriba y vió dos filas de corredores con antepechos de fábrica y pilastrones de madera pintada de ocre, mucha ropa tendida, mucho reflejo amarillo, mucha zalea puesta a secar, y oyó un zumbido como de enjambre. En el patio, que era casi todo de tierra, empedrado sólo a trechos, había chiquillos de ambos sexos y de diferentes edades. Una zagalona tenía en la cabeza toquilla roja con agujeros... otra, toquilla blanca, y otra estaba con las greñas al aire. Esta llevaba zapatillas de orillo, y aquélla botinas finas de caña blanca, pero ajadas ya y con el tacón torcido. Los chicos eran de diversos tipos. Estaba el que va para la escuela con su cartera de estudio y el pillete descalzo que no hace más que vagar. Por el vestido se diferenciaban poco, y menos aún por el lenguaje, que era duro y con inflexiones dejosas.

»...En algunas puertas había mujeres que sacaban esteras a que se orearan, y sillas y mesas. Por otras salía como una humareda: era el polvo del barrido. Había vecinas que se estaban peinando las trenzas negras y aceitosas o las guedejas rubias, y tenían todo aquel matorral echado sobre la cara como un velo. Otras salían arrastrando zapatos en chancleta por aquellos empedrados de Dios, y al ver a las forasteras, corrían a sus guaridas a llamar a otras vecinas, y la noticia cundía y aparecían por las enrejadas ventanas cabezas peinadas o a medio peinar.»

La hija de don José Ido, puesta de guía y capitán de las señoras llenas de absorta admiración, las lleva arriba...

«Avanzaron por el corredor, y a cada paso un estorbo. Bien era un brasero que se estaba encendiendo con el tubo de hierro sobre las brasas para hacer tiro; bien un montón de zaleas o de ruedos; ya una banasta de ropa; ya un cántaro de agua. De todas las puertas abiertas y de las ventanillas salían voces o de disputa o de algazara festiva. Veían las cocinas con los pucheros armados sobre las ascuas, las artesas de lavar junto a la puerta, y allá, en el testero, de las breves estancias, la indispensable cómoda con su hule, el velón con pantalla verde y en la pared una especie de altarucho formado por diferentes estampas, alguna lámina al cromo de prospectos o periódicos satíricos y muchas fotografías. Pasaban por un domicilio que era taller de zapatería y los golpazos que los zapateros daban en la suela, unidos a sus cantorrios, hacían una algazara de mil demonios.»

«...Después de recorrer dos lados del corredor principal, penetraron en una especie de túnel, en que también había puertas numeradas; subieron como unos seis peldaños... y se encontraron en el corredor de otro patio, mucho más feo, sucio y triste que el anterior... Entre uno y otro, que pertenecían a un mismo dueño y por eso estaban unidos, había un escalón social: la distancia entre eso que se llama *capas*. Las viviendas... eran más estrechas y miserables..., el revoco se caía a pedazos y los rasguños hechos con un clavo en las paredes parecían hechos con más saña» [17].

LAS SILLAS DE PAJA, LAS ALFOMBRAS

De las decoraciones habituales en la casa española, tenemos también testimonios de escritores franceses que interesan, sobre todo porque traslucen su asombro ante las modas usadas en su París y que han sido ya desplazadas, y por otras características más españolas, como la cal y la paja. La primera en las paredes, y la segunda en las esteras. Teophile Gautier dice en 1840:

«El interior de las casas es amplio y cómodo; los techos son elevados y no escasea el espacio en ninguna parte *. En En París se podría edificar una casa entera en la caja de algunas escaleras. Se atraviesan largas filas de habitaciones antes de llegar a la parte habitada en realidad, pues todas ellas tienen como único adorno su blanqueo de cal o un tono liso amarillento o azulado, o recuadros de madera simulada. Lienzos ahumados y negruzcos que representan el martirio o la degollación de un santo; asuntos favoritos de los pintores españoles penden de las paredes, la mayoría de ellos sin marcos y doblados en sus bastidores. El entarimado es cosa desconocida en España, o por lo menos, yo no lo he visto. Todas las habitaciones están soladas con ladrillos; pero éstos se hallan cubiertos con esteras de caña en

---

* Por la alusión de Larra, siete años antes, y la explicación que sigue, es evidente que Gautier visitó especialmente casas ricas y antiguas, pero incapaces de conservar su antiguo esplendor y sobre todo de estar al día de las modas extranjeras.

invierno y de paja en verano, el inconveniente es mucho menor; estas esteras de caña y de paja están trenzadas con mucho gusto.

«Los pocos muebles que se encuentran en las habitaciones españolas, son de un gusto abominable. Las formas del Imperio florecen en toda su integridad (gusto messidor y gusto pirámide). Allí encontraréis las pilastras de caoba terminadas en cabezas de esfinge de bronce verde, las varillas de cobre y los recuadros de guirnalda «pompeya» que hace tiempo desaperecieron del mundo civilizado.»

Y, en cambio, como buen francés a la caza de elementos autóctonos, echa de menos la antigua riqueza ornamental española desaparecida por influjo extranjero.

«Ni un mueble de madera tallada, ni una mesa incrustada de concha, ni un tocador de laca, nada; la antigua España ha desaparecido por completo; sólo quedan algunos tapices de Persia y algunas cortinas de Damasco. En cambio, hay una abundancia de sillas y canapés de paja verdaderamente extraordinaria; las paredes están abarrotadas de falsas columnas, de cornisas simuladas o pintarrajeadas al temple.

»En las mesas y en las estanterías vense diseminadas figuritas de biscuit o de porcelana que representan trovadores, Matilde, Malek-Abdel, asuntos ingeniosos pero pasados de moda.»

E insiste en la acusación de Larra sobre la luz:

«Las cortinas siempre están corridas; las maderas, entornadas, de suerte que en los cuartos reina una semioscuridad» [18].

El mismo asombro en Charles de Mazade, siete años más tarde:

«... normalmente, los cuartos desnudos y blanqueados con cal; paredes adornadas con algunos de esos grabados de Poniatowski lanzándose al Elster, que hicieron templar nuestra infancia [19]. Mediocres sillas de paja se os ofrecen. Una alfombra de paja de diversos colores, trenzada con arte, se extiende a vuestros pies» [20].

Nombela nos ratifica el poco uso de la alfombra.

Las sillas, que hacían juego con los sillones y el sofá, completaban, adosadas a las paredes, el ajuar de aquella habitación, cuyo pavimento cubría una estera de corderillo, entonces artículo de lujo, porque para pisar alfombras era preciso frecuentar palacios» [21].

ILUMINACIÓN

De la palmatoria, del velón al quinqué de petróleo, pasando por el de gas; de ahí a la electricidad, los españoles van iluminando sus casas. Cada vez se alumbra más y mejor. ¿Se dan cuenta nuestros abuelos del progreso que alcanzan a paso de gigante? Veamos esta nota de un periodista en 1862 y responderemos afirmativamente:

«En 1832 se estableció una fábrica de gas en Madrid, pero sólo para Palacio Real y cercanías. En 1840, ya en las calles; pero Barcelona ya los tiene en los pisos.»

El escritor, aún llamando a la luz de gas «clara y resplandeciente», se pregunta:

«Ahora bien, ¿satisface el gas nuestras aspiraciones? ¿Es lo último que puede apetecerse en alumbrado? No, ciertamente, y no tenemos que ser falsos profetas anunciando que no estará muy distante el día en que un nuevo y más perfecto sistema de alumbrado vendrá a sustituir el que en la actualidad conocemos»[22].

Lo curioso de este texto, a nuestro entender, más que en la enumeración de ventajas a conseguir y conseguidas, está en el tono. Un tono victorioso de hombre que se apoya en el progreso y tiene en él una fe ciega. Se ha adelantado mucho desde el siglo XVIII, tan avanzado por un lado y tan medieval todavía en otros aspectos. Pero se seguirá adelante, ¿por qué no? Y los españoles estarán cada día más cómodos, mejor tratados en sus propias casas.

LA CALEFACCIÓN

El intento de calentar las casas, tan natural en un clima como el madrileño, opuso desde casi al principio de siglo a los partidarios de la tradición y a los innovadores. Los primeros defendían el brasero; los segundos, la chimenea. En 1833, Larra se había ya pronunciado:

«¿No podría introducirse el uso de las comodísimas chimeneas para las casas? ¿Tanto perderíamos en olvidar los mezquinos y miserables braseros, que nos abrasan las piernas dejándonos frío el resto del cuerpo y atufándonos con el pestífero carbón, y que son restos de sahumadores orientales introducidos por los moros?»[23].

En 1854 la costumbre no había logrado prevalecer. Nombela así lo afirma:

«Casi nadie tenía chimenea a la francesa, y los caloríferos o *chonberskys* no se habían inventado. Todos se calentaban en el clásico y vulgar brasero, bajo las copas de metal dorado»[24].

Entre los defensores de la tradición, ninguno tan claro como Bretón de los Herreros, que le dedicó una poesía que es una defensa completa de su uso, aun reconociendo sus defectos:

«Dirán que soy friolero;
que soy un cierzo, un Enero;
      pero
júrole a usted por mi honor
que no hay un mueble mejor
      que el brasero.
Si el termómetro requiero,
apunta dos bajo cero;
      pero
del termómetro me río;
que me preserva del frío
      mi brasero.
Si está el carbón muy entero
me da un tufo que me muero;
      pero
se echa un cuarto de alhucema
y no hay quien al tufo tema
      del brasero.
...Es mueble antiguo, somero,
de mal tono, chapucero;
      pero
a toda la vecindad
nos reúne en sociedad
      el brasero.
La chimenea ya infiero
que da mayor reverbero;
      pero
inspira más confianza,
más intimidad, la usanza
      del brasero» [25].

Otro escritor francés, Muret, llegado a España muchos años más tarde, en 1893, nos descubrirá que si el uso de la chimenea se extendía lentamente, la despreocupación española por el frío seguía igual. (Aun hoy los viajeros experimentan la misma sensación.)

«En la mayor parte de las habitaciones los medios de calefacción son insuficientes o no existen. En casa de los burgueses que me habían alquilado su mejor habitación... no había chimenea más que en el comedor, y el fuego de cock no se encendía más que cuando helaba. Cuando me quejaba del frío me traían un brasero.

...Estaban seguros de que la calefacción es mala para la salud y que con una buena capa se puede vivir sin fuego todo el invierno a pesar de las puertas y ventanas que no cierran y dejan paso a mil corrientes de aire» [26].

REFRIGERACIÓN

Estas casas tan anticuadas en lo que respecta a la calefacción, tenían en cambio un curioso sistema de refrigeración para los días cálidos. Gautier nos cuenta su funcionamiento:

«Los búcaros son una especie de pucheros de barro rojo de América, muy semejantes al de los tubos de las pipas turcas; los hay de todas formas y tamaños; algunos tienen vivos dorados y flores pintadas groseramente. Como ya no se fabrican en América, los búcaros empiezan a ser raros...

...Cuando se quieren utilizar... se colocan siete u ocho sobre el mármol de los veladores o de las rinconeras, se les llena de agua y se sienta uno en un sofá a esperar que produzcan su efecto... La arcilla se oscurece, el agua traspasa los poros y los búcaros no tardan en rezumarse y en esparcir un perfume que se asemeja al del yeso mojado o al de una cueva húmeda que no se hubiese abierto desde mucho tiempo atrás. La transpiración de los búcaros es tan abundante, que al cabo de una hora la mitad del agua se ha evaporado; la que queda en el cacharro está fría como el hielo y tiene un sabor a cisterna bastante nauseabundo, pero que encuentran delicioso los aficionados... Media docena de búcaros basta para impregnar el aire del ambiente de humedad... [27].

BAÑOS

No hemos hablado de cuartos de baño y hemos hecho bien porque nuestros abuelos no los conocieron, o al menos los conocieron poco. Algunas personas se bañaban con una complicación que hoy asombra. Veamos por ejemplo lo que hacía doña Celestina. «Tomaba cuatro onzas de almendras dulces mondadas, una libra de émulo campana, otra de piñones, cuatro puñados de simiente de lino, una onza de malvavisco y otra de cebollas de lirio. Molía todas estas cosas y formaba con ellas una pasta que la dividía en dos partes y una de ellas la subdividía en otras dos. De estas tres partes la mayor la ponía en un saquito, y las otras dos iguales en otros dos saquitos más pequeños, poniendo en el primero dos puñados de salvado, y en cada uno de los otros otro puñado. Ponía a calentar el agua suficiente para un baño, y lo tomaba cuando estaba caliente, sentándose sobre el saco grande y frotándose con los otros dos» [28].

Como se ve, bastante sencillo. De una forma más normal, sin embargo, fué aumentando la costumbre de los baños y, si en verano se iba al río o a las casas especializadas para ello, luego se tomaron a domicilio.

«Ahora que se ha prohibido sabiamente lavarse en el río por sus fatales consecuencias, tomar un baño a domicilio es una solemnidad de ventajosísimos resultados.

»El baño a domicilio es un plagio de las costumbres aristocráticas. El que se baña en casa es demasiado gran señor para ir a buscar el río, el mar o la casa de baños; es preciso que la casa de baños, el mar, el río, acudan a la habitación del que se baña...» [29].

Con ello y teniendo en cuenta que las habitaciones no tenían agua corriente, puede imaginarse el desbarajuste que se originaba en las casas cuando a la señora o al marido le apetecía tomarse un baño. Los aguadores llegaban mojándolo todo a su paso. Para ellos no había límite.

«En el día se lleva un baño a domicilio a un cuarto tercero, a un cuarto cuarto y aunque sea una buhardilla. Nada desalienta a los especuladores... Espera uno el baño a las nueve de la mañana y a las once no ha parecido todavía, cosa que mortifica tanto más cuanto que está uno en ayunas y en que no hay que pensar en el almuerzo antes de meterse en el agua» [30].

En el reparto de profesiones, de acuerdo con las provincias representadas según hemos visto en el capítulo anterior, el acarreo del agua correspondía a los asturianos por derecho propio e indiscuso.

Esta situación de dificultad para amantes de la limpieza, termina con la traída de aguas de Lozoya, que Perez Galdós marcará como hito inolvidable en la historia de la higiene madrileña. Aun así el bañarse el cuerpo totalmente no resulta sencillo ni aconsejable. Veamos lo que un especialista, Monlan, nos dirá a este respecto. ¿Hay alguna forma de evitar mojarse del todo y mantenerse limpio? Sí.

«A imitación de la *pulverización* de aguas minerales, que ha empezado a usar la terapéutica, se ha ideado recientemente un aparato por medio del cual, con una o dos botellas de agua se da un baño, o, mejor dicho, se mantiene junto a la superficie de la piel una capa delgadísima de agua sin cesar renovada... sin embargo...» parécenos que este baño de «polvos de agua...» no conseguirá destronar, por lo menos en higiene, el inmemorial y clásico baño de inmersión en pila o tina».

¿Hay que bañarse a menudo?

«La frecuencia depende del estado de la piel. Desde que se usa la lencería y la ropa blanca interior, los baños son menos indispensables que entre los antiguos, cuya túnica y ropa flotante dejaban expuestas al polvo muchas partes del cuerpo... Por regla general en nuestros climas puede considerarse suficiente un baño de todo el cuerpo cada semana en invierno y dos en verano».

Pero aún le parece poco al higienista...

«...La limpieza de la piel exige, además que diariamente, al levantarse, se enjugue el individuo toda la superficie del cuerpo pasando suavemente por ella una franela fina o un paño seco y limpio... conviene mudarse de camisa... el uso de la de dormir es limpio y agradable» [31]

Igualmente los dientes. «Cada mañana se debe lavar bien la boca por dentro y por fuera, con agua pura y natural; y también... con el mismo líquido, siempre que se acabe de tomar algún alimento.»

SERVICIO

En todo el siglo XIX el servicio es totalmente indispensable. Poco a poco el criado va perdiendo a lo largo de la centuria ese carácter de «criado», es decir, de nacido o entrado desde muy joven en la casa con multitud de deberes, pero también de derechos, para convertirse en un asalariado con sus mínimas, pero simbólicas, luchas sociales con el patrón. Esta, como digo, es transformación muy lenta, pero sensible. Mesonero Romanos ha descrito con sagacidad la diferencia. Antes, viene a decir, los criados formaban parte de la familia, compartían sus acontecimientos, se alegraban en las bodas y lloraban en los entierros. Se unían a los dueños en el momento de la oración...

«Toda mi familia en la sala de la casa de frente al obligado cuadro que pendía en el testero representando la Purísima Concepción y rezando en actitud reigiosa el Santo Rosario, operación cotidiana que dirigía mi padre y a que contestábamos todos los demás, incluso —se creía ahora—los sirvientes de ambos sexos que para el caso eran llamados a capítulo» [33]

La necesidad de aparentar se refleja preferentemente en la servidumbre. La protagonista de «No más mostrador» tiene en la misma ambiciosa medida las alfombras que:

«...unos lacayos abrieron la puerta y anunciando: el conde tal..., el vizconde tal..., y mientras no tenga... un jockey que me acompañe al Prado por las mañanas en invierno con mi chal al brazo y la sombrilla en la mano» [34].

VISTA DEL REAL MUSEO

VISTA DE LA ROTUNDA DEL R.ˡ MUSEO

ROTONDA DEL REAL MUSEO

PALACIO DE LOS DUQUES DE BERWIK Y ALBA

PALACIO DE SALAMANCA, EN RECOLETOS

Este tipo de jockey o groom era uno de los primeros en entrar en la casa de dinero por ser el que más fácilmente se exhibía en el coche del dueño. En 1861 lo encontramos al lado de Fabián Conde.

La conversación con él muestra el poco lazo que en una casa grande existía entre el dueño y el criado llegado a su puesto por extraños caminos y a quien sólo se le pedía cumpliera con su obligación:

«—¿De dónde eres?
—De Lugo, señor Conde.
—¿Cuánto tiempo hace que estás en mi casa?
—Dos años, señor Conde.
—¿Y cuánto ganas?
—Diez duros... y vestido.
—¿Cuántos años tienes?
—Catorce» [35].

En un tiempo en que los servicios postales eran más bien deficientes y especialmente en la ciudad se transmitían los recados de palabra o a mano, el tipo de jovencito para ello era muy útil. El mismo Torquemada reconoce su necesidad, a pesar de su avaricia:

«Se empeñaron... he transigido también con el lacayito ese para recados y limpiarme la ropa... pero en fin, pase...» [36].

En algunas grandes casas se conservaba la vieja costumbre de no echar jamás a los criados de los padres por viejos e inútiles que fuesen. Pertenecían, por decirlo así, a la decoración.

Didier cuenta que la de Medinaceli tenía incluso una escuela para los hijos de sus domésticos [37].

En las pequeñas que trataban de imitar a las grandes por enriquecimiento, lo elegante consistía en dar amplia libertad al servicio a fin de mostrarse en todo iguales a los aristócratas, cuyas casas habían comprado tras la ruina. Pérez Galdós nos explica con una escena el consabido desorden en la misma casa de Torquemada, ya hecho senador y hombre opulento:

«Los pasillos de aquel departamento convergían, por la parte opuesta al patio, en una gran cuadra o sala de tránsito, que de un lado daba paso a las cocinas, de otro a la estancia del planchado y arreglo de ropa. En el fondo... comunicaba con las extensas logias y cámaras de la morada ducal. En aquel espacioso recinto, que la servidumbre solía llamar el *cuartón,* una mujer encendía hornillos y anafres, otra braseros, y un criado con mandil hasta los pies, ponía en ordenada fila varios pares de botas, que luego iban limpiando por riguroso turno...

De la próxima cocina venía fuerte aroma de café. Allá acudieron uno tras otro... para coger tajadas de fiambres exquisitos» [38].

El mayordomo era el jefe indiscuso, pero mayores prebendas y posibilidades tenía desde luego el cocinero, del cual dependía en último término hacer quedar dignamente al dueño de la casa en sus comidas de gala. En su ascenso a la cumbre social, Torquemada toma primero una cocinera...

«Se empeñaron después en traerse cocinera de doce duros. ¡Qué barbaridad! ¡Ni que fuéramos arzobispos! Pues transigí en admitir la que tenemos, ocho durazos que, si es verdad no hace primores, bien pagada estará con cien reales...» [39].

Pero su cuñada le remonta tanto que al final tendrá un prestigio-so «chef» que como se lamenta él mismo...

«Me cuesta cuarenta duros al mes, sin contar lo que sisa, que debe ser una millonada, créetelo, una millonada» [40].

Lógicamente, el cocinero es quien cobraba más. «Se necesita para fuera de la Corte—dice un anuncio de 1860—un cocinero con 375 reales al mes de sueldo y viaje pagado...» [41]. Pero casi inmediatamente después y con cierto aire de primacía a veces por su intimidad con la señora, está la «doncella de labor». La verdadera no sirve sola. Necesita al menos una cocinera y un criado con ella o cocinera y doncella. Entra en la alcoba estando los señores en la cama, las hace luego; igualmente se cuida de los planchados urgentes y trae la cuenta de la ropa, coloca flores, ayuda a vestir a la señorita y lleva y trae papeles. En «Pequeñeces» era la criada y cómplice del cura Albornoz. En «Riverita», la de la generala Bembo; su favor con la señora la hacen peligrosamente importante en la casa y hay que pagarla bien para que no vaya a contar a otras señoras detalles molestos. Duerme cerca, pero con habitación independiente, lejos del resto del servicio [42].

Quien no puede permitirse tales lujos busca, naturalmente, la criada para todo. El primer diálogo que tiene con la señorita es un monólogo de ésta y a su través veremos cuáles son sus obligaciones.

«¿Personas que les abonen?... Levantarse a las cinco. Encender la lumbre, bajar a por la leche y el panecillo; luego trae mi chocolate, después el del amo. Mientras yo me levanto, barre usted la sala, el gabinete, el comedor y el recibimiento; limpia los cristales, viste a la niña, le da el desayuno, la lleva a la escuela; a la vuelta va a la plaza, que ha de ser a las once en punto..., hace las camas... Comemos a las cinco, cuando traiga a los niños de la escuela... cocido abundante..., fregado..., recados...; quiero fidelidad, que hay muchos desengaños...; los domingos por la tarde, libres..., pero ha de salir con los niños...» [43].

Este tipo de criadas, que a veces resulta un ángel de hogar y su protector, como en el caso de «Misericordia», de Galdós, que servían en lo aparente y en lo íntimo, tenían el contrapunto natural de ser lugareñas y zafias. Algunas intervenían en las conversaciones poniendo en compromiso a sus señoras, pero era aceptada y perdonada por sus evidentes cualidades de trabajo. Tal es por ejemplo, la que servía en casa de Diego y Gregoria:

«La criada me alargaba entretanto un vaso de agua en un plato como cualquiera otro.

—Francisca, te dije esta tarde...—murmuró Gregoria hecha un basilisco—, que al señor se le traería el agua en la bandeja de plata... Perdone usted, Fabián...

—Señorita...—respondió la criada—; no estaba puesta la llave del armario de las cosas finas... ¡Con que éste es el señorito Fabián! —añadió luego—. ¡Bien se le conoce en la cara lo muy travieso que, según dicen ustedes, ha sido! ¡Tiene unos ojos... que ya! ¿Cómo está la señorita Gabriela?

—Ya ves que aquí te quieren hasta los gatos de la casa—profirió Diego—. ¡Charlamos tanto de ti! [44].

El servicio que más bien lo pasaba y más libertad tenía, además de las propinas consiguientes a la condición de su ama, era el del teatro. Moratín hace hablar a una cómica...

> «...las criadas,
> que necesito dos, no están pagadas
> si no las doy cien reales en dinero...» [45].

En los anuncios de la época encontramos una descripción de condiciones, un abrirse a la curiosidad ajena que en vano buscaríamos en nuestros anuncios por palabras. Lastimosos...

«Una señora de edad avanzada, que por desgracia se ve precisada a servir, desea encontrar una señora o caballero solo, ya para ama de gobierno, ya para otra clase de servicio; aunque los expresados se hallen imposibilitados; tiene personas que le abonen» [46].

...O como éste, evidentemente venido a menos desde lo intelectual como la otra desde lo social, temeroso, de más golpes de vida.

«Un sujeto de buena forma de letra, solicita entrar en casa de un señor comerciante o abogado o curial, para tenedor de libros o administrador. Sabe todo lo necesario, como afeitar y cortar el pelo, cuidar los caballos y demás menesteres. Suplica no le engañen.»

Mesonero dice, tomó el anterior de los anuncios manuscritos, que se ponían en las listas de Correos. A la una ponían las listas y las cartas que llegaban según alfabeto. De allí dice el costumbrista que tomó también esta otra dando al otro platillo de la balanza, a la picaresca.

«Un joven decente, natural de Segovia, desea encontrar una señora para arreglarla sus asuntos. Pide lo de costumbre y la manutención» [47].

En el último cuarto de siglo, la idea generalizada era que el servicio se había puesto imposible debido a las cada día mayores exigencias de las muchachas y su poco o nulo rendimiento. De ahí este suelto:

«Una señora, amiga nuestra, cansada ya de sufrir las exigencias de las domésticas de esta Corte, cada vez más insufrible, nos remite el siguiente anuncio que no deja de ser oportuno: «Hace falta una criada que sepa tocar el piano o el arpa, cantar, hacer crochet, hablar francés e inglés, para servir en una casa en la que la señora se encarga de la cocina, de barrer, fregar, enjabonar y hacer las camas. Si hay alguien a quien convenga este trato, puede presentarse... en el redondel» [48].

BIBLIOGRAFIA DEL CAPITULO II

1 Larra, M. J. de: *Nadie pase sin hablar al portero.* «Artículos de Costumbres». (Ref. 1833.) Madrid, 1923.
2 Mesonero Romanos, R.: *Escenas Matritenses. Grandeza y Miseria.* Madrid, 1851.
3 Pérez Galdós, B.: *La Fontana de Oro.* Madrid, 1941. Ob. comp., volumen IV, pág. 130.
4 Nombela, J.: *Impresiones y recuerdos.* Madrid, 1909.
5 Larra, M. J. de: *Modos de vivir que no dan que vivir.* (1835.) Art. de Costumbres. Madrid, 1923, t. I, pág. 295.
6 Pérez Galdós, B.: *La Corte de Carlos IV.* «Episodios Nacionales». Referencia 1808. Madrid, 1941. Ob. comp.
7 Alarcón, P. A. de: *La pródiga.* Madrid, 1882. Libro IV, cap. VII.
8 Pérez Galdós, B.: *Fortunata y Jacinta.* Pub. 1870. Ob. comp., t. V, página 68.
9 Larra, Mariano José de: *No más mostrador.* Estrenada 1831. Acto I, escena I.
10 Pérez Galdós, B.: *Miau.* Ref. 1888. Ob. comp., t. V, págs. 585 y ss.
11 Pérez Galdós, B.: *El doctor Centeno.* Ref. 1.863. Ob. comp., t. V, página 1.357.
12 Nombela, Julio: *Impresiones y recuerdos.* Madrid, 1910.
13 Alarcón, Pedro A. de: *El Capitán Veneno.* Primera edición. Madrid, 1848.
   Parte primera, Cap. III y Parte tercera, cap. VI.
14 Nombela, J.: *Impresiones y recuerdos.*
15 Larra, M. J. de: *Casas Nuevas.* Art. de Cost., págs. 180 y ss.
16 Sinués, María del Pilar: *La dama elegante.* Madrid, 1880, p. II.
17 Pérez Galdós, B.: *Fortunata y Jacinta.* Ob. comp., t. V, págs. 101 y siguientes.
18 Gautier, Theophile: *Voyage pour l'Espagne.* París, 1840. Ed. espe. Madrid, 1932, vol. I, pág. 152.
19 *Como se ve las mismas modas llegadas con cierto retraso.*
20 Mazade, Charles de: *Madrid et la societé espagnole en 1847.* «Revue des Deux Mondes». París, 1847.
21 Nombela, J.: *Impresiones y recuerdos.* Ob. comp.
22 *Semanario Popular.* «Periódico Pintoresco». Madrid, 16 octubre 1862.
23 Larra, M. J. de: *Casas Nuevas.* Art. de Cost. T. I, págs. 180 y ss.
24 Nombela, J.: *Impresiones y recuerdos.* Ob. comp.
25 Bretón de los Herreros, M.: *El Brasero.* (J. Valera: Florilegio de Poesías castellanas del siglo XIX. Madrid, 1904).
26 Muret, E.: *Un hiver en Espagne.* París, 1893. «Bibliotheque Universelle.»
27 Gautier, T.: *Voyage en Espagne.* Ed. esp., vol. I, pág. 153.

[28] *El Tocador*: *Gacetín del Bello Sexo*. Madrid, 15 de agosto de 1844.
[29] Aygual de Izco, W.: *El Fandango*. «Revista de Madrid». 15 de agosto de 1845.
[30] *Linterna Mágica (La)*. «Revista de Madrid». 1 septiembre de 1850.
[31] Monlan, Pedro Felipe. *Elementos de higiene privada*. Madrid, 1864. Página 81.
[32] Monlan, Pedro Felipe: *Elementos de higiene privada*. Madrid, 1864. Página 99.
[33] Mesonero Romanos, R.: *Memorias de un setentón*. Madrid, 1880. Página 15.
[34] Larra, M. J. de: *No más mostrador*. Acto I, escena I.
[35] Alarcón, P. A. de: *El Escándalo*. Libro VII. Cap. I. Madrid, 1861.
[36] Pérez Galdós, B.: *Torquemada en el Purgatorio*. Ob. comp. cit., página 1.047. Ref. 1889.
[37] Didier, Ch.: *Une année en Espagne*. París, 1835.
[38] Pérez Galdós, B.: *Torquemada en el Purgatorio*. Pág. 10.
[39] Pérez Galdós, B.: *Torquemada en el Purgatorio*. Pág. 1047.
[40] Pérez Galdós, B.: *Torquemada y San Pedro*. Pág. 204.
[41] *Diario Oficial de Avisos de Madrid*. 1 de enero de 1860.
[42] Santa Ana, Manuel de: *La doncella de labor*. «Los españoles vistos por sí mismos». Madrid, 1851, pág. 233.
[43] Andueza, J. M. *La criada*. «Los españoles vistos por sí mismos». Página 30.
[44] Alarcón, P. A. de: *El Escándalo*. Madrid, 1861.
[45] Moratín, L. F.: *Soneto*. «Biblioteca de Autores Españoles», pág. 597.
[46] *Diario Oficial de Avisos de Madrid*. 8 de enero de 1860.
[47] Mesonero Romanos, R.: *Escenas Matritenses*. Ref. 1835, pág. 92
[48] *Vida Madrileña (La)*. «Revista Ilustrada». Madrid, 15 de noviembre de 1877.

III

LA COMIDA

Nos asomamos a la comida española en un momento en que parece que va a desaparecer: estamos a principios de siglo y con Mesonero Romanos tenemos el primer notario de los difíciles momentos. Se trata de 1808 a 1812, durante la ocupación de Madrid por las tropas francesas. Nuestro autor se lamenta:

«El famoso pan de trigo candeal se sustituye con otro mezclado con centeno, maíz, cebadas y almortas...; en vano se adoptó para compensar la falta de aquél a la nueva y providencial planta de la patata, desconocida hasta entonces en nuestro pueblo...; en los primeros meses de 1812 llegó a venderse en la plaza de la Cebada... a 18 ó 20 reales el pan de dos libras...; los agrios y amarillentos costaban de ocho a 10 reales...; (para engañar el hambre) se hacían bocadillos de cebolla con harina de almortas, que vendían los antiguos barquilleros por dos cuartos».

Y la llegada de las tropas aliadas fué saludada, además de los gritos patrióticos, con el dictado por la necesidad de «Viva el pan a peseta.» [1]

El plato nacional es naturalmente el cocido. Su lucha contra los de importación francesa caracteriza la gastronomía del siglo XIX como había sido típica la misma competencia en las modas. La ventaja del cocido es que es un plato con el que cabe toda posible ampliación y restricción, de forma que con el mismo nombre pueden levantarse de la mesa dos personas de distinta categoría económica en muy diverso grado de apetito. Por ejemplo, Felicísimo Cenicero, contento...

«Allí toma su chocolate macho con bollo marimón. Allí toma su cocidito con más de vaca que de carnero, algo de oreja cerdosa y algunas hilachas de jamón que el tenedor busca entre los garbanzos azafranados...»

Por la noche este feliz mortal come menos, pero suculentamente.

«Allí se le sirve la cena, que empieza invariablemente con migas esponjosas y acaba con guisado de ternera, todo muy especioso y aromático.» [2]

Mesonero describe la cena de un empleado, clase media, como más frugal que la comida: «Ensalada, guisado de vaca y huevo pasado por agua»; puede ser éste un *menú* típico. [3]

El tradicional no varía su plato cuando se trata de celebrar algo. Se limita a ampliarlo y añadir después otras entradas. Así Braulio, el castellano viejo, visto a través del escalpelo de Larra:

«Hubo... sopa, cocido (compuesto de) carne, verdura, garbanzos, jamón, gallina, tocino, embuchados, y luego ternera mechada, pichones, estofado, pescado.»

Larra, que a pesar de su patriotismo ha gustado siempre de comer bien, pone su sueño en una comida a la francesa al salir de esa española tan mal condimentada y servida. Su ideal está en los «beefsteak», «roastbeef», pavos de Periguex, pasteles de Perigord, vinos de Burdeos, en una reacción ante lo nacional mal entendido. [4]

La diferencia del carnero a la vaca en el cocido representa para Pérez Galdós un avance gastronómico de categoría en la vida cuotidiana de sus personajes. Así en 1870 describe a Torquemada tratándose mejor...

«La casa estaba en otro pie...; en la comida había menos carnero que vaca, y los domingos se añadía al cocido un despojito de gallina»,

...y nos indica el verdadero y monótono plato del pobre,

«que aquello de judías a todo pasto y algunos días pan seco y salchicha cruda fué pasando a la historia; que el estofado de contra fué apareciendo en determinadas fechas por las noches, y también pescados, sobre todo en tiempo de blandura, que iban baratos; que se iniciaron en aquella mesa las chuletas de ternera y la cabeza de cerdo salada en casa...» [5]

Situando la acción en los mismos años en que pasó por España, John Hay nos hace asistir a la comida del obrero en las calles madrileñas y en el descanso del mediodía:

«Pasando a las doce por plazas o sombrías plazuelas se puede ver docenas de trabajadores comiendo. Están sentados sobre la hierba y saborean el cocido, el invariable plato del... español. Su fundamental ingrediente es el garbanzo..., traído por los cartigineses... Se meten en él toda clase de verduras; en los días de gran gala se añade un trozo de carne y algunas amas de casa derrochadoras llegan a añadir un pedazo de chorizo. La madre trae la comida en un pote... El padre mete la cuchara de madera el primero, y su esposa e hijos le imitan con grave dignidad» [6].

LA PUERTA DEL SOL EN 1833

CASA DEL CARDENAL CISNEROS

PORTADA DEL HOSPICIO

RIFA CON LICENCIA DEL REY Q. DIOS G̅u̅e̅.

UNA CASA NUEVA
EN MADRID

Otro viajero famoso, Richard Ford, había dado en 1848 una lista más o menos completa de los platos preferidos de los españoles de todas condiciones sociales. Y detrás del cocido, que ocupa durante todo el siglo XIX y mantine en el XX su primer puesto, pueden colocarse—dice Ford—los guisados, los huevos preparados de maneras muy distintas, desde tortillas a estrellados con magras, el pisto, la paella valenciana y el gazpacho, señalando el origen oriental de muchos de esos platos [7].

Pero ya hemos visto que la moda, si posible es comer a la francesa, y en las quejas que Larra después del convite del castellano viejo, hay una apetencia de seguir las reglas gastronómicas del otro lado del Pirineo que, naturalmente, sólo pueden ser seguidas cuando se trata de familias con dinero suficiente para ello. Así en la casa de Jacinta, cuando se va a comprar...

«Tras las colecciones de purés para sopas, iban las perlas del Nizán, el gluten de la estrella, las salsas inglesas, el caldo de carne de tortuga de mar, docenas de botellas de Saint-Emilion, bote de champignons extra..., las trufas...» [8].

En 1884 otro protagonista de Pérez Galdós demuestra el cambio que se realizaba en una cocina cuando sus dueños tenían bastante dinero para huir del plato nacional y soñar con los parisinos:

«Fiada del ascendiente que tenía sobre su marido..., iba desvirtuando poco a poco los programas de éste en lo tocante a las etiquetas ramplonas y castellanas...; de su mesa había desterrado paulatinamente los asados de cazuela, los salmorejos, las paellas y otros platos castizos, y, por fin, introdujo... a uno de los mejores mozos de comedor que había en Madrid» [9].

Un francés, Muret, batalla en sus memorias contra la leyenda negra de la cocina española, aunque no la admire...

«Contra la opinión corriente, no se come mal en España. Nuestros estómagos septentrionales sufren un poco al sentir la cocina de aceite; pero no es desagradable al paladar..., abundante en todas partes...; se come mucho... Generalmente, el primer plato es de buey hervido y garbanzos. Pan duro, insípido. Pescado excelente» [10].

Lo más desagradable al paladar en esa lucha entre el plato nacional y el extranjero, era el quiero y no puedo, es decir, el intento de imitar sin medios suficientes par traerse de Francia un cocinero. Straforello resume esta opinión:

«Los legítimos platos españoles son excelentes; pero lo que estropea a los cocineros españoles es su tentativa de imitar a los países extranjeros. En España se sigue a Oriente con el hervido o estofado, ignorándose casi el asado por falta de combustible. La «olla» es lo primero. La carne es mala, pero la salsa con aceite, ajo, azafrán y pimienta es mejor... Los garbanzos es el plato nacional» [11].

BEBIDAS, DULCES, CAFÉ

El español del siglo xix bebe mucho vino. Pero Amicis y otros viajeros señalan que no se llega casi nunca a la embriaguez. Concretamente el italiano:

«En la mesa redonda de las fondas no he visto nunca a un español vaciar la botella...; es raro encontrar un borracho en las ciudades de España...; y así, a pesar de la sangre ardiente y libre comercio de cuchillos y puñales, hay menos riñas de lo que parece» [12].

Se sigue bebiendo chocolate, especialmente por la mañana, pero el café a venido a sustituirlo en gran parte a determinadas horas del día. La nieve y bebidas heladas a que siempre han sido aficionados los españoles desde los tiempos de la casa de Austria, siguen en las calles madrileñas o provincianas con gran éxito. Straforello añade que los ricos toman agraz, o sea uva, azúcar y agua mezclado. También agua y horchata o cerveza débil mezclada con limón helado».

Los dulces eran variadísimos. Marcela recibe un cucurucho de un admirador:

«Son bombones, capuchinas;
almendras garrapiñadas,
yemas acarameladas,
y pastillas superfinas» [13].

Y el anónimo diplomático se hace cruces de la variedad:

«Después de beberse copiosamente y cuando se hubo cubierto la mesa de uvas, ciruelas, higos, melones y otras muchas frutas y de profusión de dulces exquisitos, en que no hay quien rivalice con España...» [14].

HORAS DE COMIDA

¿A qué hora comen los españoles del siglo xix? No es tan fácil decirlo. Quien se levanta tarde hace su almuerzo, que es además desayuno, a las doce. Pero lo normal es tomar algo a las ocho y después...

...«luego darán las doce, y me avisarán que está el almuezo... Iré al comedor y me encontraré con una estatua vestida de luto» [15].

...dice el capitán Veneno. Pero en el campo debía ser diferente y la mañana exigía un desayuno más suculento a juzgar por las quejas de Rafael en «Lo positivo».

«...Las diez. En Carabanchel, por lo visto se sigue el mismo método de vida que en Madrid y no almorzaremos hasta las doce o la una» [16].

Cuando la comida es más importante, o de formalidad, se aplaza la hora. El castellano viejo invitó a Larra a las dos (empezaron a las cuatro) y Zorrilla encontró en su casa una tarjeta de Massard en que decía: «Puede usted traerme los versos a casa a las tres. Comerá usted con nosotros» [17].

La comida de la noche se realizaba desde las seis a las ocho y media, a juzgar por los testimonios literarios. Cuando alguien llega a las ocho se calcula que ha comido ya. A lo menos así piensa Gregoria en «El escándalo».

«¿Tomaría usted algo? ¿Quiere usted un refresco? ¡Con toda confianza! ¡Instale tú, hombre!

...Desearía un vaso de agua.

—¿Pero qué...? ¿No vas a comer con nosotros?

—¿Qué dices? ¿El señor no ha comido? —exclamó Gregoria, con un terror indescriptible.

—Comí hace dos horas en El Escorial... —me apresuré a decir, mintiendo piadosamente.

—Pues lo que es mañana... ¿no es verdad, Diego?, come usted con nosotros.

—No faltaré de manera alguna.

—A las seis—tartamudeó Diego con voz sorda» [18].

Para «El amigo manso» sería muy temprano. El come o, ya se puede decir, cena sobre las ocho.

«—Petra, la comida.

...(tengo) las ocho y siete; voy atrasado. ¿Quieres comer?) [19].

Otros como el señor Cucurbitas iban a comer infaliblemente a las siete en punto, y cuando se retrasaba la familia se agitaba esperándole, porque tenía que ir luego al teatro. Esta fué la escena que se presentó a los ojos del niño Luis Cadalso [20].

En fin, lo evidente era que la costumbre española, que consistía en comer temprano, chocó con la francesa de hacerlo tarde porque tarde se levantaban. Con lo cual al hombre de la clase media a quien invitaban a una comida elegante se encontraba con unas horas en blanco, cuya inutilidad y agobio están perfectamente descritas por un personaje de Bretón:

Luciana: Ya sé que en casa del Conde
             comen siempre a la francesa.
D. Rodrigo: ...y por mi vida
             que es una triste fineza
             hacer esperar a un hombre
             tres horas o tres y media
             para comer una sopa
             muchas veces no tan buena
             como la suya y en tanto
             que el momento ansiado llega
             ¿qué se hace en el mes de agosto
             el cuitado a quien obsequian
             de este modo? ¿A dónde va?
             En todas partes molesta.
             Aquí están comiendo, y siente
             que un extraño les sorprenda,
             bien porque entonces les falta
             la libertad que quisieran
             para hablar de sus negocios,
             bien porque no les convenga
             que se enteren de si comen
             faisanes o berengenas,
             de si hay o no pulcritud
             en mantel y servilletas...»

Curiosamente el extranjero Inglis estaba de acuerdo con esta definición del español como celoso de la intimidad de su hogar. «Se puede pasar años en España—afirma—sin ser invitado a comer. Pero si se cae por allí a la hora es obligado a sentarse. No puede achacarse esto a poca generosidad, porque fuera el español invita siempre. Más bien—dice más abajo—, a que el español en general vive de su sueldo pequeño y usa poco del mantel»[21]. ¡Siempre las apariencias presidiendo el comportamiento, desde el hdalgo al lazarllo! Pero sigamos con Bretón y su diatriba sobre las horas de comer.

             ...Esto de comer las gentes
             a unas horas tan diversas
             es incómodo a quien vive
             en la capital de Iberia.

Sepámoslo de una vez;
¿qué somos en esta tierra,
españoles o franceses?
¿Se come aquí o se merienda?
La explicación viene sola:
...Ya se ve: los madrileños
se han formado tal menestra
de costumbres nacionales
y costumbres extranjeras,
que aquí ya nadie se entiende
ni la conoce su abuela» [22].

Lo nacional y lo extranjero se enfrentan también en la diatriba que sigue. Han pasado seis años, pero se trata no sólo de la hora sino de la calidad del condumio:

«Esto es como la hora que tienes de comer, Eugenio... ¿Quién querrá creer, señores, que el otro día me convidó y tuvo el atrevimiento de hacerme esperar hasta las cinco y cuarto...? Luego nos sentamos a la mesa y ¿qué me dió? En vez de una buena cazuela de arroz, un calducho con yerbas, con zanahorias, perejil y rábanos, y nada de cocido ni cosa semejante; bistec, fritandó...; más te hubiera agradecido un buen puchero, un lechoncillo asado que es mi plato favorito, una buena ensalada de lechuga» [23].

CAFÉS, FONDAS, RESTAURANTES

Evidentemente a Larra, a pesar de demostrar su profundo españolismo y su odio a la imitación extranjera, en muchos de sus artículos, como el de «En este país...», no se le puede considerar apegado a la comida española. No pierde la ocasión de burlarse de ella, ni de lamentarse cuando ha tenido que pasar por la necesidad de probarla. A primeros de siglo los lugares donde se come se llaman cafés o fondas y contra ellos esgrime lo más agudo de su sátira. Desde la decoración a la pura concepción del alimento, todo le parece mal; estamos en 1828:

«Qué es aquello de llamar a las diversas piezas de comer Marco Antonio, Cleopatra, Viena, Zaragoza, Venecia, Embajador grande y chico. ¿Si querrán hacer de una fonda un pequeño epítome de historia o un diccionario biográfico...?

»En vano miré la lista por ver si personas que inventaban nombres tan ajustados a las cosas habría mudado el tecnicismo gastronómico galo-hispano que tenemos, para poner a los manjares nombres españoles sacados de nuestros autores clásicos del Mariana o del Artillón; pero me encontré todavía con los «cornisones», los «purés», las «chuletas a la papillote», las «manos a la vinagret», el «salmón de chochas», el «hígado salteado»... viendo que era preciso resignarse a seguir comiendo en extranjero.»

Pero lo que al parecer molesta más a Fígaro es comer a lo extranjero sólo en la carta y no en la forma de preparar los platos:

«Aquel engrudo llamado crema del que no saben salir... Aquella execrable mostaza hecha a fuerza de vinagre; aquel cocido insípido y asqueroso y, lo que es peor, aquel sacar los mozos los cubiertos del bolsillo... confundidos con las puntas de los cigarros.»

Y a su espíritu, que pasa muchas veces de revolucionario a ultraselecto, le repugna el ascenso de las clases al café o fonda:

«... ¡Oh, siglo de las luces! Cuando se vió a un lugareño (en el)... café» [24].

Cuatro años más tarde, la animadversión de Larra no ha cesado en un punto. Sigue hallándolo todo mal, empezando por el snobismo de «comer fuera».

«... Llenas las mesas de un concurso que, juzgando por las facultades que parece tener para comer de fonda tendrá probablemente en su casa una comida sabrosa, limpia, bien servida, etc., y me lo hallo comiendo voluntariamente y con el mayor placer, apiñado en un local incómodo (hablo de cualquier fonda de Madrid), obstruído, mal decorado, en mesas estrechas, sobre manteles comunes a todos, limpiándose las babas con las del que comió media hora antes, en servilletas sucias, sobre toscas, servidas diez, doce, veinte mesas, en cada una de las cuales comen cuatro, seis, ocho personas, por uno o dos mozos mugrientos, mal encarados y con el menos agrado posible, repitiendo este día los mismos platos, los mismos guisados del pasado, del anterior y de toda la vida; siempre puercos, siempre mal aderezados, sin poder hablar libremente por respeto al vecino, bebiendo vino, o mejor, agua teñida o cocimiento de campeche abominable» [25].

Han pasado tres años. Larra sigue impertérrito. Las mismas acusaciones, esta vez más claras por su alusión a los vinos de ultrapuertos, se refieren esta vez a la famosa fonda Genyeis, orgullo por aquel entonces de los madrileños. Titulado precisamente «La Fonda Nueva», el artículo reza así:

«Comeremos bien; iremos a Genyeis, es la mejor fonda. Linda fonda; es preciso comer de seis a siete duros para comer mal. ¿Qué aliciente hay allí por ese precio? Las salas son bien feas; el adorno, ninguno; ni una alfombra, ni un mueble elegante, ni un criado decente, ni un servicio de lujo, ni un espejo, ni una chimenea, ni una estufa en invierno, ni agua de nieve en verano, ni... ni Burdeos ni Champagne... Porque no es Burdeos el Valdepeñas, por más raíz de lirio que se le eche. Iremos a «Los Dos Amigos». Tendremos que salirnos a la calle a comer o a la escalera, o llevar una cerilla en el bolsillo para vernos la cara en la sala larga... ¿Quiere usted que le diga yo lo que nos darán en cualquier fonda a donde vayamos?... Nos darán, en primer lugar, mantel y servilletas puercas, platos puercos y mozos puercos; sacarán las cucharas del bolsillo, donde están con las puntas de los cigarros; nos darán luego una sopa que llaman de hierbas y que no podría acertar a tener nombre más alusivo; estofado de vaca a la italiana, que es cosa nueva; ternera mechada, que es cosa de todos los días; vino de la fuente; aceitunas magulladas; fritos de sesos y manos de carneros, hechos aquéllos y éstos a fuerza de pan; una polla que se dejaron otros ayer y unos postres que nos dejaremos nosotros para mañana. Y también nos llevarán poco dinero, que aquí se come barato. Pero mucha paciencia, que así se aguanta mucho» [26].

Y si antes se quejó del lugareño, ahora comenta el quiero y no puedo de un empleado o estudiante:

«Aquel joven que entra venía a comer de medio duro; pero se encontró con veinte conocidos en una mesa inmediata; dejóse coger también por la negra honrilla y sólo por los testigos pide de a duro. Si como son sólo conocidos fuera una mujer a quien quisiera conquistar, la que en otra mesa comiera, hubiera pedido de a doblón; a pocos amigos que encuentre el infeliz, se arruina. ¡Necio rubor de no ser rico! ¡Mal entendida vergüenza de no ser calavera!» [27].

Lo que Larra deseaba probablemente fué lo que en 1840 se inauguró en Madrid y que Pérez Galdós nos ha revelado:

«A los cuarenta andaba el siglo cuando se inauguró (calle de la Abada)... el comedor o comedero público de Prote y Lopresti con el título de Fonda Española. No digamos extremando el elogio que fué el primer establecimiento montado en Madrid según el moderno estilo francés... La exótica palabra restaurant no era todavía vocablo corriente en bocas españolas; se decía fonda y comer de fonda... si nuestros antiguos bodegones y hosterías conservaban la tradición del comer castizo, bien sazonado y sustancioso; los italianos... introdujeron las buenas formas de servicio y un poco de aseo o sus apariencias hipócritas que hasta cierto punto suplen el aseo mismo. No fué reforma baladí el sustituir la lista verbal recitada por el mozo, con la lista escrita que encabezaba los «ordubres», estrambótica versión del término «hors d'oeuvre». Lo que principalmente constituye mérito de los italianos es la introducción del precio fijo, la regia económica de servir buen número de platos por el módico estipendio de doce reales, pues con tal sistema adaptaban su industria a la pobreza nacional y establecían relaciones seguras con un público casi totalmente compuesto de empleados y militares de mezquino sueldo, de calaveras sin peculio o de familias que empezaban a gustar la vanidad de comer fuera de casa en días señalados o conmemorativos...»

«...Ya Genyeis había dado a conocer las *croquetas,* asados un poquito crudo, las chuletas a la papillote y otras cosillas, pero Lopresti popularizó estos manjares poniéndolos al alcance de los bolsillos flacos... al mismo tiempo superaba a Genyeis en los arroces a la valenciana y a la milanesa, bacalao en salsa roja..., cordero con guisantes, besugo a la madrileña, pepitoria, macarrones a la italiana, guisotes de pescado y mariscos a estilo provenzal o genovés...; en vinos el poco pelo de la clientela limitaba el consumo a los tintos de Arganda o Valdepeñas para pasto y un jerez familiar y baratito para los que iban de jolgorio con mujerío o sin él, a horas avanzadas de la noche...; no se conocía el champagne en estas francachelas de un carácter confianzudo y pobretón.

»...En el servicio de vinajeras introdujeron los italianos cristalería fina en armaduras elegantes y presentaban los mondadientes en gallitos y monigotes de porcelana. Inferior era el lujo de la mantelería y juegos de mesa de dudosa blancura...»

Aquí nos da Pérez Galdós una razón del horario español de comidas que comentábamos. El deseo de evitar las oscuras y a veces no demasiado tranquilas calles de Madrid, obligan a cambiar el horario y adelantar la hora de la cena.

«...Adoptaron los dueños el horario francés..., dando la comida fuerte por la noche, con supresión del cocido. A mediodía servían almuerzos de seis u ocho reales con huevos fritos y uno o dos platos y el invariable postre de pasas y almendras con añadidura de un bollito de tahona, régimen que las casas de huéspedes han perpetuado como una institución hasta nuestros días» [23].

Veamos ahora alguna muestra de comida más barata, más al alcance de la mayoría de los españoles. A mediados de siglo se daba ya cubiertos con suscripciones, lo que hoy llamaríamos abono «bien sean llevadas a las casas o dentro del establecimiento»; las comidas son a cuatro, seis y diez reales. En otro lugar «sólo por dos reales se da de almorzar un par de huevos fritos con manteca, jamón dulce y su pan correspondiente, un café con leche o sin ella, en taza o vaso, servicio de plata y cristal tallado».

Como se ve no se descuidan los elementos externos que ayuden

PALACIO DE JUDO, EN LA CASTELLANA

TRIBUNAL DE CUENTAS DEL REINO

CORPIÑO Y MANTILLA

MAJA BAILANDO

a la buena digestión. Pero todo es poco para el cliente; además...

«se dan también a leer los periódicos, *Gaceta, Heraldo, Diario y Avisador*. Hay camarotes para las familias que no quieran estar muy al público. Todas estas comodidades en la calle de la... Café del Turco» [29].

«Ir a comer fuera» tenía una gran importancia para gente de toda clase humilde. Larra se burló con más gracia que buena intención.

«En cuanto a la pobre clase media sólo de un modo se divierte; gran coche alquiler..., la esperanza de la gran comida a que se van aproximando el coche mal que bien, aquello de andar en alto, el rubor, las jóvenes que van sentadas sobre los convidados, y la ausencia sobre todo del diurno puchero, alborotan a nuestra gente en tal disposición que desde media legua se conoce el coche que lleva a la fonda una familia de enhorabuena» [30].

Por el mismo año de 1840, Teófilo Gautier se asombraba de la cantidad de bebidas que se podían tomar y especialmente mencionaba los helados, a los que los españoles, y especialmente los madrileños, han sido siempre muy aficionados:

«La bebida helada se sirve en vasos que se distinguen en grande o chico y ofrece una gran variedad; hay la de naranja, la de limón, la de fresa, la de guindas tan superiores (a las de París). La bebida de almendra blanca es deliciosa y desconocida en Francia (se refiere a la horchata).

»...También sirven leche helada, con la mitad de fresa o de cereza... durante el día, cuando aún no están preparados los helados; tenéis el agraz, bebida hecha con uvas verdes y conservada en unas botellas de cuello enorme... También se puede tomar «cerveza de Santa Bárbara con limón...»; primero presenta una cubeta y un cucharón como los de mover el ponche; luego se adelanta un camarero con una botella alambrada que descorcha con mil precauciones; salta el tapón y se vierte la cerveza en la cubeta, donde de antemano se habrá vaciado una garrafita de limonada; se mueve bien todo, se echa en los vasos y se bebe».

«Los *quesitos* son helados, pequeños, duros, moldeados en forma de queso; los hay de todas clases, de albericoque, plátano, naranja, pero también los hacen con manteca y con huevos aún sin formar que se sacan del cuerpo de las gallinas despanzurradas, cosa que es exclusiva de España, pues yo no he oído hablar más que en Madrid de este singular refinamiento. También sirven espumas de chocolate, de café y otras» [31].

A medida que el siglo avanza, la sociedad española se va afrancesando en su manera de comer, y este estilo se va comunicando, además, a diversas capas sociales que, al empezar la centuria, se consideraban dichosas con su frugal alimento. Larra señaló en relación con el traje, y más tarde con la comida, que cada vez son más los que se creen con derecho a adornarse y a alimentarse como las clases elevadas, antes consideradas inalcanzables. Los platos se van refinando, y asimismo el número de ellos. Siguiendo un poco el ascenso de la burguesía en la Francia de últimos del siglo XIX, los españoles llevan a un tope que luego las guerras mundiales harán bajar sus apetencias. Véase, como ejemplo de ese máximo señalado, el menú de un banquete en 1894, recogido por la curiosidad de Agustín de Figueroa:

«Entremeses a la rusa.
Melón.
Caldo concentrado con nidos de golondrinas.
Huevas de carpas, salsa suprema.
Filetes de lenguado a la Bretona.
Pollas cebadas de la flecha a la Real.
Riñonaditas de cordera de leche a la bearnesa.
«Chanfroid» de zorzales empapado de jugo de piña.
Sorbetes de vino de Oporto.
Codornices a la polaca.
Cogollos de lechuga a la crema.
Guisantes a la francesa.
Espárragos de Torroella de Mongrí.
Cangrejos a la veneciana.
Pavías tempranas rehogadas en almíbar a la vainilla.
Bombas heladas a la duquesita.
Cajetines de Pacrika.
Fresones de Aranjuez.
Canastillas de frutas» [32].

Si Larra hacia 1828 se había quejado de los nombres franceses y sobre todo de que no correspondiesen al nombre del plato, hubiera visto sus deseos y su apetito satisfechos con el menú antecedente. Fácilmente puede observarse en él que la cocina francesa ha invadido totalmente la española con poquísimas excepciones y ha hecho obligatorio el uso del francés o de pobres traducciones para definir los distintos platos.

LAS POSADAS DE LA RUTA

Si en Madrid poco a poco se iba cambiando la forma de comer en refinamiento progresivo, la evolución se realizaba mucho más lentamente o no existía en los lugares de comer situados en las carreteras o ciudades pequeñas. Los mismos defectos que hallaron los viajeros del siglo XVIII vuelven a presentarse en las narraciones de los que cruzaron España en el XIX, y si en cambio tenemos menos testimonios nacionales, esto depende en gran manera en que nuestros compatriotas se movían menos, siendo Madrid el centro de su actividad total.

Dejemos a Debrowski describirnos un alto en el camino «Galera de Mauricio, por un duro se cuida de alimentarme y de hacerme dormir. Al sentarse quedan en pie los «esbirros» de la galera. En la mesa tres grandes ollas, una de gazpacho, otra con arroz a la valenciana con azafrán y la tercera con carne de cerdo, garbanzos y pimientos colorados a la parrilla, con aceite. Porrón y vasos. Tenedores de hierro y cucharas de madera; cada uno cortaba el pan con su cuchillo de viaje. Se llena el plato, luego pasan la olla a los esbirros y luego a los niños» [33].

Un poco más civilizadamente comió T. Gautier dos años después en una posada, pero sus dos ejemplos muestran claramente que había mucha disparidad entre las posadas y que se podía acertar con alguna decente si no se pedían excesos y uno se conformaba con la comida rústica:

«Primero sirven una sopa grasienta que se diferencia de la nuestra (la francesa) por tener un tinte rojizo, debido al pimiento de que la espolvorean para darle color... El pan es muy blanco, muy apelmazado, con una corteza lisa y dorada ligeramente; resulta muy salado para los paladares parisinos. Los tenedores tienen el mango vuelto hacia atrás, las puntas lisas y cortadas como púas de peine; las cucharas también tienen mucha semejanza con una espátula..., el mantel es una especie de damasco de grano gordo; en cuanto al vino... era del más bello tono púrpura que puede verse, tan espeso que podía cortarse y los jarros en que lo servían no daban transparencia ninguna.

»Después de la sopa sirvieron el puchero..., pollos guisados con aceite..., pescado frito, truchas o merluzas, cordero asado, espárragos, ensalada, pastas de macarrón, almendras tostadas, queso de cabra, de Burgos...; para terminar (trajeron) una bandeja con vino de Málaga, Jerez y aguardiente... y un braserillo con fuego para encender los cigarros»[34].

En cambio en Illescas...

«El almuerzo se compone de una sopa de ajos con huevos, la inevitable tortilla de tomate, almendras tostadas y naranjas, todo ello rociado de un vino bastante bueno... La cocina no es la parte brillante de España y las posadas no han mejorado mucho de Don Quijote acá; los cuadros de tortillas llenas de plumas, merluzas coliáceas, aceite rancio y garbanzos como balas de fusil, son todavía de la más exacta veracidad»[35].

Para Richard Ford *posada* es el lugar de reposo donde el dueño no está bligado a dar de comer y la *fonda* en la que puede hacerlo. En su descripción comenta especialmente el uso y abuso del ajo como típico exponente de la comida española. También cita el asombro que causa en los venteros españoles el apetito que demuestran los ingleses de paso[36].

Para el amable observador de costumbres españolas que hemos citado algunas veces como anónimo diplomático, las posadas españolas tienen una leyenda negra:

«La rotura de una rueda del coche me permitió detenerme media hora en una fonda del camino. Atestada la cabeza de escenas de ventas del inmortal Cervantes, sorprendióme encontrarme con un excelente almuerzo compuesto de aves y carne asada, tras de la sopa y el famoso *puchero*, a más de las legumbres, uvas, ciruela, peras y chocolate, todo abundantísimo. El pan... era muy bueno»[37].

BIBLIOGRAFIA DEL CAPITULO III

1. Mesonero Romanos, R.: *Memorias de un setentón*. Pág. 88.
2. Pérez Galdós, B.: *Los Apostólicos*. «Episodios Nacionales». Referencia 1831, m., pág. 153.
3. Mesonero Romanos, R.: *Memorias de un setentón*. Pág. 88.
4. Larra, Mariano J. de: *El Castellano viejo*. Art. de Cost. Ref. 1832, vol. I, págs. 96 y 103, t. V, pág. 934.
5. Pérez Galdós, B.: *Torquemada en la hoguera*.
6. Hay, John.: *Castiliam Days*. New-York. 1899. Pág. 30.
7. Ford, Richard.: *The spaniards and they country*. New York, 1848. Página 124 y ss.
8. Pérez Galdós, B.: *Fortunata y Jacinta*. Parte V. Ob. comp., t. V, página 91.
9. Pérez Galdós, B.: *Lo prohibido*. Ob. comp., t. IV, pág. 1.827.
10. Muret, E.: *Un Hiver en Spagne*. París, 1893.
11. Straforello, G.: *Una corsa in Spagna*. Roma, 1894.
12. Amicis, Edmondo di: *Spagna*. Torino.
13. Bretón de los Herreros, M.: *¿Marcela o cuál de los tres?* Madrid, 1831. Acto II, escena III.
14. *Madrid hace cincuenta años, a los ojos de un diplomático extranjero*. Madrid, 1904. Ref. 1853.
15. Alarcón, P. A. de: *El Capitán Veneno*. Madrid, 1848. Parte III, cap. I.
16. Tamayo y Baus: *Lo positivo*. Madrid, 1862. Acto I, escena V.
17. Zorrilla, J.: *Recuerdos del tiempo viejo*. Ref. 1837.
18. Alarcón, P. A. de: *El escándalo*. Madrid, 1861.
19. Pérez Galdós, B.: *El amigo manso*. Ob. comp., t. IV, pág. 1.271 (1882).
20. Pérez Galdós, B.: *Miau*. Ob. comp., t. V, pág. 577.
21. Inglis: *Spain in 1830*. London, 1831, t. I, pág. 143.
22. Bretón de los Herreros, M.: *Un tercero en discordia*. Madrid, 1839. Acto I, escena II.
23. «Semanario Pintoresco». Madrid, abril de 1845. V. I.
24. Larra, M. J. de: *Correspondencia del Duende*. Art. de Cost., t. I, página 24.
25. Larra, M. J. de: *Quién es el público y dónde se encuentra*. Art. de Cost., pág. 57.
26. Larra, M. J. de: *La fonda nueva*. Art. de Cost., pág. 164.
27. Larra, M J. de: Ibidem.
28. Pérez Galdós, B.: *Montes de Oca*. «Episodios Nacionales». Cap. I. Obras Completas, t. II, pág. 1.105.
29. *Nuevo avisador (El)*. Madrid, 29 de febrero de 1844.
30. Larra, M. J. de: *Quién es el público y dónde se encuentra*. Art. de Cost. pág. 161.
31. Gautier, T.: *Viaje por España*. Madrid, 1932. Pág. 143.

[32] Figueroa, A. de: *1894*. Madrid, 1940.
[33] Debrowski, Charles: *Deux ans en Espagne et en Portugal pendant la guerre civile*. 1838-1840. París, 1841.
[34] Gautier, T.: *Viaje por España*. Pág. 39.
[35] Gautier, T.: *Viaje por España*. Pág. 196.
[36] Ford, Richard: *The spaniards and their country*. New York, 1848, páginas 179 y ss.
[27] *Madrid hace cincuenta años, a los ojos de un diplomático extranjero* Traductor D. Ramiro. Madrid, 1904, pág. 12.

IV

LA ROPA

La lucha que en todos los aspectos se había ido desarrollando a lo largo del siglo XIX entre lo nacional y lo extranjero, entre lo tradicional y lo innovador, ofreció en el caso del vestido la rendición con armas y bagajes ante lo importado. Francia o Inglaterra pueden ser los vencedores alternados, pero España es casi siempre la derrotada. Los elegantes se vestirán a la moda de ultrapuertos o de allende los mares y los que tratan de imitarlos seguirán su ejemplo también en este terreno. Las guerras y la poca seguridad económica que éstas traían a nuestra patria, hicieron difícil hasta últimos de la centuria la implantación de industrias eficaces que bastasen al consumo nacional. Por ello Pérez Galdós al describir una tienda madrileña en 1808 usa gran número de voces exóticas.

«Los Requejos vendían telas de lanas y algodones. A saber: pañuelos del Bearne, género muy común entonces; percales ingleses que desafiaban en la frontera portuguesa las aduanas del bloqueo continental *, artículos de lana de las fábricas de Béjar y Segovia...» [1].

En 1831 seguirá la misma moda:

«A ver el tafetán español... más fuerte... el francés... tiene mal negro... a ver el gozo de Nápoles... el moaré» [2].

Las ropas interiores tienen más salida cuando hay mejores condiciones sanitarias. Con la traída de aguas del Lozoya según Pérez Galdós:

«Empezó a traer batistas finísimas de Inglaterra, Holandas y Escocias, Irlandas y *madapolanes, nansouk* y cretonas de Alsacia... Cutíes para colchones y mantelería de Coustray..., puntillas y encajería vinieron más tarde..., crinolinas..., miriñaque los franceses llamaban «Malakof» [3].

---

* Se refiere al que decretó Napoleón para acabar con el comercio inglés.

TRAJE DEL HOMBRE

El español de hoy se lamenta de que se ha perdido el gusto de vestir, que el almacén de ropa hecha, principal enemiga de un traje bien confeccionado, está prosperando por todas partes. Lo mismo se quejaba el español de 1849:

«Hemos llegado a los almacenes de ropa hecha, a esa pesadilla de los sastres, a ese consuelo del forastero que se elegantiza por un precio módico en diez minutos. Al principio son casas de fondo, almacenes surtidos donde se encuentra buen género, el más de moda tal vez, y los trajes construídos con arreglo a los mejores figurines de París. Allı ya han entrado la moda y el lujo con todo furor; podéis ver los maniquíes elegantemente vestidos atrayendo con su novedad a la multitud» [4].

La importancia que el cronista da a este aspecto de la vida española, está corroborado por todos los demás. Efectivamente, vestir es importante en todas partes, pero mucho más en nuestro país, donde la apariencia manda. Estamos además en un momento de cambio que Larra describirá sagazmente, un cambio social con el que la aspiración a presentarse bien no es un sueño para gente modesta. Lo dirá un periodista:

«Vestir bien y con elegancia, parecer algo es necesario. Los alimentos forman la parte superflua. Un empleadillo cualquiera, cuyo sueldo apenas basta para su manutención, es indispensable que vista con el mismo lujo que un ministro o que un gran capitalista. Todos son ricos en la calle, en los teatros, en los paseos; y en casa todo son apuros, reyertas y hambre. Y no se diferencian los días festivos de los de trabajo... ¿Quién no fuma ya vegueros de los más exquisitos? ¿Quién no calza guante blanco o pajizo y botas de charol? [5]

El niño Gabriel Araceli, creación literaria de Pérez Galdós, describe sagazmente la diferencia que como herencia del siglo pasado se plantea entre los trajes tradicionales españoles y los de importación francesa seguidos preferentemente en Madrid. Teniendo en cuenta que el protagonista se halla en Cádiz, provincia a donde llegaban tardíamente las nuevas modas, no es extraño que en 1905 esté describiendo las que hicieron famosos a los Incroyables en los tiempos del Consulado en París.

«No eran muchas las personas que vestían de aquella menera en Cádiz y pensando después en la diferencia que había entre aquellos arreos y los ordinarios de la gente que había visto, siempre com-

LA ARMADURA DEL BUEN GUSTO, Ó EL CORSE.

MAQUINA CORSARIA O MODO DE AJUSTARSE EL CORSE.

EL PEINADO

PEINETONES
EN LA CALLE

SEÑORA CON MANTILLA A CUADROS

SEÑORA VESTIDA DE NEGRO

prendí que consistía en que éstos vestían a la española y los amigos de Doña Flora, conforme a la moda de Madrid y de París.

»Lo que primero atrajo mis miradas fué la extrañeza de sus bastones, que eran unos garrotes retorcidos y con gruesísimos nudos. No se les veía la barba porque la tapaba la corbata, especie de chal que dando varias vueltas alrededor del cuello y prolongándose ante los labios, formaba una especie de cesta, una bandeja o más bien bacía en que descansaba la cara. El peinado consistía en un artificioso desorden y más que con peine parecía que se lo habían aderezado con una escoba; las puntas del sombrero les tocaban los hombros; las casacas, altísimas de talle, casi barrían el suelo con sus faldones; las botas terminaban en punta; de los bolsillos de sus chalecos pendían multitud de dijes y sellos; sus calzones listados se ataban a la rodilla con un enorme lazo...; todos llevaban un lente que durante la conversación acercaban repetidas veces al ojo derecho cerrando el izquierdo, aunque ambos fueran buenos» [6].

Este tipo es el descendiente del exagerado patrón del siglo anterior. Carvajal lo llama currutaco y en su descripción destacan los mismos caracteres estudiados por Araceli, especialmente la corbata y el bastón, ambos mucho más grandes de lo usual:

«A observarlo me puse,
y hete aquí su retrato:
sombrerito redondo
de diadema de santo,
puesto como al espejo,
para nunca quitarlo;
tan alto que no toque
la cúspide del ángulo
que formen dos mechones
que por la frente abajo
vienen hasta las cejas
con descuido estudiado.
La barba sumergida
dentro de un corbatazo
que tape si se ofrece
lo que abra el cirujano.
Pelada la cabeza;
y de pelo tan largo
poblada casi toda
la cara y tan rizado
que apenas se divisan

la nariz y los labios.
...al pecho puesto un clavo,
que cierra la camisa
guarnecida, mostrando
oro por fuera, y dentro,
flaco y femenil barro.
El justillo entreabierto,
casacón usque ad talos, *
calzón de punto estrecho,
tan indecente y claro,
que nada oculta y puede
afrentar a Priapo.
Medias abigarradas,
con botas de verano;
y un garrote de loco,
tan recio como el brazo,
de poco más de vara,
que llevan en la mano
sin saber lo que llevan» [7].

Ese «sombrero redondo» también lo observa Galdós en otro elegante. «Vestía con elegancia y cierta negligencia no estudiada; traje azul de paño muy fino, medio oculto por una prenda que llamaban «surtú» y llevaba sombrero redondo de los primeros que empezaban a usarse. Brillaban sobre su persona algunas joyas de valor, pues los hombres entonces se ensortijaban más que ahora y lucían, además, los sellos de dos relojes» [8].

Poco a poco iremos viendo desaparecer el traje recargado y lleno de adornos del XVIII para hacerse más sombrío y sobrio. En las esferas oficiales, sin embargo, resiste más tiempo. En 1814, Martínez de la Rosa va todavía a la moda antigua:

«...De riguroso luto y etiqueta, calzón y media negra, casaca redonda con botón de azabache y abierta por delante por donde dejaba ver una rica pechera de encaje, de cuyo tejido eran también los puños o vuelos que asomaban a las bocamangas..., sombrero apuntado y elástico bajo del brazo...» [9].

La casaca entabla una lucha a muerte con el frac o «frak», y acaba siendo vencida por éste en las nuevas generaciones. La media corta deja paso al pantalón ceñido. En 1818, todavía los alcaldes de

---

* En falso latín para indicar la larguísima casaca.

casa y corte mantienen la casaca, bastón y sombrero en facha, cuando van seguidos por la ronda y su correspondiente linterna»[10].

El mismo Mesonero Romanos nos describirá la diferencia entre las nuevas y viejas generaciones tratando de 1823:

«Carriks» de cinco cuellos, levitas polonesas de cordonadura y pieles, pantalones plegados, fracs de faldón largo, y mangas de jamón, sombreros cónicos, corbatas metálicas y cumplidas. Cuellos de la camisa en punta agudísima. Botas a la bombé o a la farolé y cabello levantado y recortado a la inglesa.

»El capote de mangas y el «rus» eran patrimonio de personas mayores. La capa de vueltas escarlatas y bordados de oro a la Almaviva propia para jóvenes elegantes. Cuando éstos eran todavía más jóvenes, entre los quince y veinte años, usaban pantalón ajustado de punto blanco y bota de campana; los colores del frac eran azul de Prusia, verde o gris claro; los chalecos pintorescos en botonadura de filigrana y el nudo de la corbata complicado.

»La casaca, chaleco, calzón y media negra, corbata y guante blanco representaban la edad provecta, alta posición y severo carácter del funcionario o padre de familia»[11].

Lo curioso del traje en aquella época, y M. Romanos lo repite al tratar del año 1826, era que todavía a su vista se podía clasificar a quien lo llevaba. No había nacido el gabán nivelador ni la corbata negra que hace a todos iguales (escribe en 1880) y cada oficio, edad o categoría social podía distinguirse sólo mirando la ropa y la forma de llevarla[12].

Zorrilla testifica el último profesional vestido a la moda antigua.

«El Corregidor de Madrid, D. Tadeo Ignacio Gil, último corregidor de coleta, zapato de hebilla y sombrero de tres picos de la Monarquía española»[13].

...Visto por él hacia 1827. Larra se quejará en 1834 de la uniformidad del traje que hace a todos iguales y produce, por el mero hecho de tener con la misma apariencia en público uno que hoy llamaríamos «complejo de superioridad» que Fígaro critica severamente:

«La clase media, compuesta de empleados o proletarios decentes, sacada de su quicio y lanzada en medio de la aristocrática por la confusión de clases a la merced de un frac, nivelador universal de los hombres del siglo XIX se cree en la clase alta...»[14].

Para Larra la ropa siempre resulta importante y un hombre debe ir bien vestido. Al ir invitado a casa del Castellano Viejo, aún sabiendo sus llanas costumbres...

«...No quise, sin embargo, excusar un frac de color y un pañuelo blanco, cosa indispensable en un día de días y en semejantes casas...»

Llevaba además el pantalón gris perla que fué manchado de grasa con gran indignación suya [15].

La atención de Larra al traje era tal que incluso en la crítica teatral hizo alguna referencia a los actores sobre la propiedad en el vestir. Así en el estreno de «Un tercero en discordia» de Bretón de los Herreros.

«¿Le añadiremos (al actor) que el guante blanco no se trae con la levita?» [16].

Los elegantes del tiempo son llamados «Tónicos» por Mesonero Romanos y «lechuguinos» por Larra y otros escritores. Todos usan frac, mandan las difíciles camisas a la planchadora y el zapatero y el sombrerero trabajan continuamente para ellos.

«Un sastre tardó veinte días en hacerle un frac que le había mandado llevarle en veinticuatro horas; el zapatero le obligó con su tardanza a comprar botas hechas y el sombrerero a quien le había enviado su sombrero a variar el ala, le tuvo dos días con la cabeza al aire y sin salir de casa» [17].

Un elegante debe proporcionarse lo más pronto posible... «Unos cuantos trajes y cadenas, pantalones colán y mi-colán, reloj, sortijas y media docena de onzas» [18].

Para Zorrilla, como escritor, en la variación de trajes sigue estando el gusto. Viendo cómo se viste puede decir cómo son y lo que hacen. Así un cura de pueblo con licencia en Madrid:

«Larga y cuellialta levita, chaleco abrochado hasta arriba, pañuelo negro abrochado sin arte al cuello y gorro de seda cubría su tonsurada cabeza».

...o al campesino:

«Espesas cejas..., manos rojas y encallecidas, chaquetón y chaleco de paño de Nieva y cuello sin corbatín le declaraban por un segoviano y acomodado labrador» [19].

Uno de los últimos reductos del vestir diferenciado, el de la Universidad, cae en 1834. A Zorrilla ex-estudiante le escocía todavía la idea al recordarla en sus memorias:

«Era aquel el primer año en que la juventud de la Universidad se veía privada de sus estudiantiles manteos. Mala, aunque oportuna disposición porque... es verdad que nos quitaba aquel aire de monaguillo que la sotana... daba; pero suprimía, al quitárnosla, entre los estudiantes aquella igualdad democrática, aquella fraternidad escolar, el espíritu, en fin, de corporación que nos tocó a todos considerarnos como hermanos, tratarnos todos familiarmente y ampararnos y protegernos mutuamente, sin distinción de pobres y ricos, de nobles y de plebeyos, de carlistas ni liberales. Cuanto más avanzado en su carrera y cuanto más acaudalado era un estudiante, más alarde hacía de sus rotos manteos y de su deformado tricornio...; de esta igualdad del manteo han salido muchas lumbreras del foro y no pocas dignidades eclesiásticas, apoyadas en justicia por sus encumbrados condiscípulos que con su justo apoyo han pagado los servicios que de estudiantes les debieron. Donde quiera que un estudiante en riña o apuro pedía auxilio, en su favor acudían cuantos manteo y sotana vestían...» [20].

FRAC Y LEVITA

El frac tenía gran amplitud de uso y de ahí el que también fuera de diversas formas y colores. Le caracterizaba sobre todo el uso de botones dorados:

«Doña Adela: Vaya,
es preciosísimo el fraque;
con sus faldones de cola
a manera de faisanes,
sus botones de metal
avelonado, su talle
de doncellita opilada,
y en fin, su cuello de abate,
pues y el pantalón,
¡qué corto!,
¿sirvió acaso a vuestro padre?» [21].

Y en un estilo lleno de galicismos, mejor de palabras francesas pura y simplemente dichas, que la naturaleza de la moda obligaba a usar a los elegantes del tiempo, dice un corresponsal desde París (estamos en 1839):

«...Los colores de moda para fracs son el negro, azul, violeta y bronceado. Los cuellos, que la mayor parte se hacen de terciopelo, se hacen muy bajos...; las solapas bastante separadas..., los faldones terminan en puntas cortadas cuadradamente; he visto a algunos «fashionables» en las grandes *suarés*, llevar estos fracs forrados de raso blanco; esto se considera como un gran lujo. Los pantalones para sociedad son siempre de casimir negro muy ajustados..., chalecos... de casimir blanco con listas color cereza y botones de coral, o de casimir azul con listas negras o blancas que producen un hermoso efecto» [22].

El gran sastre de la época en Madrid era Utrilla, continuamente en viajes a París y Londres para traerse *lo último*. De su parte va el oficial que Pérez Galdós presenta vistiendo a un provinciano:

«...dos levitas, fraque, un traje de mañana..., cuatro pares de pantalones variados..., la ropa más precisa para un joven introducido en sociedad. ¿Qué menos?... También le haremos capa de satén finísimo con forros de piel de chinchilla...

»...Las levitas son ahora cortas y de poco vuelo en los faldones, pero siguen muy entalladas, marcando bien la cintura».

La imaginación se extendía en los nombres de colores y su patronímico, probablemente de quien lo lanzara.

«Una de las levitas con cordones a la húngara... azul gendarme conde Orsay, verde oscuro Lord Grey..., los fraques son ahora sin cartera..., a usted por la edad le corresponde... café claro».

La fantasía se manifestaba sobre todo en los pantalones y en los chalecos.

«Pantalones... sigue la moda de telas escocesas, pero sin exagerar tanto el tamaño de los cuadros...; se llevan estrechos sin tocar en el extremo. Chalecos le harán a usted seis; dos de seda claro, uno en oscuro, de piqué y uno escocés» [23].

Pero estos pantalones y chalecos deben ser todavía—estamos en 1835—de poca inventiva, porque veinte años después un indignado periodista señala:

«Apenas llevamos ocho días de frío y ya han salido a campaña las telas más extravagantes por su dibujo y circunstancias.

»En el género de pantalones nada es comparable a los que figuran bosques y selvas, donde los troncos, las ramas y el follaje alternan con los pájaros, las mariposas y los cuadrúpedos. Hay hombre que parece haber metido las piernas en el hueco de los alcornoques..., liebres, conejos, corzos...

»Cinco pollastres con pantalones, no ya de círculos concéntricos en forma de volante, como los usaron algunos el año último, sino figurando una gran bota de campana con sus arrugas correspondientes» [24].

En fin, el traje completo de un pollo elegante a mediados de siglo se debe de componer al menos de todas estas cosas y precisamente con estos nombres:

«Toilette de negligé al levantarse: pantuflas, echarpe, robe de chambre y el bonnet.—Matinée: Botas a la ecuyer, chaquet y fouet.

Soirée: Habit noir, pantalón de color y corbatas a la bolonté. Tres camisas distintas» [25]

Si el frac había vencido a la casaca fué suplantado a su vez como traje ordinario por la levita. El romántico se declaró, desde luego, a su favor por esta última como menos formularia y holgada. Así el sobrino de Mesonero Romanos:

«Por de pronto eliminó el frac por considerarle del tiempo de la decadencia; y aunque no del todo conforme con la levita, hubo de transigir con ella como más análoga a la sensibilidad de la expresión. Luego suprimió el chaleco por redundante; luego el cuello de la camisas por inconexo; luego las cadenas y relojes, los botones y alfileres, por minuciosos y mecánicos; después los guantes por embarazosos; luego las aguas de olor, los cepillos, el barniz de las botas, y las navajas de afeitar y otros mil adminículos que los que no alcanzamos la perfección romántica creemos indispensable y de todo rigor» [26].

Aunque en este caso la apariencia no es más que el reflejo de una rebelión contra las reglas, veamos con el mismo Mesonero Romanos el aspecto del romántico en 1837.

«La primera aplicación que mi sobrino creyó deber hacer de adquisición tan importante, fué a su propia física persona, esmerándose en poetizarla por medio del Romanticismo aplicado al tocador...; llevaba estrecho pantalón..., una levitilla de menguada faldamenta y abrochada tenazmente hasta la nuez de la garganta, un pañuelo negro descuidadamente anudado en torno de ésta y un sombrero de misteriosa forma, fuertemente introducido hasta la ceja izquierda. Por bajo de él descolgábanse en entrambos lados de la cabeza dos guedejas de pelo negro y barnizado que, formando un doble bucle convexo se introducían por bajo las orejas, haciendo desaparecer éstas de la vista del espectador; las patillas, la barba y el bigote, formando una continuación de aquella espesura, daban con dificultad permiso para blanquear a las mejillas lívidas; dos labios mortecinos, una afilada nariz, dos ojos grandes, negros y de mirar sombrío; una frente triangular y fatídica» [27].

Otras veces, como en el caso de Zorrilla, la levita no era menguada, pero quizá, y dado su estado económico, es posible que procediera de alguien de mayor tamaño.

«...me presentó a García Gutiérrez... que miraba con asombro mi larga melena y el más largo levitón en que llevaba yo enfundada mi pálida y exígua personalidad» [28].

Hasta avanzado el siglo, puede afirmarse, sin embargo, que la elegancia consistía sobre todo en ir ceñido. Todo estaba hecho a la

medida, pero a lo más limitado de esta medida. Por ello tiene razón
en quejarse el enriquecido campesino de Bretón de los Herreros.

	«¡Maldita sea la bota!
	Estoy viendo las estrellas...
Remigio:	Si son tan suaves... En ellas
	bailara yo la gavota.
Frutos:	No las llevo yo ni un día.
	¡Qué martirio tan cruel!
Remigio:	Ya dará de sí la piel.
Frutos:	¡Sí, destrozando la mía!
Remigio:	En Madrid los elegantes
	no calzan lo que su pie.
	Un puntito menos...
Frutos:	¿Eh?
Remigio:	Es de rigor.
Frutos:	¿Y los guantes?
Remigio:	Antes los veo deshechos
	que puestos, y si aún a gusto
	dan guerra a un hombre robusto,
	¿qué será viniendo estrechos?
Elisa:	Guante estrecho es muy señor.
Frutos:	¿Aunque se haga este rasguño? (*Mostrándole roto.*)
Elisa:	Si con él se cierra el puño,
	mal guante.
Frutos:	¿Y el corbatín? ¿Quién lo aguanta?
	Ataruga la garganta
	y en la oreja hace cosquillas.
	Pues, ¿y el fraque? Esto es peor.
	¿Quién se lo abrochará en un lance?
	No hay forma de que me alcance...
Remigio:	No se abrocha. Es de rigor.
Frutos:	¿No se abrocha? Pero entonces
	¿de qué sirven los ojales?» [29].

En 1861 incluso un joven tan elegante como Fabián Conde, puede ir por la calle sin frac:

«Traje sencillísimo y severo, impropio del día (Carnaval), y de su
lozana juventud si bien elegante como todo lo atañía a su persona.
Iba de negro, aunque no de luto (pues los guantes eran de medio
color), con una grave levita abotonada hasta lo alto, y sin abrigo ni
couvre-pieds que le preservasen del frío sutil de aquella tarde... [30].

MADAMA DE NUEVO CUÑO.

EL DUQUE DE RIÁNSERES

EL DUQUE DE OSUNA

DON CARLOS DE BORBÓN

Esta apariencia oscura, más que al estado moral del protagonista de Alarcón, debe atribuirse a las nuevas modas. Pérez Galdós insiste en que desde 1845 a 1854 la natural propensión a la alegría del color en los españoles, es victoriosamente combatida por las modas de ultrapuertos:

«El género de China decaía visiblemente. Las galeras aceleradas iban trayendo a Madrid cada día con la presteza las novedades parisienses y se apuntaba la invasión de los medios colores que pretenden ser signos de cultura. La sociedad española empezaba a presumir de seria, es decir, a vestir lúgubremente y el alegre imperio de los colorines se derrumbaba de modo indudable. Como se habían ido las capas rojas, se fueron los mantones de manila. La aristocracia los cedía con desdén a la clase media... y ésta... al pueblo... Estamos bajo la influencia del norte de Europa y este maldito norte nos impone los grises que toma de su ahumado cielo.»

Ni en Andalucía podía privar un traje alegre para la ceremonia. Cuando Ceferino Sanjurjo va a casa de su novia a hablar con sus padres, se viste—y estamos a últimos de siglo—con una larga levita «que juzgué muy del caso en estas circunstancias. Púseme el sombrero de copa alta...»[31].

EL SOMBRERO DE COPA; EL HONGO; EL FLEXIBLE

Ponerse el sombrero de copa como hemos visto hacer al héroe de Palacio Valdés, es la ocupación favorita de los españoles en la mayor parte de la centuria. Es el típico sombrero romántico. Quizá por ello el realista Pérez Galdós lo atacó a posteriori.

«...sombrero de copa que parecía aparato de calefacción o salida de humos de la cabeza. Todavía no se habían generalizado los hongos, y la severidad del continente, heredada de la generación anterior, imponía a todo madrileño fino el deber de añadir a su cabeza, a todas horas, el inconcebible tubo de fieltro, al cual la época presente por dicha nuestra, ha quitado importancia, reduciendo su tamaño y limitando su uso.»

La acción de su obra figura en 1863. Su comentario alude a 1883, época de publicaióón de «El Doctor Centeno»[32].

«El sombrero de copa—reconoce, sin embargo, en otra ocasión—, da mucha respetabilidad a la fisonomía y raro es el hombre que no se cree importante sólo con llevar sobre la cabeza un cañón de chimenea»[33].

Nombela insiste en su general uso:

«En aquel tiempo—1854 al 60—todos los individuos de la clase media, por pobres que fueran, usaban sombreros de copa alta, que podían obtenerse por diecinueve reales y uno viejo» [34].

La chistera que se compra Torquemada, dispuesto ya a los lujos, enmascara. Claro que también han pasado los años. Estamos en 1870, y le costó cincuenta reales.

Agustín de Figueroa nos dice cómo en 1894 todavía triunfaba:

«El madrileño elegante lleva chistera en forma de tubo, abrigo claro, *trois quarts,* alto cuello almidonado y flamante pastrón» [35].

La lucha más fuerte del sombrero de copa, fué contra el hongo. Este llegó a mediados de siglo y las opinones fueron más en contra que en favor. Entre sus amigos estaba Narciso Serra que figuró entre los colaboradores de un libro publicado a favor de la nueva moda. Su alegato poético terminaba así:

> «Lo dicho: el hongo me pongo
> sin que nada se me importe
> el que me deje la corte
> con él más solo que un hongo» [36].

Lo evidente es que con una u otra forma, del sombrero no se podía prescindir. Salir destocado era inconcebible. Miguel, «Riverita», para salir de una casa en la que una aventura amorosa le había dejado a pelo, tuvo que esperar un rato en un portal vecino y meterse de un salto en el primer coche de alquiler que acertó a cruzar [37].

En 1892 Muret observa que la forma del sombrero está en relación directa con la fortuna. Los más dotados—dice—, llevan el de copa como en París y Londres. Los de menos importancia, jóvenes y extranjeros, se conforman con el «melón».

En las clases bajas un fieltro flexible, pero se ven muchas boinas, especialmente entre estudiantes» [38].

Monlán está por las gorras: «Las gorras son preferibles a los sombreros y mucho más cómodas. Mas, por otra anomalía, llevamos gorra dentro de nuestras habitaciones atendiendo a la comodidad; pero es convenio general que al salir de casa debemos renunciar a la comodidad, llevar sombrero de copa, ir bien ajustados y mortificarnos en todos conceptos...» [39].

La lucha entre el sombrero de copa y el hongo dió paso a un tercero que a final de siglo sa había impuesto en las calles, en los cafés y en los teatros de segundo orden: El sombrero bajo o flexible. Al quitarle rigidez a su tocado, la sociedad abdicaba de su sentido ceremonioso.

LA CAPA; EL ABRIGO

Si el frac se deja vencer por la levita y ésta por la americana, la capa perderá sus posiciones más difícilmente ante la invasión del abrigo, que ya hemos visto triunfante en 1894. Según Bretón de los Hereros, el cambio es total a mediados de siglo. En su acotación a la escena primera de su obra: «¡Muérete y verás!» dice:

«Los cuatro se dirigen al portal abierto. Todos con capas». La edición es de 1837. En las de 1850 y 1883 él mismo corrigió: «Todos con abrigos» [40]. Parece, pues, que el cambio es evidente, pero no está de acuerdo la información que otros autores nos proporcionan. En 1859, Nombela habla de una capa y su valor:

«Poseía... una capa indispensable en aquella época a todo español de raza, que por haber costado veinticinco duros figuraba en el término medio del valor de aquella prenda nacional. Las capas lujosas costaban desde 1.000 a 2.000 reales y las humildes desde 100 a 200 rales...» [41]

Y Torquemada, además de la chistera se apresura a tener dos capas, «una muy buena con embozos colorados», en 1870 [42]. Muret nos dará con su declaración terminante un eslabón más para comprender cómo hasta hace relativamente pocos años, hemos podido ver capas por las calles madrileñas. Describiendo el 1892, dice:

«Sea cual fuere su posición social, los hombres que encuentras sobre el suelo de guijarros de Madrid, están casi todos envueltos en la capa, que es el traje más apropiado a este clima cambiante» [43].

Por la calle se distinguía a primera vista al que llegaba de ultramar. Al menos eso hace el protagonista de Alarcón:

«Volvióse... y vino a dar de cara con un joven de su misma edad, vestido con elegancia, pero con cierto «no sé qué» de ultramarino de trasatlántico, de indiano. El pantalón, el chaleco, el gabán y la corbata eran de dril blanco y azul, y completaban su traje camisa de color, escotado zapato de cabritilla y ancho sombrero de jipijapa» [44].

¿Y el traje de casa? Lo encerrados que en sus ropas que iban los españoles por la calle les obligaban a mudarse rápidamente al llegar a casa. Nombela dice de un viejo, refiriéndolo a 1840:

«El anciano llegaba a tiempo para darme el piloncito de azúcar que traía del café y mientras se despojaba de la ropa de calle para ponerse la bata y las chinelas, sin olvidar el gorro griego de terciopelo negro, con borlita de oro, que caía a uno de los lados...» [45].

CAMISA Y CORBATA

La camisa tenía una importancia excepcional en la España del siglo XIX. Sus complicaciones aconsejaban mandarla a la planchadora, elemento de primera importancia en la vida corriente. Cuando alguien quiere ponderar el desbarajuste de una casa, no encuentra nada peor que decir:

«Si le dijese a usted, coronel, que en cierta ocasión mi hermana fué a mudarse de camisa y no había ninguna planchada».

Gran expectación y murmullos de asombro entre los contertulios. Y en la misma obra casi se produce un ataque nervioso en el elegante Don Manolo, tío de «Riverita», porque la pechera hacía bomba y el cuello estaba poco destacado [46].

Contra el uso de la corbata lanzó sus más feroces diatribas nuestro higienista:

«La moda de las corbatas, de los corbatines, de los alzacuellos, de los cuellos acartonados y pañuelos del cuello en cuya conservación se interesan tantos escrofulosos, ha producido mil funestos resultados por la constricción mecánica de los vasos sanguíneos del cuello y de la cara... al quitarse la corbata en casa o en un paraje fresco... rara vez se deja de coger un resfriado, una angina...»

Claro que si no hay más remedio...

«Como quiera que se ha hecho indispensable en ciertas clases el llevar corbata, aconsejaremos que ésta sea de un pañuelo o tejido ligero, como muselina o tafetán, sin alzas, sin almohadillas de cartón, ni de crin, ni de ballena..., sea por otra parte muy estrecha o baja como de dos o tres travesas de dedo a lo más... Nunca se llevará apretada o muy ajustada; no se debe llevar absolutamente durante el sueño ni durante la comida» [47].

Con lo que tenemos las mil variadas formas que esa prenda podía tener y sobre todo de su anchura, muy grande si la comparamos con la actual.

GUANTES

En guantes había gran variedad. Los maestros de ceremonia discuten mucho si deben quitarse o no para saludar a las señoras, pero los de vestir opinan que hay que usarlos en invierno (castor o gamo) y en verano (batista o percal). Los guantes blancos sólo para boda.

BASTÓN; PARAGUAS

Ya hemos visto que el currutaco lo llevaba y muy grueso. Si era remedo del francés, tenía tal tamaño porque lo usaban aquéllos en sus luchas políticas. En 1829 un técnico parece echarles el responso:

«Ya solamente lo llevan los hombres de alguna edad...; los jóvenes llevan cañitas ligeras que les sirven de apoyo cuando resbalan; pero los hombres bien educados y aquellos que por hábito o cuidado tienen movimientos fáciles, no tienen necesidad.

En cuanto a los paraguas «se debe llevar siempre cogiéndolo por el medio sin apoyarse en él ni ponerle en la funda». Añade además que si se ve con una señora y empieza a llover «hay que abrirlo y procurar abrigarla del agua» [48].

Por ejemplos ulteriores parece ser que, en lo que al bastón se refiere, el autor quiso acabar demasiado pronto con él. Contínuamente nos dan los periódicos de la época anuncios de bastones elegantes con particularidades como la de estar huecos y poder usarse como estoques o para ocultar algún papel importante en su puño o cigarrera o recado de escribir. Y la frase «ha habido palos» como sinónimo de reyerta callejera nos indica que no era solamente un adorno.

LA SEÑORA SE LEVANTA

Y si es rica no empieza el día nada mal, si tenemos que fiarnos de unas modas que daban la máxima importancia a la casa. Epoca en que vestirse significaba a veces horas, era naturalmente época que cuidaba del vestido casero, envuelto en el cual a veces la señora transcurría la mayor parte del día.

«...Al saltar de la cama una elegante, coloca su lindo pie en una «cendrillón» o zapatilla chinesca, poniéndose enseguida un peinador de fino chaconá blanco, cuyo cuerpo adornan cuatro órdenes de pecheras bordadas, separadas por entredoses correspondientes; las mangas son anchas, con guarniciones bordadas, y se ajustan a la muñeca, y la falda tiene dos volantes bordados.

Sobre este peinador coloca la doncella una ancha y cómoda casaca de cachemir negro, bordada de arabescos de oro; una falda de tafetán de color completa este traje, al que sirve de cofia una graciosa toquilla de encaje con lazos de cintas de raso y terciopelo» [49].

Para la intimidad, como se ve, cosas sencillas. Si quiere arreglarse y salir a la calle, aparte de un somero lavado no usará, si es una muchacha decente y quiere parecerlo, ninguna clase de colorete, pero sí polvos, sobre todo en el último tercio del siglo. López de Ayala ha descrito líricamente este momento del arreglo femenino:

> ...la borla
> que al extender por el rostro
> blanca nube polvorosa,
> suele invadir las pestañas,
> las cejas y hasta las ondas
> del pelo, y hace preciso
> que la mano cuidadosa
> con el cepillo menudo
> quite los polvos que estorban,
> y devuelva a lo que es negro
> el contraste de las sombras» [50].

LA SEÑORA SE PEINA; ADORNO Y TOCADO

Según Azorín no hay prácticamente más que dos modas de peinados, aparte de los tirabuzones de las niñas. El ahuecado, escurrido con crencha en medio, y el ahuecado crespo. El primero podemos admirarlo en los retratos de Federico de Madrazo; por ejemplo, el de la duquesita de Medina de Torres, casada en 1849.

El peinado en bandós que ocultaba las orejas y que caracteriza a la reina Isabel II, produjo, naturalmente, estragos. Es evidentemente feo si no va a una cara muy especial.

Algunas veces la moda lleva a la cabeza adornos de metal. Así los *ferronières,* dije o joya colgado sobre la frente de una cadenilla de oro que promovieron en 1834 la ira de Larra, que aseguró desfiguraba la hermosura» [51].

La capota. Además de la mantilla, la manteleta, el sombrero, la señora del XIX lleva la capota Hortensia, llamada así por haberla lanzado la hija de la emperatriz Josefina. Podía ser... «de un satén color de rosa, redonda y cubierta de un encaje negro que forma una especie de velo... adorno; lazos de terciopelo... con listas; terminan en un lazo cuyas caídas bajan a unirse y juguetear con el encaje, que, impelido por la brisa de la tarde, flota sobre sus alabastrinos cuellos» [52].

En 1858 el peinado en «mechas» representa una provocación, unas ganas de modernidad y coqueteo. Al menos así lo dice doña Tomasa presumiendo de muy hogareña.

> «...en vez de querer
> con incansable deseo
> lucir el talle en paseo
> como hace toda mujer;
> en lugar de querer que
> disparen mis ojos flechas
> y usar el pelo con mechas,
> como si fuera un quinqué» [53].

TRAJE DE LA MUJER

De parecido desarrollo que en el hombre, surge de la Revolución francesa y el estilo Imperio para acabar en el polisón rebajado de fines de siglo. El arco de esta moda es, pues, muy amplio y, sobre todo, muy movido. Veamos algún ejemplo del primer traje que se asoma a 1800. De 1803 es la sátira del «Regañón General», por la firma de un tal Diógenes, que así coadyuva a la moda neoclásica todavía en vigor.

«...delgada y rubia, bien que después supe que había orden para que todas las mujeres fuesen rojas por sí o por tercera persona, esto es, por pelucas; llevaba en la cabeza un gorro o turbante—o lo que usted quiera—con dos cintas que se ataban bajo la barba; no pude conocer qué traje era el que llevaba, pues la espalda estaba desnuda, como también los brazos y los pechos.

»...bien es verdad que toda esta desnudez quedaba compensada con lo extendido de las faldas y la venerable cola, que acabó de entrar en la sala dieciséis minutos (con el reloj en la mano) después que su dueño. No dejé de extrañar el ropaje; pero me dijeron que era «a la griega» y no tuve que replicar» [54].

En 1826, según Mesonero, *todavía* estaban en la pasada moda «Imperio» de la capital francesa:

«Talle alto, que por lo general deslucía los cuerpos; las «dulletas» o «citoyennes» de seda, entretelas y guarnecidas de pieles o cordonadura, tenía aspecto majestuoso y solemne; los «spencers» corpillos, junquillos o rosas lucían bien sobre el vestido de punto o de seda ceñido al cuerpo; el peinado alto, los bucles huecos, la peineta de concha o pedrería daban a la cabeza un carácter monumental.»

Su rival era el traje popular, especialmente el más rico de tonos: el andaluz:

«Basquilla y cuerpo de aletín morado y guarnecido por bajo y en las bocamangas y en los hombros con sendos golpes de cordonadura y abalorios; la mantilla blanca y cruzando el pecho y zapato y toquilla de color rosa» [55].

Más que en el vestido, la lucha se estableció en el tocado. Los franceses, que llegan ansiosos de color local, son los primeros en lamentar haber sido precedidos por el sombrero de París:

«Las mujeres de Madrid, faltas de belleza y gracia... se visten mal. La basquilla negra ha sido abandonada por colores llamativos y el sombrero francés ha destronado la mantilla. Lástima... (todas), incluso su inocente Reina (Isabel II), desaparece bajo sus enormes sombreros» [56].

Si Didier afirma que el color llamativo viene del Norte destronando al negro típico, Peréz Galdós dice totalmente lo contrario. Didier hablaba en 1837. El escritor canario sitúa su queja en 1845:

«Poco a poco iba cayendo el chal de los hombros de las mujeres hermosas porque la sociedad se empeñaba en parecer grave, y para ser grave nada mejor que envolverse en tintes de tristeza... Las señoras no se tienen por tales si no van vestidas de color de hollín, ceniza, rapé, verde botella o pasa de corinto. Los tonos vivos los encanallan, porque el pueblo ama el bermellón, el amarillo tila, el cadmio y el verde forraje» [57].

Y en lo que evidentemente se equivocó el escritor francés, fué en pronosticar la muerte de la mantilla a manos del sombrero. Porque en 1840, su compatriota Gautier señala:

«En el Prado se ven muy pocas mujeres con sombrero, a excepción de alguna papalina amarillo azufre, que en tiempos debió adornar a borricos amaestrados; sólo se ven mantillas... de encaje negro o blanco—por lo general negro—; colocada en la parte de atrás de la cabeza, sobre la peineta, algunas flores colocadas sobre las sienes completan este tocado... Con una mantilla tiene una mujer que ser más fea que las tres virtudes teologales para no resultar bonita...

»...el resto es completamente a la francesa...; (pero) el abanico corrige un poco esta pretensión de parisianismo. Una mujer sin abanico es cosa que no se ha visto aún en este bendito país... Cuando una mujer se encuentra con alguien que conoce, le hace una seña con el abanico y le dice al pasar la palabra «abur» [58].

En 1853, el anónimo diplomático de quien ya hemos hablado, volverá a insitir sobre la supervivencia de la mantilla, aunque llamándola a veces velito de encaje:

«Veíanse pocas mantillas. Dan demasiado calor en este tiempo y sólo se las usa con traje de mañana. En su lugar llevaban las señoras ligeras tocas o gorras francesas, o unos tocados todavía más airosos, que consisten en unos velitos de encaje o tul negros sujetos por alfileres de oro a la parte posterior de la cabeza. Aseguro que no conozco adorno de cabeza tan bonito como éste ni más a propósito para lucir las graciosas facciones, hermosos ojos y opulentas cabelleras de sus portadoras; cabelleras que por otra parte suelen llevar admirablemente peinadas.

Es posible que las francesas tienen una idea más exacta que las españolas de propiedad y oportunidad del traje y que pecan estas últimas de una falta de sencillez de muy mal gusto..., especialmente las que van a pie. Los ricos vestidos de seda y brocado que arrastran por el paseo las españolas, ocultando los pies, pequeñísimos, sólo se usarían en París para ir en coche al Bosque de Bolonia o a los Campos Elíseos...; aquí hasta las mujeres e hijas de los más humildes tenderos desdeñan el percal y la «zaraza». Todo lo que no sea seda o terciopelo lo tienen por indecoroso para salir a la calle.»

...Insiste en el uso del abanico.

«...muchas lindas muchachas, con el gracioso velo de encaje de que atrás he hablado en la cabeza, se paseaban indolentemente, saludando a sus amigos con un leve movimiento del abanico (apéndice éste tan indispensable como la falda y los zapatos)» [59].

De esa manía de lujo y derroche español se queja incluso don Juan Valera aludiendo al arrastre de las colas:

«Jardines del Buen Retiro... Lo único que, en general, pudiera censurarse aquella noche y puede censurarse aún en el traje de las mujeres, es lo largo de las colas. Para ir a pie a los jardines, y aunque se vaya en coche, para pasear luego a pie, es feísimo y sucio todo aquel aditamento de enagua blanca y de vestido que va arrastrando, llenándose de polvo, levantándole y esparciéndole en el aire, y barriendo, por último, cuanta inmundicia encuentra al paso. La cola no está bien si no para andar sobre limpias y mullidas alfombras o sobre mármol bruñido y lustroso o sobre preciosas y pulidas maderas...; para andar por las calles o el campo... toda mujer de buen gusto sabe prescindir de la cola. Algunas, aunque son las menos, prescinden ya» [60].

Lo más curioso es que los españoles estaban de acuerdo con los extranjeros en sostener la primacía de la mantilla. Mesonero Romanos, después de recordar (en 1835) que el sombrero era un adorno puramente de corte y que una señora «de gorro» era equivalente a una señora en coche, dice que «hoy el sombrerillo ha llevado las cosas al extremo de que es ya miserable la modista que no logra envanecerse con él». En una narración que cuenta con tal motivo, dice que una elegante parisina fué destronada por una muchacha que llevaba—y esto demuestra que todavía podía hacerse en sociedad en aquel tiempo—zapatito de raso, media calada, vestido redondo, fleco·y cordonadura, corpiño con guarnición en hombros y bocamangas...; y en fin, la mantilla de blonda blanca [61].

Por la misma fecha se queja «El Artista»:

«Difícil es, en verdad, no ver con un sentimiento de amarga humillación, casi enteramente desterrado de los paseos aristocráticos, el solo vestigio que en tantas naciones extrañas existe todavía de la antigua dominación española. La mantilla, en efecto, ha sobrevivido en toda la América del Sur, en gran parte de los Países Bajos y en algunos puntos de Italia a la enagua y costumbres españolas, y en Madrid, capital de la España, es de mal tono—¡cosa increíble!—el uso de la mantilla nacional...; ¡el sombrero transpirenaico; el sombrero exótico lo ha vencido en la palestra de la moda! ¡El sombrero!

»...El sombrero de señora en España tiene el mayor defecto posible. El sombrero es ridículo..., por la misma razón que sería ridícula la mantilla en Francia... El Prado es la parodia, la caricatura de las Tullerías» [62].

Pero desaparecer no es verbo para la mantilla. Se relega al uso de la mañana, cuando se va a misa, de compras...

> Clara: Anda, ponte la mantilla,
> que es hora de ir a las tiendas;
> y trae la mía» [63].

El diplomático da otra razón para el uso de la mantilla.

«El subsistir de la mantilla obedece a que es una prenda barata, no tanto por su valor en sí como por su duración y por no exigir los constantes cambios del sombrero...; (tiene, además) la propiedad de acomodarse a toda clase de trajes, lo mismo al llano y modesto de la que quiera pasar inadvertida, que al elegante y lujoso de la que aspira a llamar la atención» [64].

Nombela dice pocos años más tarde que había pocas señoras que luciesen sombrero y que éste era reservado en general para pasear en coche [65].

Con los años, la gente va pasándose a la moda francesa, pero sin perder la mantilla como símbolo nacional. Y tanto es así, que cuando las señoras de Madrid quieren mostrar su españolismo para manifestarse contra la dinastía Saboya, aparecen en el Prado en lo que se llamó la manifestación de las mantillas y las peinetas. La señora cuyo atavío describe Pérez Galdós en 1878, es—podría ser—en cambio una pura parisina:

«Vistió sus piernas con las medias azules y las sujetó con ligas del mismo color. ¿Bota o zapato? Problema que por su gravedad podía compararse a... ¿gloria o infierno?... Venció el zapato alto, de cuero bronceado, de tacón Luis XV y hebilla de acero, una verdadera joya...; corsé... sobre seno y talle. Peinado...; vestido «princesa» de gro negro con combinaciones de terciopelo y faya pajizo claro; el sombrero que parecía haber salido de manos de las hadas...; graciosa neblina, el ligero velo (del sombrero), guantes... [66].

EL MIRIÑAQUE

Para mucha gente, el miriñaque es la representación de un siglo romántico atento y delicado. Una dama con miriñaque es, por definición, una dama romántica hecha a la poesía y a la palidez.

Como todas las modas aparatosas y absurdas, el miriñaque triunfó en España, igual que en todas partes, a pesar de la sátira que levantó entre los periodistas y los poetas. Podemos señalar su éxito hacia mediados de siglo. En 1858 tenemos una nota atacándole. Después de decir que con él puesto no puede abrazar a su mujer, el periodista dice:

«La miriñacomanía se ha apoderado de nuestras bellas. Viudas, casadas y doncellas, solteras—mejor dicho—ostentan orgullosas el infernal invento que está llamado a formar una revolución en la sociedad.»

La mala intención del comentarista se desenvuelve más abajo. Para él no es más que un «guardainfante» renacido y con la misma intención.

«Prescindamos de los siniestros fines a que tiene aplicación, de las macas que puede ocultar, de las faltas y sobras que está llamado a encubrir» [67].

En el lado contrario de este que quiere ser objetivo examen de las modas del siglo pasado, pongamos a un defensor. Es un defensor interesado, naturalmente, un anunciante; pero sus razones no son despreciables:

«Primera casa de España en miriñaques. Calle del Desengaño, número 11. ¿Quién puede dudar que el miriñaque de buena forma se ha hecho indispensable al adoptarle las señoras por su elegancia, comodidad y economía? ¿Quién duda que el miriñaque bien hecho y con buena forma viste muy bien y con elegancia? ¿Quién duda que es cómodo, porque evita el llevar cuatro o cinco pares de enaguas, que tanto molestan por el mucho peso? ¿Y quién puede dudar que es económico, porque evita el lavar, planchar y almidonar tantas enaguas?» [68].

Según nuestros datos, el miriñaque tiene en España una vida más corta de la que su popularidad parece representar. En 1865 ya se le reza un responso en Madrid:

«El miriñaque ha muerto, amables lectores; de hoy más no habrá en el guardarropa de ninguna dama elegante ese balumbo que tanto ha dado que hablar a los festivos gacetilleros, que tanto ha desesperado a los maridos, que tantas burlas, ya finas, ya picantes, ha hecho sufrir lo mismo a la mujer del pueblo que a las señoras más encopetadas...; la muerte del miriñaque abre una era de sencillez para el sexo bello y de pesar para el gacetillero, que no podrá lanzarnos sus anatemas. ¡La sociedad se ha salvado! ¡Muera el miriñaque! [69].

POLISÓN

Lo que representa el miriñaque hacia mediados de siglo, como moda aceptada por lo alto aun reconociendo su absurdo, es el polisón hacia los finales. La clase baja, que empieza a seguir a la alta en su atuendo cada vez a medida que la diferencia social va borrándose con el vaivén de las fortunas, renunciaron, sin embargo, tanto al primero como al segundo por excesivamente exagerado. Y de ahí que no regatearan burlas a las señoras que, llevando las audaces modas, pasaban por los barrios populares. Esto es lo que le ocurrió por ejemplo a Jacinta y a Guillermina entrando en un patio de vecindad.

«Poco más allá cruzáronse de una parte a otra observaciones picantes e irrespetuosas.

—Señá Mariana, ¿ha visto que nos hemos traído el sofá en la rabadilla? ¡Ja, ja, ja!

Guillermina se paró mirando a su amiga.

—Esas chafalditas no van conmigo. No puedes figurarte el odio que esta gente tiene a los polisones, en lo cual demuestran un sentido... estético superior al de esos haraganes franceses que inventan tanto pegote estúpido» [70].

Veamos otras audacias del vestir.

La imaginación francesa unida a una mayor facilidad de consumo hizo posible la producción en masa de nuevas modas. Algunas se destacaron por su audacia en forma y calidad. Quizá como recuerdo del gran símbolo decimonónico que fué la costumbre de vestirse de hombre en Jorge Sand el vestido femenino se presentó con anomalías masculinas. De ahí la indignada expresión de este periódico madrileño:

«¿Por qué llevan ustedes chaleco? Vamos a ver, ¿qué necesidad tienen ustedes de llevar chaleco? ¿Con qué derecho nos quitan el chaleco...? ¿Por qué llevan ustedes chaqueta? ¿Son ustedes majas? ¿Van a torear o a conducir las mulillas que arrastran los cadáveres de los toros?

»¿Y por qué llevan ustedes *frac*? ¿Son ustedes ministros o van a tomar el grado de Doctor o a proclamar la Constitución? ¿Qué significan esas dos lengüetas por encima de la falda?»[71].

En sombreros no son pocos los estilos que Pérez Galdós describe:

«Una mañana encontróla León muy indecisa (a su mujer) frente de una elección de sombreros de verano traídos de la tienda. Había allí todas la variedades creadas cada mes por la inventiva francesa. Veíanse nidos de pájaros adornados de espigas y escarabajos, esportillas hendidas con golpes de musgo, platos de paja con florecillas silvestres, casquetes abollados... cubiletes con alas de chambergo y pechugas de colibrí...[72].

LA PIEL

El boá nace hacia 1837, si hemos de creer a Bretón:

Inés:	Querría...
Pascual:	¿Qué?
Inés:	Que me compres un boá.
Pascual:	¡Boá! Jamás oí tal plato.
	¿Es carne o pescado?
Inés:	No;
	ni de platos hablo yo.
	Un boá digo; vulgo un gato.
	...es una piel que está en boga,
	así... en figura de soga...
	que abriga y adorna el cuello[73].

De más adorno que abrigo y sirviendo de exhibición de la generosidad ajena, está también el manguito ya en vigor en 1846.

La mujer que es elegante
y tiene gusto exquisito,
no abandone un solo instante
los encantos del manguito [74].

LA MANTELETA

...Tampoco se inventará en mucho tiempo una prenda más graciosa que esas manteletas que apenas pasan de talle, que lo cubren
sin ocultarlo, que participan de la coquetería de la mantilla y de la
severidad de la capa, prolongándose transparente por medio de ricos
y forrados encajes de punto de seda» [75].

BIBLIOGRAFIA DEL CAPITULO IV

1 Pérez Galdós, B.: *19 de Marzo.* «Episodios Nacionales». Ob. completas. Madrid, 1942.
2 Larra. M. J. de: *No más mostrador.* Madrid, 1831. Acto II, escena tercera.
3 Pérez Galdós, B.: *Fortunata y Jacinta.* Parte VI. (Ref. 1860.) Obras completas. Madrid, 1942.
4 Barón de Parla: *Verdades.* «Madrid al daguerrotipo...» Madrid, 1849, página 29.
5 «Linterna Mágica (La)». Periódico citado. 1-5-1850.
6 Pérez Galdós, B.: *Trafalgar.* «Episodios Nacionales». P. S. Ob. completas. Madrid, 1942. Pág. 31.
7 Carvajal. BAE.
8 Pérez Galdós, B.: *Cádiz.* «Episodios Nacionales». Ob. completas. Madrid, 1942. (Ref. 1810.)
9 Mesonero Romanos, R.: *Memorias de un setentón.* Obra citada, página 137.
10 Ibidem. Página 194.
11 Mesonero Romanos, R.: Ob. cit.
12 Ibidem. Pág. 305.
13 Zorrilla, J.: *Recuerdos del tiempo viejo.* Madrid, 1882.
14 Larra, M. J. de: *Jardines públicos.* «Artículos de Costumbres». Madrid, 1923, t. I, pág. 189.
15 Larra, M. J. de: *Castellano Viejo.* «Artículos de costumbres». Madrid, 1923, t. I, pág. 108.
16 Ibidem. «Artículos de crítica».
17 Ibidem. *Vuelva usted mañana.* «Artículos de Costumbres». Tomo I, página 127.
18 Ibidem. *La sociedad.* «Artículos de Costumbres». Tomo I, pág. 221.
19 Zorrilla, J.: *Recuerdos del tiempo viejo.* (Referido a 1828.)
20 Ibidem. (Referido a 1834.)
21 Gorostiza, M. E. de: *Don Dieguito.* Acto IV, esc. IV. Madrid, 1820.
22 *Mariposa (La).* «Periódico de Literatura y Modas». Madrid, 10 abril 1839.
23 Pérez Galdós, B.: *Mendizábal.* «Episodios Nacionales». Ob. cit., t. V, página 445.
24 *Mensajero de las Modas (El).* «Revista mensual del mundo elegante». Madrid, núm. 1, 1852.
25 Flores, A.: *Ayer, hoy y mañana.* Madrid, 1863, t. II, pág. 181.
26 Mesonero Romanos, R.: *Memorias de un setentón.* (Referido 1832-35.)
27 Mesonero Romanos, R.: *Semanario Pintoresco.* Madrid, 10-IX-1837.
28 Zorrilla, J.: *Recuerdos del tiempo viejo.* (Referido a 1837.)

29 Bretón de los Herreros. *El pelo de la dehesa*. Madrid, 1837.
30 Alarcón, P. A. de: *El escándalo*. Cap. I. (Trata del *couvre-pieds* porque iba en coche.)
31 Palacio Valdés: *La Hermana San Sulpicio*. Boston, 1925. Pág. 110.
32 Pérez Galdós, B.: *El doctor Centeno*. Ob. compl., t. V, pág. 1.303.
33 Pérez Galdós, B.: *Fortunata y Jacinta*. Parte V.
34 Nombela, J.: *Impresiones y recuerdos*. Tomo II.
35 Figueroa, A. de: «1894».
36 Azorín: Ref. 1859.
37 Palacio Valdés, A.: *Riverita*. Pág. 248. Edición 1942.
38 Muret, E.: *Un hiver en Espagne*. París, 1893. Bib. Universelle.
39 Monlan: *Elementos de higiene privada*. Ob. cit., págs. 67, 39.
40 Bretón de los Herreros, M.: *Muérete y verás*. «La lectura». Madrid, 1928. Pág. 68.
41 Nombela, J.: Ob. cit., t. III.
42 Pérez Galdós, B.: *Torquemada en la hoguera*. Ob. comp. Madrid, 1942. Tomo V, pág. 934.
43 Muret, E.: Ob. cit.
44 Alarcón, P. A. de: *El final de Norma*. Cap. III. Madrid, 1855.
45 Nombela J.: *Impresiones y recuerdos*. Madrid, 1909.
46 Palacio Valdés, E.: *Riverita* (pub. 1886) edic. Madrid, 1942. Págs. 31 y 58.
47 Monlan: *Elementos de higiene privada*. Ob. cit. Pág. 68.
48 *El hombre fino al gusto del día o Manual completo de urbanidad, cortesía y buen tono*. Madrid, 1829. Pág. 193 y siguientes.
49 *Gaceta del Bello Sexo*. «Revista de Literatura, educación, novedades, teatros y modas». Madrid, 23 diciembre de 1851.
50 López de Ayala, A.: *Consuelo*. Acto I, esc. I.
51 Larra, M. J. de: *Modas*. «Artículos de costumbres». T. III, pág. 103.
52 *Tocador (El)*. Per. cit. 12 de septiembre de 1844.
53 Serra, N.: *Don Tomás*. Acto I, escena III. Madrid, 1858.
54 *Regañón general (El)*. Madrid, 27 de julio de 1803.
55 Mesonero Romanos, R.: *Memorias de un setentón*. Ob. cit.
56 Didier, Charles: *Une année en Espagne*.
57 Pérez Galdós, B.: *Fortunata y Jacinta*. Parte V, pág. 28, tomo V. Obras completas. Madrid, 1942.
58 Gautier, Teófilo: *Viaje por España*. Madrid, 1932.
59 *Madrid hace cincuenta años a los ojos de un diplomático extranjero*. Trad. D. Ramiro. Madrid, 1904, pág. 30.
60 Valera, Juan: *Pasarse de listo*. Ob. cit. Madrid, 1942. Pág. 422, ref. 1873.
61 Mesonero Romanos, R.: *Escenas matritenses*. Ob. cit. Pág. 97.
62 Ochoa, E. de: *El artista*. Tomo II, pág. 59, 1835.
63 Vega, Ventura de la: *El hombre de mundo*. Acto I, esc. III. Madrid, 1845.
64 *Madrid hace cincuenta años...* Ob. cit., pág. 398.
65 Nombela, J.: *Impresiones y recuerdos*. Madrid, 1909. Tomo II, pág. 412.
66 Pérez Galdós, B.: *La familia de León Roch*. Ob. compl. Madrid, 1942. Página 888.
67 *Mundo pintoresco (El)*. «Ilustración española». 5 de septiembre de 1858.
68 *Diario Oficial de avisos de Madrid*. 2 de agosto de 1860.
69 *Periódico ilustrado (El)*. 19 al 26 de octubre de 1865.
70 Pérez Galdós, B.: *Fortunata y Jacinta*. Ob. comp., t. V, pág. 103.

LA CONDESA DE BARRANTES

ANTOÑITA MONTENEGRO

71 *Cascabel (El).* Madrid, agosto de 1869.
72 Pérez Galdós, B.: *La familia de León Roch.* Ob. comp. Pág. 813.
73 Bretón de los Herreros, M.: *Medidas extraordinarias o los parientes de mi mujer.* Madrid, 1837. Acto I, esc. I.
74 *Fandango (El). Madrid,* 15 de marzo de 1846.
75 *Mensajero de las Modas (El).* Núm. 1. 1852.

V

LA VIDA SOCIAL

Como heredero del civilizado y refinado siglo XVIII, el XIX es una centuria en la que la ceremonia sigue manteniendo sus fueros. Los españoles nacen con una gama infinita de obligaciones a las que sujetarse si se quiere mantener el trato con los demás. Estas obligaciones son las sociales y ni siquiera a favor de la gran revolución que representó el romanticismo desaparecieron. Lo más que consiguió algún autor contrario a ellas como los satíricos, fué quitarles gran parte de su importancia, pero aun en pleno siglo XX se han mantenido en gran escala en Madrid y en provincias como muestra de educación. Esta palabra «educación», que parece deber abarcar toda la pedagogía, se usa en España generalmente como muestra de civilidad y buen trato, y así una persona «bien educada» no es alguien que tenga vastos conocimientos adquiridos a través de sabios maestros, sino quien sabe decir gentilezas, saludar a su tiempo y ceder el paso a las señoras. Esto demuestra la importancia que a tal disciplina se le dió en tiempo de nuestros abuelos.

VISITAS

Larra apuntó la obligación de las visitas como centro de esa vida social y de esa «educación». No hacer visitas o negarse a devolverlas era casi un crimen. En general, dice, las señoras empleaban para tales menesteres los domingos por la tarde, después del paseo en el Prado. Como no le guía el verdadero interés de ver a nadie, sino solamente el de cumplir con una obligación, le basta dejar una tarjeta para demostrar que ha estado, y en este caso corresponde a la otra visitarla a su vez.

«Aquí deja un cartoncito con su nombre cuando los visitados no están o no quieren estar en casa.»

Esto ocurría las más de las veces, cuando la visita era inesperada. La razón para ello, más que a no gustar de la recién llegada, acostumbraba a ser la dificultad de «vestirse» para la ocasión en los minutos de espera en la sala, y las apariencias eran muy importantes en la época para renunciar a ellas. La criada decía que la señora había salido, y la visitante, aun adivinando muchas veces la verdad, no se incomodaba porque a menudo la ocurría a ella lo mismo.

«...Allí entra; habla del tiempo que no le interesa, de la ópera que no entiende, etc.» [1].

La costumbre de dejar la tarjeta en representación de una persona, como muestra de que alguien había tenido la buena voluntad de cumplir con su obligación y que no era culpa suya si no había podido realizarla, nació precisamente en el siglo XIX para descargar en parte la tremenda responsabilidad que los españoles se habían echado sobre los hombros. José Selgas, que llama a la visita «lo más intolerable entre los cumplimientos», reconoce la ventaja de eludirlas gracias al cartoncillo impreso:

«La feliz invención de la tarjeta ha ido poco a poco simplificando esa fórmula fastidiosa del trato de las gentes; así que en Madrid ha desaparecido la visita personal de cumplimiento bajo el poder cómodo y comunicativo de la cartulina.»

La tarjeta tenía como símbolo de su portador una gran personalidad. Cuando se impuso totalmente, cada uno intentó comunicarle su forma de ser o su originalidad. «La elegante variedad de la moda las hace mudar tan rápidamente que apenas hay modo de seguirlas —confiesa Mesonero Romanos—; quien no podía adornarlas con una corona ducal o con un capacete... ni orden militar, no sabía cómo disponerlas de forma que diesen el golpe. ¿Pie cuadrado de cartulina y el nombre cruzado en una parte con letra menuda? No era nuevo. «Se usaban letras góticas, alemanas, tártaras, hebreas, chinas, sirias y egipcias..., griegas del siglo de Pericles. El color de las tarjetas podía ser dorado, plateado, azul, anaranjado...» [2].

Si en la forma de la tarjeta, aun repitiéndose, cabía una diferenciación, el lenguaje que expresaba obedecía a reglas fijas. Dejar la tarjeta en una u otra forma constituía un mensaje. Así cuando llevaba la punta o una cuarta parte doblada, significaba: «He estado a visitar a usted en persona»; si estaban dobladas las dos puntas de un lado, quería decir: «He estado en persona a visitaros; necesito veros y volveré». Si las puntas están dobladas en los dos lados opuestos: «Necesito veros pronto; buscadme en mi casa o donde sabéis» [3].

La práctica solución de la tarjeta arregló en parte el problema de las visitas, pero sólo en casos menores y en las grandes capitales.

Porque en las ciudades pequeñas y pueblos siguió el mismo ritmo.

«...En los pueblos... la visita personal es imprescindible; más aún, implacable...; pero no sólo es inevitable, sino que además es muy frecuente, y lo que es peor, es indispensable estar en casa para recibirla, porque lo contrario constituiría un caso de desatención, el enfriamiento de las relaciones y, por último, una guerra a muerte.

»... ¿Qué cosa es esta especie de visita? Es una persona o dos personas, y comúnmente toda la familia que, vestidas con el mayor esmero posible y en cualquier hora, llaman solemnemente a la puerta de vuestra casa; la puerta se abre y la visita entra, sube la escalera y toma oficialmente posesión de la sala; son personas de confianza, a veces de la más íntima confianza, que en otras ocasiones se les recibirá en el rincón más humilde o más modesto del hogar doméstico; pero esta vez vienen de cumplimiento y hay que recibirles en la sala. A pesar de la costumbre, la familia no está siempre preparada, y la noticia de una visita causa en la casa el efecto de una bomba que estalla repentinamente, y entonces empiezan los disgustos... La mamá está sin vestir, las niñas sin peinar...

»...al cabo uno a uno van haciéndose presentes ante la visita todos los individuos de la familia; y la visita y la familia frente a frente, sentadas en semicírculo delante del sofá, pasan media hora fastidiándose mutuamente con toda la finura del mundo. La familia está deseando que la visita se vaya y la visita está deseando irse; pero ambas se mantienen heroicamente en sus puestos de honor cumpliendo con la ley que los obliga a darse mutuamente este mal rato.»

La visita es un rito y, por tanto, no tiene nada que ver con el deseo de cada momento ni siquiera del muy humano de querer ver a alguien y charlar después de unos días de ausencia porque...

«...Cuando entra la visita las dos familias se encuentran como si no se hubieran visto en muchos años; y cuando la visita se despide parece que se separan para no volverse a ver y, sin embargo, las dos familias se han visto una hora antes en misa o han paseado juntos el día anterior o... son familias vecinas que se están viendo y oyendo todo el día.»

Costumbre que es más que eso, que representa una deuda...

«Género de deudas que es imposible no pagar porque se puede eludir el pago de una deuda cualquiera, pero una visita de cumplimiento ¿quién no la paga en el plazo improrrogable de ocho días? Infeliz quien incurriera en semejante falta de exquisita educación; le morderían todas las bocas y le arañarían todas las uñas»[4].

A últimos de siglo Camilo Fabra precisará curiosamente que las visitas se hacen por la tarde de tres a seis; la de tres a cuatro es la de más ceremonia; la de cuatro a cinco, de menos cumplido; la de cinco a seis, la de confianza.

Se admitía perfectamente que si la señora no estaba arreglada no recibiera con la excusa de estar ausente, porque a tal punto comprendían los españoles lo difícil que era vestirse para estar «decente», que no se incomodaban por una lógica mentira. Pero queda el matiz. Según Fabra...

«Es indispensable que la contestación «no está en casa» la dé el criado pronto y sin titubear, pues, si bien se trata de una ficción, molesta que la vacilación de un doméstico la recuerde.»

No se puede hilar más fino. En cambio si va a salir la señora... el criado dice:

«Mi señorita estará con usted al momento. Inmediatamente cerrará la puerta y la visita quedará esperando sentándose las señoras, pero no los caballeros.

»El caballero tendrá el sombrero en la mano hasta que haya saludado a la señora, después de lo cual, si ésta se lo ruega, lo dejará en una silla o mesa. Si lleva guante se quitará el de la mano derecha antes de entrar..., si prefiere llevarlos puestos no se excusará por ello» [5].

Estas visitas de cumplimiento podían ser debidas a viajes próximos. La persona que se marchaba recorría meses antes el rosario de sus amistades para despedirse, y la que llegaba las recibía por pura y simple relación social. Pero las que se hacían totalmente obligatorias eran las hechas cuando en la casa había una feliz circunstancia, por ejemplo, el onomástico, llamado también «el santo» o «los días» o una desgracia como una muerte. En el primer caso está Moratín cuando a principios de siglo se lamenta de la invasión que su casa sufre por ello.

> «¿No es completa desgracia,
> que por ser hoy mis días,
> he de verme sitiado
> de incómodas visitas?
> Cierra la puerta, mozo,
> que sube la vecina,
> su cuñada y sus yernos,
> por la escalera de arriba.
> ...¡Qué necios cumplimientos!,
> ¡qué frases repetidas!

En casos como estos, el visitado debe corresponder a la fineza de los demás con la invitación a unas copas acompañadas generalmente de galletas y bizcochos. Así tiene que hacerlo Moratín a pesar de su indignación.

> ...Ya todos se preparan
> (y no bastan las sillas)
> a engullirme bizcochos,
> y dulces y bebidas.
> Llénanse de mujeres
> comedor y cocina,
> y de los molinillos
> no cesa la armonía.
> Ellas, haciendo dengues,
> aquí y allá pellizcan;
> todo lo golusmean
> y todo las fastidia.
> Ellos, los hombronazos,
> piden a toda prisa
> del rancio de Canarias,
> de Jerez y Montilla.
> ...Y en tanto los chiquillos,
> canalla descreída,
> me aturden con sus golpes
> llantos y chilladiza.
> El uno acosa al gato
> debajo de las sillas;
> el otro se echa a cuestas
> un cajón de almíbar;
> y el otro que jugaba
> detrás de las cortinas,
> un ojo y las narices
> le aplastó la varilla.

Y en su arrebato poético Moratín les manda a la calle, cosa que en la realidad jamás hubiera osado hacer. Ni los más famosos escritores podían permitirse el lujo de pasar por alto la costumbre soberana.

> «...Váyanse, enhoramala;
> salgan todos aprisa,
> recojan abanicos,
> sombreros y basquiñas.

Gracias por el obsequio
y la cordial visita,
gracias; pero no vuelvan
jamás a repetirla» [6].

Si la visita de felicitación era obligada, la de duelo lo era muchísimo
más. Inmediatamente después de la muerte de un miembro de la familia, los más cercanos sabían ya que llegaría la oleada de amigos y
conocidos y ninguno soñaba con evadirlo. No solamente esto, sino
que eran contados y recordados los que habían aparecido y una ausencia podía costar la amistad de la familia para el resto del tiempo.
La visita de duelo o de pésame requería, además de un traje especial,
comunmente la levita y los guantes negros. Así nos lo describe Pérez
Galdós en «La familia de León Roch»:

«Por la tarde empezaron a entrar los amigos. Vió León un lúgubre desfile de levitas negras y oyó suspirillos que eran como la representación acústica de una tarjeta.»

En casos parecidos se hablaba bajo, pero a veces la misma insinceridad ponía una nota curiosa que el autor destaca:

«Unos con cordial sentimiento y, otros, con indiferencia, la manifestaron que sentían mucho lo que había pasado, sin determinar que,
dando lugar a una interpretación cómica. Algunos meneaban la cabeza cual si dijeran ¡Qué mundo éste! Otros le apretaban la mano
como diciendo: Ha perdido usted su esposa. ¿Cuándo tendré yo
igual suerte? Doscientos guantes negros le estrujaron la mano» [7].

EL SALUDO

Aún en cosa tan sencilla como en las palabras de salutación al
encontrarse y al despedirse, tuvieron que discutir los españoles del
tiempo, siempre desde ambos lados de la barricada. Los tradicionales
y, naturalmente los campesinos apegados a la vieja escuela, conservaron a la costumbre de aludir a Dios para que acompañase al que
partía o guardase al que quedaba. Estas fórmulas que estaban de
acuerdo con la acendrada religiosidad del pueblo español, podían
variar de provincia a provincia, como creyó Inglis, quizá interpretando una frase como una costumbre general, que al llegar a Granada viniendo de Málaga no se despedía al viajero yendo con Dios,
sino con la Virgen [8].

Herencia de siglos anteriores era también saludar la llegada de
la luz—vela, candil—con una invocación al Santísimo Sacramento

La Quaxacaraa.

Torraos tiernos,
Torraos, y pasas torraos.

Cantaros, cantarillas, barreño,
una tapadera de lumbre y coopee.
Quien ama: sooo borrico.

Aceytuna buena: Aceitunero,
Olivas.

AHORA

Pollería

— Cúbreme un poco mas; que viene un acreedor

Jabonera

¡Gran Dio, morir sì giovane!

Tumba de D. Juan de R.

ANTES.

Hugas moscatelas hugaas,
A la mosca.

Ciruelas de flor ciruelas.
Peras de azucar á 5 quartos.

Sartenes (tic tic quictic)
Sartenero.

Santi boniti é barati.

TIPOS POPULARES

del Altar. En una obra de Bretón vemos cómo el único que lo dice es precisamente el aldeano, el rústico enriquecido al que interrumpen los demás, demasiado «adelantados» para tal frase:

Entra Juan: en una mano trae luces que deja sobre una mesa, y en la otra el papel:

	—Felices noches.
Frutos:	Bendito y alabado...
Remigio:	¿Qué nos traes? [9]

Esto ocurre en 1837. Años después encontramos la misma duda del que inicia el saludo sobre si será contestado o no. Aunque se trate de un sacerdote y sea en él más natural, vemos como la primera reacción de Fabián Conde se anuda a la tradición familiar contenida por la moda que había dado de lado a estas manifestaciones:

«Con licencia de usted (dijo el padre Manrique), voy a encender una vela... Mas he aquí que ya tenemos la luz. ¡Alabado sea el Santísimo Sacramento del Altar!

»Fabián se llevó la mano a la frente al oír esta salutación; pero luego la retiró ruborizado, como no atreviéndose a santiguarse...» [10].

Esta invocación a la Dinividad que se traslucía en cualquier acto de la vida española de antaño, fué haciéndose más laica y más refinada. En la sencilla forma de vida que Larra achaca al «Castellano Viejo», era el saludo más parco y más devoto:

«Braulio cree que toda la crianza está en decir: Dios guarde a ustedes, al entrar en una sala, y añadir: «con permiso de ustedes» cada vez que se mueve a preguntar a cada uno por la familia y en despedirse de todo el mundo» [11].

Larra las encontraba ñoñas, porque se habían introducido ya en la sociedad los «beso a usted los pies» que las señoras contestaban con «beso a usted la mano». El campesino enriquecido, traído de la mano de Bretón de los Herreros, personifica al ser tradicional tratando de hacer un esfuerzo ridículo para ponerse a la altura de las circunstancias:

«Frutos:	Señoras, beso
	a ustedes los cuatro pies.»

Asombro en el concurso; Frutos explica:

> «...¡Pues ya!, los dos de mamá
> y los dos de mi parienta.
> Me ha dicho este caballero
> que es saludo muy grosero
> el decir: Dios guarde a ustedes;
> y que en Madrid, a estas horas,
> como pueblo más cortés,
> se estila besar los pies
> *verbalmente* a las señoras.
> Para hacerlo con más gala
> yo al besar los he contado,
> y más hubiera besado
> si más hubiera en la sala» [12].

Algunas veces la expresión de respeto en lugar de significar sólo afecto distante, puede demostrar frialdad. Así, por ejemplo, cuando Fabián se despide de la mujer de su amigo, después de una escena violenta. Siempre la había llamado por su nombre de pila, Gregoria, mientras que en esta ocasión...

«...Entre tanto, señora, siento mucho haberla imcomodado y beso a usted los pies» [13].

A los niños se les enseñaba así a portarse bien en la primera entrevista:

«Pregunta: ¿De qué modo saludará un caballero a las personas conocidas?

»Respuesta: Se quitará el sombrero con la mano derecha, inclinará algo el cuerpo, separándose un poco hacia el lado opuesto a aquel por donde viene la persona a quien saluda, y dirá con voz afable: A los pies de usted, señora, o beso a usted la mano, caballero.»

En lo de la afabilidad y la leve reverencia, también deben incurrir las señoritas:

«Inclinarán modestamente el cuerpo y dirán con afabilidad: Beso a usted la mano, señora, o beso a usted la mano, caballero» [14].

Tratándose de jovencitas, claro. Si no, no saludaban tan rendidamente a las señoras, aunque cedían el puesto a las de mayor edad.

A lo largo del siglo se mantuvo la tradición del «beso verbal». Amicis, en su viaje por España hacia 1871, lo destacaba todavía en una general impresión de la cortesía hispana:

«Tienen (los españoles) modales francos y gentiles, quizá menos finos pero ciertamente más amablamente ingenuos que los tan elogiados en los franceses. En vez de sonreiros, os dan un cigarro; en vez de decir algo agradable, os entrechan la mano y son más hospitalarios de actos que de palabras. Las fórmulas de saludo mantienen la huella cortesana. El hombre dice a la mujer: A sus pies. La mujer dice al hombre: Beso la mano. Los hombres escriben al final de la carta: Q. (ue) B. (esa) S. (u) M. (ano). Pero de señor a señor, por la calle y entre amigos, se dice «adiós». El pueblo sigue diciendo: Vaya usted con Dios» [15].

A propósito de «besamanos», el que se realizaba de verdad—y de ahí la costumbre de extenderla a los hombres en señal de respeto, aunque fuera sólo de una forma aparente—era el de la Corte con motivo de una solemnidad y a la Familia real. El diplomático que tantas veces nos ha contado detalles de la vida madrileña hacia 1853 nos lo explicará mejor:

«Cuando llegamos sólo había recibido la Reina a su servidumbre, damas y gentiles hombres de la Casa real. Estaba sentada en el Trono, el Rey a su izquierda y el Infante don Francisco en un escabel bajo el pie del Trono... El Nuncio del Papa y el Arzobispo de Toledo estaban de pie muy cerca.

...Nunca deja de sorprenderme la soltura de los españoles por jóvenes que sean... Hay que subir las gradas del Trono, besarle la mano a la Reina, luego al Rey, retirarse a pasos hacia atrás, bajar las gradas, besarle la mano al Infante y luego recorrer, andando siempre hacia atrás, toda la sala a lo largo. Y todo éso tienen que hacerlo las señoras arrastrando las largas y pesadas colas... Las señoras españolas hacen las reverencias con mucha nobleza y gracia. Es un arte ese de hacer saludos que debe de formar parte de su educación. Las señoras extranjeras no besan las manos en estas recepciones» [16].

De esa costumbre de dirigirse a las personas de poca intimidad con la fórmula «Muy señor mío» y terminar con «Suyo afectísimo servidor Q. B. S. M.» que es la que emplea Fabián Conde en su angustiosa carta de renuncia a toda su vida anterior al final de la novela [17], se pasó a utilizar papeles ya timbrados con la fórmula: El (título o cargo) B. L. M. al señor (y aquí el nombre) y le comunica (objeto de la misiva). Venía luego el nombre y apellido completos del remitente y «el testimonio de su consideración más distinguida».

Esta fórmula que hoy nos parece barroca y larga produjo en cambio, cuando salió, el efecto de un expediente para salir del paso sin darle a la comunicación ninguna calidad moral. Nombela se queja:

«En aquellos tiempos (1854-60) eran muy corteses los personajes

políticos y rara vez dejaban sin respuesta las cartas que recibían...
Desconocidos en aquel tiempo los pretenciosos y despectivos B. L. M.
que tanto se han generalizado después, a las cartas se respondía con
cartas» [18].

Larra, como Guevara en el siglo XVI, como Cadalso en el XVIII,
satiriza las fórmulas sociales empleadas para escribir:

«...las cartas de terneza y cumplimiento, esas entran en el número
de cosas que en sociedad se hacen por lograr algo, o por no ser menos
que los demás en finura y correspondencia. Sabido es que esas se
escribe siempre aceptando sentimientos que no se abrigan, y empezando: «Idolo», «angel mío», si son de conquista; «Mi querido Fulano»
si son de amistad, o «Muy señor mío...» de negocios..., y rematando
en aquello de «Tuyo hasta la muerte», «tu constante amigo» o «Su
seguro servidor q. s. m. b.», mentiras, tan mentiras que suelen dar
risa al que las escribe antes de enviarlas y risa al que las recibe antes
de leerlas...

...y no ocurriendo más por hoy..., queda de ustedes y les besa su
mano, como generalmente se dice y no se siente, su afectísimo: Fígaro» [19].

Pero a pesar de ésto, el mismo Larra es un obsesionado por las
relaciones sociales. A pesar de su a menudo revolucionarismo, a
pesar de su defensa de los perseguidos por la sociedad, como el men-
digo o el condenado a muerte, no tolera extralimitaciones en el papel
social de cada uno. A veces se avergüenza de la confianza que su sastre le demuestra ante extranjeros:

«Mi sastre es hombre que me recibe con sombrero puesto, que
me alarga la mano y me la aprieta; me suele dar dos palmaditas o
tres, más bien más que menos, cada vez que me ve; me llama sim
plemente por mi apellido, a veces por mi nombre, como un antiguo
amigo...; no me tutea no sé por qué; eso tengo que agradecerle
todavía.

»...Por supuesto que el maestro no se descubrió, no se movió de
su asiento, no hizo gran caso de nosotros, nos hizo esperar todo lo
que pudo, se empeñó en regalarnos un cigarro y en dárnoslo encen-
dido de su boca; cuántas groserías, en fin, suelen llamar franqueza
ciertas gentes.»

De todo lo que el sastre hizo puede sacarse la deducción de lo
que Larra esperaba que hiciera, es decir, lo contrario. De la facilidad
de pasar de la franqueza a la grosería ya hizo mención sobrada en el
caso del «Castellano Viejo», que es un típico exponente del amigo que
no cree deber acatar unas fórmulas sociales en las que Larra, el re-

volucionario Larra, creía a pie juntillas. Cuando el mozo del café les gasta una broma pesada, se irrita:

«Sirva usted con respeto, calle y no se chancee con las personas que no conoce y que están muy lejos de ser sus iguales» [20].

LA RELACIÓN

Al famoso autor le daba la impresión en 1834 de que el mundo había subvertido todas las categorías sociales y que la buena educación había desaparecido. Y, sin embargo, visto con cierta perspectiva, el siglo XIX se nos ofrece con un aspecto general de ceremonia y de respetuoso cuidado en el trato. La relación era difícil de establecer si no había de por medio alguna persona amiga, y hoy, desde un siglo XX de relación inmediata y de amistad relámpago nacida en un tranvía, en un tren o en avión, se nos hace difícil de comprender los apuros que pasaban los enamorados de una mujer a la que no podían acercarse por falta de intermediario. Este es el caso presentado por Trueba hacia mediados de siglo. Un muchacho joven siguiendo a una muchacha acompañada de su mamá y de un lacayo y que cuenta su caso a un amigo:

«Cuando me disponía a regresar a Pamplona, vi en el Arenal de Bilbao, paseando con su madre, una muchacha preciosa que me trastornó el seso. Averigüé la fonda donde paraban e inmediatamente tomé los bártulos y me trasladé allá con la esperanza de tratar aquellas señoras; pero cuando esperaba verlas al día siguiente en la mesa redonda * supe que habían tomado el camino de Madrid, que vivían en la calle de Alcalá...; aquí me tienes... sin haber encontrado quien me presente en su casa. ¿Conoces tú a esas señoras o conoces a alguno que pueda presentarme a ellas?

—Pues chico, tengo el sentimiento de decirte que no las visito ni conozco a nadie que las visite...; si no encuentras quien te presente, preséntate tú mismo.»

El pretendiente formal rechaza la idea. Sería jugarse el todo por el todo. Problamente piensa que si fuera aceptado en esas circunstancias no se fiaría el mismo de una muchacha que tan fácilmente traba relaciones:

«Chico, eso sería exponerme a que me despidiesen a cajas destempladas» [21].

---

* Mesa donde se sentaban todos los huéspedes reunidos en las fondas y en las que, naturalmente, la relación era más fácil.

En esta angustia de ver cerca y de lejos al mismo tiempo, seguirla en el paseo y ver en la misa a la adorada, de pasear frente a su casa y no encontrar amigos comunes está el secreto de muchas novelas del siglo pasado. Se trataba de buscar la coincidencia o la ocasión de cambiar algunas palabras, las primeras, decorosamente, es decir, con aspecto formal. De ahí lo fácilmente que se caían los pañuelos de las manos de las doncellas ruborosas o las sombrillas o se perdía el perrito. En el caso que Tamayo explica, lo caído es un libro desde el balcón.

«Clara: Gracias, caballero. No valía la pena de que usted se molestase.

Félix: ¡Pero, señora! Sólo la he experimentado cuando dudaba si se me permitiría entrar en su casa de usted.

Clara: No teniendo el honor de conocer a usted, me parece algo extraordinario...» [22].

En la presentación no se daba la mano, como nos demuestra Valera, si no había antes una correspondencia o cierta confianza a través de amigos comunes. Lo que curiosamente ocurre hoy todavía en Norteamérica.

«Se limitó a decir algunas palabras corteses a cada una de las hermanas sin acercarse demasiado a ellas y, sobre todo, sin incurrir en la insolente ordinariez en que ahora incurren con frecuencia los hombres de alargar la mano a las señoras apenas las conecen, obligándolas a que los desairen o a venir de buenas a primeras a términos de amistosa confianza» [23].

EL TÚ Y EL USTED

Un siglo tan mirado en cuestiones de etiqueta guardaba distancias aun después de la presentación. El «tú» no se concedía fácilmente, ni aun entre hombres, aun sin haber diferencia social como en el caso del sastre que Larra tenía. Si Espronceda al conocer a Zorrilla le abraza y se tutean a la media hora, puede darse el caso como excepcional, probablemente como exponente de una hermandad poética para la cual los preceptos sociales pesaban poco. Porque más de treinta años más tarde, en 1861, unos jóvenes de parecidas aficiones creen conseguir un triunfo llegando a suprimir el usted [24].

«Al día siguiente de nuestro encuentro Lázaro me presentó a Diego, a quien llevaba él algunos días de tratar en aquel mismo sitio... Diego agradecía profundamente mis primeras demostraciones de afecto y confianza. A propuesta suya se acordó que los tres nos hablaríamos de tú, merced que nunca habíamos otorgado a ningún hombre» [25].

Si esta era barrera que separaba a los seres del mismo sexo, calcúlese lo que representaría al tratarse de hombres y mujeres. Estas podían llegar a manifestar su cariño con palabras amables, sin que su pudor sufriera por ello; pero el uso del tú tenía para todos los oídos un comprometedor sonido de intimidad que procuraban evitar lo más posible. En una obra de 1820 los novios se dicen «vuestra merced», incluso cuando están solos [26].

El *usted* era una defensa, y por ello los enamorados galanes trataban de saltarla lo más pronto posible, porque el cambio de tratamiento representaba una serie de mayores posibilidades. Muchas veces en nuestros autores del XIX se contraponen los dos tratamientos. El usa del «tú» y ella del «usted». Otras, él es tan respetuoso como ella. Como por ejemplo el héroe de Trueba, que quizá va con precaución en el camino de intimidad recordando lo que le ha costado hacerse presentar a su ídolo:

> «Luisita: Mamá se malicia que hay *algo* entre nosotros.
> López:　¿Y le ha dicho usted *algo*?
> Luisita: No me he atrevido a decirle nada.
> López:　¿Me da usted permiso para decírselo?
> Luisita: Si usted me quiere de veras...
> López:　¡La idolatro, Luisita!
> Luisita: ¡Qué malos son los hombres!» [27].

Insisto en que se trata de un hombre demasiado sujeto a formulismos. Otros como el Camilo de «El tanto por ciento» no vacilan en romper la valla:

> «Camilo: Pues no hay ahora quien de nosotros se acuerde..., si
> 　　　　　es verdad que algún favor te merezco...
> Jacinta:　¡Qué llaneza!
> Camilo: Sí, que en el *usted* tropieza a cada paso el amor» [28].

Jacinta se asombra del tratamiento, porque las mujeres de su tiempo (estamos hacia 1862) conciben más fácilmente el robo de un beso que un cambio en la forma en que están acostumbradas a tratar a los hombres. Julia, otra protagonista de Ayala, dispuesta a escaparse con Carlos y siendo una mujer casada, no por ello deja de tratarle de usted.

«Carlos: Voy a que traigan un coche. Será prudente que salgamos sin tardanza y entremos en la silla fuera de Madrid.
Julia: Sí; vaya usted.
Carlos: ¡Julia!
Julia: Vaya usted.
Carlos: Pero... una dulce palabra de amor.
Julia: ...se abrasa mi frente.
Carlos: Vuelvo al instante.
Julia: Sí; bien...» [29].

Hacia 1882 se sitúa la acción en los dramas íntimos y externos de «La pródiga». Aún en este caso, o mejor, precisamente en este caso con el siglo casi terminándose, podemos ver lo que representaba la tradición del usted o del tú en las mujeres de la época. Esta se llama también Julia, pero tiene sobre la heroína anterior su desprecio de la vida y de las convenciones, tanto desprecio que no vacila en gritarle al ingeniero un amor que ella sabe condenado al fracaso. Y, sin embargo, lo hará con el tratamiento de usted, hasta que sea él el que con su respuesta la obligue a buscar el que, dadas las circunstancias, parece más natural; un tratamiento íntimo.

«...Guillermo, no sé si se lo habrá dicho a usted mi corazón...; ¡yo le amo a usted con toda mi alma!
...¡Julia mía!
...¡Oh, sí; seré suya! ¡Suya soy! ¡Le amo desde el instante en que nos vimos!
—¡Julia: yo te adoro como no ha sido adorada ninguna mujer!»
Ella le quiere exigir que jure que cuando se canse de ella la abandonará sin falsas compasiones. El se niega.
«—Yo no te abandonaré jamás. Yo no lo desearé.
—Pues bien: no jures. ¡Juraré yo!» [30].

Y en este «no jures» de segunda persona, en el terreno confidencial y amoroso, la «Pródiga» pone el sello de su total entrega. Tanto significa el tuteo para las mujeres del siglo xix.

Por la misma razón el *usted* conservaba un tono frío y distante y quienes al calor de la intimidad y la mutua confianza habían pasado ya la barrera, cuando renacía el odio o al menos la indiferencia, cuando llegaba el momento de los reproches, lo hacían surgir de

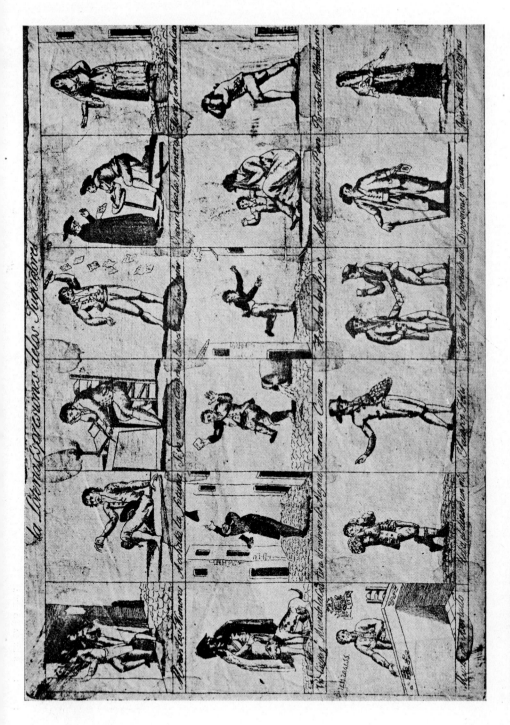

LOS JUGADORES DE LA LOTERIA

REACCIONES EN LA LOTERIA

nuevo. Así en el cuento de Navarrete, que ya comentamos [31]. Así en Barrera, donde se contrapone el lirismo.

> «¡Enrique, cuánto te amo!
> ¡Cuánto te adoro, Isabel!»

con la pelea por celos y tono distante:

> «—Caballero, usted me falta.
> —Y usted falta a su deber.
> —Soy una mujer honrada.
> —¡Usted me ha engañado, infame!» [32].

Y ya terminándose el siglo, en 1889, Ceferino Sanjurjo contará admirado de la intimidad que ello representaba en la primera entrevista, en la reja: «En aquella dulce y memorable sesión, que se prolongó hasta la una, quedó nuestro amor asentado y reconocido. Sin esfuerzo alguno comenzamos a tutearnos y nos prometimos fidelidad» [33].

DEL BRAZO Y POR LA CASA

La costumbre española en cuanto a las relaciones entre hombre y mujer estaban basadas en el respeto por los celos y difícilmente un hombre se atrevía a galantear o acercarse demasiado a la esposa de hombre alguno estando él delante. Sí, en cambio, se consideraba obligado el uso del brazo, especialmente para llevar a la gente a la mesa. Que esta costumbre no tenía nada de afectiva y sí mucho de formularia nos lo demuestra el personaje de Bretón de los Herreros que se precipita a ofrecer el brazo a su prometida, equivocándose. Se anuncia que la mesa está servida y...

«Frutos: Corriente. ¡Vamos allá!!
Remigio: (En voz baja a Frutos.) ¡Hombre..., el brazo a la señora!
Frutos: ¡Ah, sí, sí! Tómale, Aurora.
Elisa: Désele usted a mamá.

Escena VI.

Marquesa: Venga.
Frutos: He de ser su pariente. y no me dejan ahora...
Remigio: Usted, por lo visto, ignora la legislación vigente...

8

Frutos: Pero..., señor, qué más da...
Marquesa: Mientras otra ley no rija,
            no se da el brazo a la hija
            si hay de por medio mamá»[34].

Vasili años después, en 1886, dice que dar el brazo a tiempo, o al menos ofrecerlo, producía un buen efecto en sociedad. Multiplicar las atenciones, especialmente ante las ancianas, produce siempre un buen efecto[35].

Evidentemente, la ceremonia era mayor que hoy. Las comidas de cierta importancia empezaban siempre con la clásica procesión hacia el comedor, que abría la dueña de la casa con el invitado de más honor. Se cuenta que en una de ellas la generala Serrano indicó a Castelar, cuando se dirigían a la mesa, que además de su brazo tendría que aceptar la presidencia, habitualmente ocupada por el general, entonces ausente.

«—Tendrá usted que sustituir a mi marido, Castelar.
—Con mucho gusto—contestó el político—. ¿Hasta qué hora?»

EL LUTO

Los lutos eran largos y porfiados. La influencia francesa y anglosajona, que tanta importancia tenía en otros aspectos de la vida de los españoles, no acababa de abrir brecha en la tradición de oscurecer vestido y casa cuando había una desgracia familiar, y siempre por largo tiempo. La viuda, si era joven y bonita, se resistía más a cumplir con las conveniencias sociales, que la obligaban, sobre todo, a permanecer en casa nueve días enteros sin salir, a partir de la muerte del esposo. Un artículo, mejor un cuadro de costumbres, nos dirá algo. Hablan la señorita y la criada:

«—¡Si yo pudiera salir
de casa! Esta soledad
me consume; esta tristeza
me ahoga.
    —Pues claro está
que debe usted de salir.
—Y las gentes, ¿qué dirán?
—¿Qué han de decir? ¿No la han visto
a todas horas llorar?

¡Si está usted desconocida!...
—Oye, ¿se han cumplido ya
los nueve días?
—¡Señora!
—Es que no sé ni contar.
—¿Y el luto?
—Tres meses ha que enviudé
pero me cansa ya el luto» [36].

LO CURSI

A medados de siglo nace una palabra para expresar un concepto de la elegancia, del «quiero y no puedo» por un lado en lo social, del «quiero, puedo y no sé a veces» en lo que se refiere al buen gusto. Resultó tan cómoda a nuestros abuelos que su uso fué creciendo y ha llegado hasta hoy ampliando cada vez más su significación, pero sin dejar de ser precisa: es la de «cursi». En una sociedad salida del caos de la revolución que la francesa había traído más o menos mediatizada, después de la invasión y la subversión de valores, después que resultó que ser noble no bastaba para vivir ni siquiera para ser respetado por sus coterráneos, la única defensa de la gente elegante ante la nueva burguesía que se iba formando era la de llamarla algo y ese algo fué la denominación: Es un cursi. Como decía, esta definición fué ampliándose hasta llegar a anchas zonas. Alarcón nos da en «El Escándalo» un dato de valor acerca de su introducción oficial en el vocabulario español. El protagonista está describiendo a Gregoria, la esposa de su amigo.

«Era el tipo de la mujer fuerte, no de índole sino de profesión y mala fe, y además otra cosa que sólo puede definirse con un vocablo provincial, cuyo significado no sé si usted conoce...

»—Estoy al cabo de todo—pronunció el jesuíta sonriéndose—quiere usted decirme que era *cursi*.

»—Justamente».

La Academia Española ha prohijado ya la palabrilla... y la incluirá en su próximo diccionario, como muy expresiva y generalizada.

«...Era cursi en todos conceptos: cursi su virtud, cursi su hermosura, cursi su pretendida elegancia, cursi su lenguaje, cursi cuanto hallé en su vivienda. Era la más ridícula falsificación que puede imaginarse de todo lo oculto, elevado y noble» [37].

La primera edición de esta obra es de 1861. La Academia prohijó efectivamente la palabra, dándole cabida en su edición de 1869.

A Pérez Galdós, que tantas veces buscó su inspiración en las cla-

ses medias que por proceder a menudo de familias venidas a menos
tenían en alto grado un concepto de sí mismas que ridiculizaban al
quererlo subrayar con poco dinero, le iba de maravilla el tipo. No lo
dejó desaprovechar y sus representantes están en la obra «Miau».
La única diferencia de estos cursis con los otros es que éstos, ésta
concretamente, saben que lo son y por ello descubren al autor. Porque
es bien difícil para un cursi saber que lo es. Su debilidad y su fuerza
radican en su ignorancia. He aquí, en cambio, lo que dice Abelarda
de sí misma y de sus hermanas, sempiternas abonadas al teatro porque no pagan por él.

«Anoche me contó Bibiana Cuevas que en el Paraíso del Real
nos han puesto un mote: nos llaman las de «Miau» o los «Miaus»,
porque dicen que parecemos tres gatitos, sí, gatitos de porcelana de
esos con que se adornan ahora las rinconeras. Y Bibiana creía que yo
me iba a enfadar por el apodo. ¡Qué tonta es!... ¿Somos la risa de
la gente?... Somos unas pobres cursis. Los cursis nacen y no hay
fuerza humana que les quite el sello... Seré mujer de otro cursi y
tendré hijos cursis a quienes el mundo llamará «los Michitos» [38].

BIBLIOGRAFIA DEL CAPITULO V

1 Larra, Mariano José de: *Quién es el público y dónde se encuentra.* «Artículos de Costumbres», t. I, pág. 40. Madrid, 1923. Pub. 1832.
2 Mesonero Romanos, R.: *Escenas matritenses.* Ob. cit., pág. 14, referencia 1832.
3 Castellanos de Losada, Basilio Sebastián: *La galantería española.* Madrid, 1848. Pág. 186.
4 Selgas, José: *Luces y sombras.*
5 Fabra, Camilo: *Código o deberes de buena sociedad.* Barcelona, 1863. Página 14 y siguientes.
6 Moratín, Leandro Fernández de: *Los días.* Poema. BAE, pág. 590.
7 Pérez Galdós, B.: *La familia de León Roch.* Ob. comp. Madrid, 1941. Página 954, ref. 1878.
8 Inglis, Henry: *Spain in 1830.* London, 1831. Vol. II, pág. 225.
9 Bretón de los Herreros, M.: *El pelo de la Dehesa.* Act. III, esc. II, 1837.
10 Alarcón, P. A. de: *El Escándalo.* Libro II, cap. V. Madrid, 1861.
11 Larra, M. J. de: *El Castellano Viejo.* «Artículos de Costumbres». Madrid, 1923, t. I, pág. 91.
12 Bretón de los Herreros, M.: *El pelo de la Dehesa.* 1837. Act. II, escena III.
13 Alarcón, P. A. de: *El Escándalo.* Lib. V, cap. VI. 1861.
14 Oriol y Bernardet, J.: *Las reglas de urbanidad para niñas y niños.* Barcelona, 1843. Pág. 9.
15 Amicis, Edmondo di: *Spagna.* 1871.
16 *Madrid hace cincuenta años...* Anónimo. Madrid, 1904. Pág. 275.
17 Alarcón, Pedro A. de: *El Escándalo.* Buenos Aires, 1941. Pág. 236, ref. 1861.
18 Nombela, Julio: *Impresiones y recuerdos.* Madrid, 1939. Pág. 43, tomo II.
19 Larra, M. J. de: *Fígaro a los redactores de «El Mundo» en el mundo mismo o donde paren.* «Artículos de Costumbres». Ob. cit., t. III, página 270.
20 Larra, Mariano José de: *¿Entre qué gente estamos?* «Artículos de Costumbres». Madrid, 1923. Pág. 204, primer tomo.
21 Trueba, Antonio de: *Querer es poder.* «Short Stories». Chicago, 1922. Páginas 19 y siguientes.
22 Tamayo y Baus: *Una apuesta.* 1851. Acto único, escena IV.
23 Valera, Juan: *Pasarse de listo.* Ob. cit Pág. 452, ref. 1873.
24 Zorrilla, J.: *Recuerdos del tiempo viejo.* Madrid, 1882, t. II, pág. 47.
25 Alarcón, Pedro A. de: *El Escándalo.* Lib. III. Cap. IV.
26 Gorostiza: *Don Dieguito.* Madrid, 1820.
27 Trueba, Antonio de: *Querer es poder.* «Short Stories». Chicago, 1822. Página 38.
28 Ayala, Abelardo López de: *Tanto por ciento.* Acto II, esc. VI.

²⁹ López de Ayala, A.: *El tejado de vidrio*. Acto IV, esc. V.
³⁰ Alarcón, Pedro A. de: *La Pródiga*. Lib. III. 1882.
³¹ *Siglo pintoresco (El)*. 10 de mayo de 1845.
³² Barrera, P. M.: *Dos cuadernos*. Madrid, 1868. Pág. 29.
³³ Palacio Valdés, A.: *La Hermana San Sulpicio*. Boston, 1925. Pág. 96.
³⁴ Bretón de los Herreros, M.: *El pelo de la Dehesa*. Acto II, esc. VI.
³⁵ Vasili: *La societé de Madrid*. París, 1896. Pág. 239 y siguientes.
³⁶ *El Mundo pintoresco*. «La Ilustración española y americana». Madrid, 18 de julio de 1858.
³⁷ Alarcón, Pedro A. de: *El Escándalo*. Libro V, cap. IV.
³⁸ Pérez Galdós, B.: *¡Miau!* Ob. comp. Pág. 623.

VI

REUNIONES

LA TERTULIA

A la tertulia le dió el nombre el siglo XVIII. Reunión de sacerdotes o seglares, pasó a constituir desde asambleas a las que interesaban las cuestiones filosóficas (la moda de discutir a Tertuliano bautizó la costumbre) hasta cualquier grupo amante de hablar de cualquier cosa. La trayectoria del siglo XIX nos lleva de la tertulia hasta la *soirée,* y con el nombre francés entró, además, la absoluta necesidad de bailar en ellas, cosa que al principio del siglo era rara. Mesonero Romanos nos describirá, exagerando un poco, la diferencia entre las patriarcales costumbres de las tertulias del siglo anterior y las movidas de éste:

«Por los años de 1789 visitaba yo en Madrid una casa en la calle Ancha de San Bernardo; el dueño de ella... tenía una esposa joven, linda, amable y petimetra... Yo, que era entonces un pisaverde (como si dijéramos un lechuguino del día), me encontraba muy bien en esta agradable sociedad, hacía a veces la partida de mediator * a la madre de la señora; decidía sobre el peinado y vestido de ésta; acompañaba al paseo al esposo; disponía las meriendas y partidas de campo y no una vez sola llegué a animar la tertulia con unas picantes seguidillas a la guitarra o bailando un bolero que no había más que ver.

»Si hubiese sido ahora, hubiera hablado alto, bailado de mala gana, tararearía un aria italiana, cogería el abanico de las señoras, haría gestos a las madres y gestos a las hijas, pasearía la sala con sombrero en mano y de bracero con otro camarada y, en fin, me daría tono a la usanza..., pero entonces... entonces me lo daba con mi mediator y mi bolero» [1].

* Juego de cartas francés.

Lo que intenta insinuar malévolamente Mesonero Romanos es que en el siglo anterior, bajo unas apariencias más serias, había más posibilidades para un joven aventurero y amigo del cortejo y que las mujeres gustaban de ello. Hoy, viene a decir, se usa esa apariencia de cansado y escéptico, típico del joven romántico que parece superior a todo el mundo. Ya volveremos sobre esta actitud al analizar a los que se llama lechuguino entre otros nombres.

Lo que parece evidente es que a medida que transcurre el siglo se hace más necesario saber bailar para triunfar en la tertulia que, sin embargo, mantiene el digno nombre que hace pensar sólo en re-reflexivas disertaciones. Así el Bernardo descrito por Bretón se lamenta del pobre papel que hace quien no sabe mover dignamente los pies, hacia 1828:

«Bernardo: (Tertulias...) Reniego de ellas
algunas hay regulares;
pero la etiqueta, el tono
las hacen insoportables...
En otras mandan en jefe
lechuguinos y pedantes;
y el que no gasta corsé
y, aunque fino en sus modales,
no baila cuando saluda,
ni pone en boga a su sastre,
en un rincón bostezando,
hace un papel despreciable.
En otras, de dos en dos
se acomodan los amantes,
requebrándose al oído
sin hacer caso de nadie;
y el pobre número impar
espera a que haya vacante,
jugando a la perejila
con las feas y las madres.
Por último, en todas ellas
el que no baila es un cafre;
el que no canta, un caribe;
el que no juega, insociable;
el hombre formal se aburre,
y los tontos se distraen» [2].

COSTUMBRES MADRILEÑAS

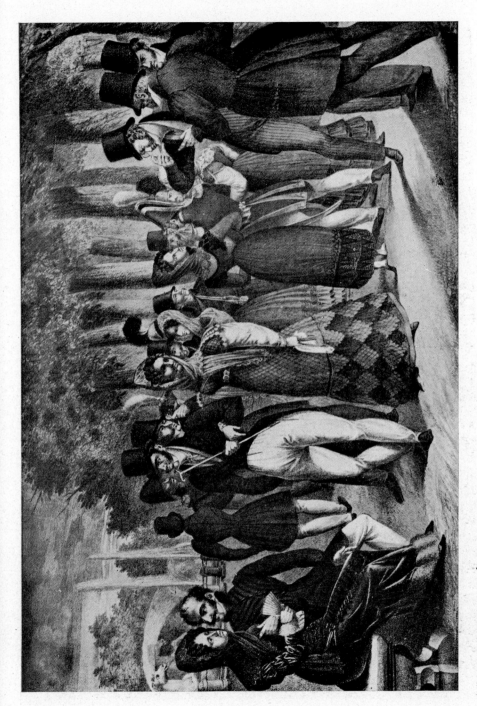

LOS ELEGANTES EN EL SALÓN

Ciegos Xacareros.

Sea verdad ó mentira | Nó falta quien nos dé oidos,
Lo que los Ciegos cantamos, | Y afloge tambien los cuartos.

Escrita la obra para demostrar la superioridad del campo sobre la ciudad, aunque al final se defienda la ciudad contra el campo o al menos se considere igual de malo una que otra cosa, la diatriba de Bernardo se nos parece un tanto excesiva. Evidentemente, ser brillante tiene valor en cualquier reunión y las tertulias no podían ser una excepción. Para Nombela, por ejemplo, hay un encanto en esa clase de veladas:

«...animadas y distraídas. La hija mayor de doña Concha y yo declamábamos escenas de Pelayo, de Quintana o del Otelo de Shakespeare. Se jugaba a prendas; Prieto tocaba polkas, valses y rigodones que bailábamos..., a veces las mamás referían interesantes episodios, la señora de Arrieta de la guerra civil que había presenciado u oído contar. Doña Concha de sus recuerdos palatinos...[3].

Los extranjeros están casi todos a favor de la tertulia española. Les encanta sobre todo la fácil acogida y pronta confianza que se adquiere en ellas. Así Debrowski asegura que sin cartas de presentación se obtiene en seguida un recibimiento cordial, un asiento al brasero (centro de vida familiar en invierno), cigarrillos, un vaso de agua y azucarillos. Considera que la tertulia es la «soirée» francesa, pero con una libertad que no perjudica el «esprit». Las señoritas—y ahí se le da la razón al refunfuñón Bernardo—están en los rincones con sus admiradores y las viejas toman «tabaco al agua de colonia» (no sabemos exactamente a qué se refiere) y hacen punto para mandar ropa a sus hijos que están en el ejército. Insistiendo en la lucha entre lo nacional y lo importado dice—en 1838—que se bailaban contradanzas y vals excluyendo el bolero cuando se trataba de gente elegante[4]. Quizá esa pérdida de posibilidades para demostrar su gracia en el baile nacional, era lo que ponía melancólico a nuestro Mesonero Romanos. Pero evidentemente, si el afrancesado siglo XVIII mantuvo subterráneamente un gran amor por lo castizo en las duquesas vestidas de maja, el XIX, que casi empezó guerreando contra los franceses, relegó cada vez más hacia las clases bajas el amor por lo nacional y la enemiga por lo extranjero.

Los periodistas, al menos públicamente, votaban en este trance por el baile nacional. Martínez Villegas, famoso costumbrista y humorista de la época, exclama con un cierto aire defensivo que muestra que el snobismo obligaba a escoger a favor de lo importado para pasar por inteligente:

«...Confieso mi pecado; el rigodón será muy bueno pero no me gusta; la mazurca será invención de un genio de la danza pero no me peta; la galop, el britano, las italianas, la misma polka universalmente celebrada, serán bailes divinos pero no me llenan. Lo que yo deseo cuando acabo de ver una comedia, no es ver salir a un hombre muy serio a hacer juegos de pies con el baile inglés ni la gavota, sino oír aquel repiqueteo de castañuelas que me levanta de la luneta preludiando las inexplicables gracias del fandango. Algunos dirán que tengo mal gusto, que no pertenezco al gran tono, qué sé yo lo que dirán. Pero yo me río de todo...»[5].

Si en el teatro mientras hubo «fin de fiesta» se mantuvo el amor al fandango, en las casas particulares se había rechazado totalmente. Igualmente el bolero: «El baile nacional que los extranjeros admiran — dice Ford—es rechazado por las señoras elegantes... En las casas privadas se baila lo extranjero. En tertulias, *country dances* inglesas, cuadrillas francesas y valses alemanes»[6]

Todos los extranjeros están de acuerdo en ello y es el único pero que encuentran a las tertulias españolas, de las que admiran todos la alegría y la buena acogida. Mazade insiste:

«Difícilmente se concibe la facilidad y abandono que reinan en todas las relaciones..., no puede por menos de asombrarse un bárbaro de los salones de París y Londres cuando arrojado a una tertulia de Madrid oye a mujeres y a hombres llamarse por el nombre de pila...; esta costumbre da una gracia particular a las reuniones madrileñas; revela la cordialidad que anima este mundo»[7].

No importa, pues, que las señoras se besen en la mejilla, cosa que no hacían antes al encontrarse por seguir la moda francesa. Este y otros detalles de ultrapuertos no cambian, aparte del baile, el carácter españolísimo de estas reuniones que tanto se distinguen de las de los demás países. Dejemos al diplomático desconocido explicarnos tres tipos de tertulia. Su descripción detallada nos ayudará más por ser de extranjero, y por ello de sorprendido, que la de cualquier autor nacional español, el cual no se detenía a contar lo que cada lector podía ver todos los días en su casa o en la ajena.

La primera tertulia es la de la señora Busental, bien conocida en la sociedad madrileña:

«La noche que estuve en su casa la tertulia era sólo de hombres y ninguno llegó antes de la una. No hay idea de la libertad como la que allí se gozaba. Se entraba y salía sin saludar, se fumaba, se charlaba, se callaba, se paseaba..., hasta había quien se echaba a dormir... Lo menos extraordinario de aquella reunión es que la señora... comience a recibir después de la media noche.»

La política estaba en todas las mentes porque estaba en todas las calles en forma de revoluciones y motines. Por ello no es extraño que fuera tema de conversación, pero aún así el escritor admira...

«...la independencia con que se hablaba en una reunión como

aquella, en que había hombres de todos los partidos políticos, le daba un carácter no menos original que divertido. Nadie se recataba de manifestar claramente sus opiniones... «No entiendo—decía monsieur de X—cómo puede tener éxito una conspiración en España; porque los españoles antes que guardar secreto sobre nada que sepan, son capaces de ir a contárselo a los mismos contra quienes conspiran.

»Por eso, precisamente, suelen salir bien—le contestó G.—. Se dicen tantas mentiras que nadie cree nada y las noticias verdaderas se confunden con las falsas. Se anuncia, por ejemplo, un movimiento para tal día. El gobierno lo sabe y toma sus medidas; pero como llega ese día y no pasa nada, se echa la cosa a risa y se dice que en España nunca sucede nada de lo que se predice. Entretanto la conspiración a que la noticia se refiere sigue ganando terreno... y... revienta la mina y siempre coge desprevenido al gobierno...» [8].

Esa tertulia en la que servían el chocolate a las tres de la madrugada no puede ponerse como modelo, ni siquiera como común. La libertad de las formas, por ejemplo, nunca llebaga a tanto en una tertulia normal. Precisamente en el mismo año de 1853, Tamayo y Baus escribía una acotación que nos da luz sobre lo que se cuidaba la apariencia en público.

«Rafael se coloca una pierna sobre otra, quedando en posición poco decente; su padre le mira indignado y Rafael toma otra posición afectadamente modesta» [9].

La multiplicación de las tertulias puede explicarse por muchas razones, pero naturalmente la principal es el carácter sociable de los españoles y su deseo de charlar. El diplomático aludido recorre en su libro la escala social de las tertulias y en todas puede hallarse acogida afectuosa y un refresco que en general no es caro.

Se atribuyen a muchos motivos el tener los grandes sus casas tan herméticamente cerradas..., tienen generalmente sus tertulas particulares todas las noches, en que media docena de sus amigos íntimos pasan una o dos horas en confianza..., tampoco se necesita aquí gastar mucho para tener una tertulia en que se baila, pues fuera de las grandes fiestas y recepciones, con dar té o chocolate se sale aquí del paso...» [10].

Así no es raro que sucediera en otro lugar bien humilde.

«Subí al departamento que me pareció bastante pobre y llamé. Una criada de voz chillona me reconoció por el ventanillo de la puerta. La pregunté si estaba la señora en casa. Abrió entonces la puerta y marchó delante de mí por un oscuro pasadizo, a cuyo extremo había una larga habitación baja de techo en que entró y me anunció como «Un caballero».

«Me encontré, tan pronto como la luz de una vela de sebo me permitió distingur los objetos, en presencia de cinco señoras de edad; las cuatro de ellas de mantilla; la otra... parecía la dueña de la casa. Estaban sentadas en fila, en empinadas sillas de palo con los respaldos arrimados a la pared y cada una tenía en la mano un pocillo de chocolate y un pequeño bizcocho en la otra... El resultado fué que me sentase, tomase un vaso de agua y un azucarillo y tratase de hacerme lo más agradable posible. No pude menos de hacer reflexiones sobre la cortesía y urbanidad innatas de este buen pueblo... [11].

No era, pues, necesario tener una posición desahogada para tener el gusto de albergar a los amigos durante unas horas.

TERTULIAS LITERARIAS

Cuando Mesonero Romanos compara lamentándose las reuniones del siglo anterior con las del suyo, es injusto si recordamos que es un escritor, un literato el que habla. Porque las discusiones de las tertulias pueden ser varias, las conversaciones múltiples, pero hay dos temas que difícilmente se soslayan. Uno, desconocido en el XVIII, ha llegado traído por la mayor libertad de expresión y los problemas diarios, es el de la política y ya hemos visto un ejemplo de su uso. Otro es la glorificación del literato, del poeta. El siglo anterior ha iniciado el camino. El tipo del filósofo, como ha dicho Paul Hazard, ha sustituído al del burgués que, a su vez, fué el sustituto del hombre de armas y letras del Renacimiento. Por filósofo entendemos o entenderíamos hoy al intelectual que va poco a poco cobrando interés y atrayendo la atención de la sociedad. Y cuando llega el Romanticismo con su explosión individual, el escritor se ha puesto de moda y la señoras presumen de tenerle en sus reuniones mundanas. Con el escritor se ha puesto de moda la literatura en el sentido de que no se considera ya un arte de unos pocos. Muchos, tras la lectura de los libros más en boga, se consideran capacitados para jugar esta carta. En el aspecto social, que es lo que nos interesa en estos momentos, la literatura, especialmente la poesía, cobra una gran importancia. A la gente no le basta reunirse en el Ateneo o en el Liceo, instituciones de las que hablaremos más tarde, sino que se agrupa bajo la dirección de un prestigioso escritor para discutir asuntos literarios. La principal diferencia entre estas reuniones y las del siglo XVIII con sus sociedades económicas de Amigos del País, es que éstas se extendían a todos los puntos de la cultura desde la filosofía a la matemática o a la física, mientras que las del XIX se dedican preferentemente a la literatura y, especialmente, a la poesía. Así van amigos y admiradores a las casas de Patricio de la Escosura, de Fernández Guerra, de Manuel Cañete o se reúnen en el Café del Príncipe o el de la Esmeralda. En todos esos lugares se discuten problemas de estética, se analizan obras clásicas, se presentan problemas de erudición y se obligan a escribir versos de pie forzados [12].

Pero la moda era demasiado fuerte para contentarse con grupos en los que más o menos eran todos profesionales. La literatura invade las tertulias normales. Por ejemplo, la que describe Nombela en la que, aparte de bailar, se pide al escritor que honra la velada, en este caso él mismo, que recite u organice algo literario:

«...rara era la noche que no me obligaban a leer algunos de mis versos...

»Esta afición dió lugar a que reprodujéramos, con las variantes indispensables, las antiguas cortes de amor...; adjudiqué a cada señorita el nombre de una flor femenina y a los caballeros el de una flor del género masculino (alhelí, tulipán, laurel, pensamiento, nardo...) Dos veces por semana en mis versos debían figurar escenas amorosas, de celos, de despecho, de riña, de reconciliaciones..., hacer alusiones al estado de ánimo de las flores femeninas y masculinas...» [13].

Por las líneas anteriores puede apreciarse lo importante que era la presencia de un poeta en una tertulia de este tipo. No solamente era la envidia de los hombres, sino la admiración de las mujeres, a las que el tiempo obligaba a pensar en versos y a apreciarlos grandemente. Para retener al mismo tiempo algo de la esencia de la poesía que a su lado pasa y presumir al mismo tiempo de amistad con un auténtico poeta, las señoritas y señoras de la sociedad española inventaron o, mejor, importaron el álbum que en todas las tertulias tenía primerísimo papel. Dejemos a Larra darnos, como buen poeta que estaba obligado a escribir en ellos, una definición entre temerosa y sarcástica.

«...El álbum es un enorme libro, en cuya forma es esencial condición que se observe la del papel de música (*es decir, apaisado*). Debe de estar, como la mayor parte de los hombres, por de fuera encuadernado con un lujo asiático y por dentro en blanco; su carpeta, que será más elegante si puede cerrarse a guisa de cartera, debe ser de la materia más rica que se encuentre, adornada con relieves del mayor gusto y la cifra o las armas del dueño; lo más caro, lo más inglés, esto es lo mejor.»

«Este librote es, como el abanico, como la sombrilla, como la tarjeta, un mueble enteramente de uso de señora, y una elegante sin álbum sería ya en el día un cuerpo sin alma, un río sin agua; en una palabra, una especie de Manzanares. El álbum, claro está, no se lleva en la mano, pero se transporta en coche; el álbum y el coche se necesitan mutuamente; lo uno no puede ir sin el otro...; ¿de qué trata? No trata de nada; es un libro blanco. Como una bella conoce de rigor a los hombres de talento de todos ramos, es un libro el álbum que la bella envía al hombre distinguido para que éste estampe en una de sus innumerable hojas, si es poeta, unos versos; si es pintor, un dibujo; si es músico, una composición, etc. En su verdadero objeto es un repertorio de vanidad; cuando una hermosa, por otra parte, le ha dispensado a usted la lisonjera distinción de suplicarle que incluya algo en su álbum, es muy natural pagarle con la misma moneda.»

«El año 11 (1811) empezó a hacer furor esta moda en París... Nuestras señoras han sido las últimas en esta moda como en las otras, pero no las que han sabido apreciar menos el valor de un álbum; ni es de extrañar; el libro en blanco es un templo colgado de sus trofeos; es una lista civil, sin presupuestos, o por lo menos, el de su amor propio... El álbum no se llama... sino *mi álbum*; esto es esencial» [14].

A veces la tertulia literaria puede ser una sustitución de la otra, cuando determinadas circunstancias hacían impropia la frivolidad. Por ejemplo, al tratarse de un luto. Esto es lo que hace un personaje de la Pródiga.

«También se asegura—Revista de salones de «La Epoca»—que la joven duquesa de Almuñécar, cuyo luto está ya en el período de alivio, recibirá este invierno a los amigos que considera de la familia. Sus reuniones, más artísticas y literarias que de vano galantes, acabarán en patriarcales cenas a la antigua española» [15].

En cierto modo el baile representaba la vuelta a la normalidad, tras guerras civiles y revoluciones. Así resulta algo más que un sistema de publicidad la aparición de un prólogo en un libro que enseña a bailar los rigodones. El espíritu del tiempo se asoma a través del interés del autor en venderlo:

«La afición con que la juventud de esta noble y siempre estudiosa capital mira en nuestros días al baile, este tronco que abrasado por la tea de la discordia, vuelve a renacer más sencillo y hermoso que nunca de las raíces que perdonó el fuego devorador... arte que el buen gusto ve cómo volver del destierro a que le había condenado un fatal decurso de guerras y calamidades.

El final es típico:

«Obteniendo ligereza,
memoria y aplicación,
bailarás con perfección
la contradanza francesa» [16].

BAILES

Aparte de las tertulias, que podían o no convertirse en bailes, si había un piano cerca y alguien con deseos de tocarlo, los españoles del XIX como sus padres y abuelos gustaban de los bailes organizados como tales. En este aspecto las casas burguesas siguieron como siempre el ejemplo de la aristocracia, y ésta, a su vez, el de los reyes. Por espacio de muchos años fueron mujeres las jefes del Estado español. María Cristina y su hija Isabel II gustaban de la danza y, con su ejemplo, los nobles rivalizaron en organizar fiestas a las que invitarlas. Con Fernando VII la cosa era más difícil, porque no se divertía demasiado con el baile. A pesar de ello y cuando las primeras décadas del siglo dejaron tiempo para la diversión, calmando un poco su agitación política y revolucionaria, las sociedades más importantes dieron en 1832 un baile en el Gran Café de Solís con asistencia, si no del rey, de los infantes Francisco de Paula y Luisa Carlota [17].

Unos años después, María Cristina, que estaba reñida con la susodicha infanta y no podía ir a las fiestas donde ella asistía, patrocinó la que dió en su casa el Conde de Altamira. Didier observa asombrado que los nuevos tiempos habían traído tal sentido democrático que en el «ambigú» los invitados pagaban su consumición y que la reina bailó con individuos de la milicia nacional [18].

Naturalmente nuestro amigo el diplomático extranjero estaba en otro de los bailes que honró con su presencia la misma reina años más tarde, más en figura de madre que lleva sus hijas a divertirse que hacerlo por sí misma:

«Muy pocos bailes comienzan a animarse antes de la una. Los de la reina María Cristina son una excepción en este punto. A las diez entró S. M. seguida de sus tres hijas y sus ayas; pero fueron pocos los invitados que llegaron antes de las once...

Estaba la reina sentada a un lado de la sala lujosamente vestida y con mucho gusto... Comenzó el baile por cuadrillas que bailaron con cierto entono y tiesura. La sala estaba muy bien iluminada, y la orquesta, que era muy buena, tocaba en la antesala...

... a la una predominó la alegría y acabó por soltarse la gente... y se bailaron animados valses y polkas... Acabó el baile con un interminable cotillón alemán, en que hubo faldas y tules desgarrados, flores por el suelo, abanicos rotos y pañuelos perdidos... Sobre las dos serían cuando la reina, sus hijas, la infanta y damas de su corte pasaron a la sala en que estaba servido el buffet. Poco después fué abierto a toda la concurrencia. Poco después de las cuatro se levantó la reina, dió las buenas noches a todos, diciendo algunas palabras a aquellos por cuyos lados iba pasando y se retiró seguida por sus hijas y otras personas de la familia real. Los invitados se quedaron todavía un rato charlando y refrescando. En seguida vino el ponerse las capas, gabanes y abrigos, el avisar a los coches y el bajar la empinada e incómoda escalera principal que brindaba ocasión a los que estaban ya al pie de ella de examinar menudos pies y gruesas pantorrillas» [19].

La colorida descripción del baile, incluso con el picante detalle final, nos da una idea bastante completa de un baile de corte, incluso en sus tardíos finales. A imitación de ellos, pues, los nobles y ricos españoles dieron algunos célebres donde, como en los de la reina, la alegría se desbordaba en los delirantes valses o bulliciosas polkas bailadas muy deprisa. Había también motivo de presumir de largueza y generosidad, cosas ambas a la que la aristocracia española ha sido siempre muy apegada. He aquí, por ejemplo, lo que hizo la duquesa de Osuna, uno de los títulos más conocidos en el Madrid del ochocientos.

«Recuerdo una lección que dió, a su manera, a un embajador de Francia. En un baile que hubo en la Embajada se acabó el champagne antes que la fiesta. Pocas tardes después fué el embajador, muy de tiros largos y con gran acompañamiento a visitar a la duquesa. Con gran sorpresa de los criados, sacóse de las cuadras del palacio grandes calderas llenas de champagne para abrevar los caballos del embajador» [20].

Para ser un baile en toda regla, debía haber más música que la de un piano, es decir, una orquesta y una cena. Para bailar había que apuntarse en el «carnet» que las señoras llevaban en la mano recibido con la invitación al baile o entregado a la llegada. Inglis señala que lo que más le asombraba en los bailes españoles era que ellas no dejan el abanico ni para bailar y que la danza no priva de otro gran placer, el de la conversación, muy al contrario de lo que ocurre en Inglaterra. Interrogadas sobre esta costumbre las señoras,

Lam. 3.ª

La Castañera Madrileña

Lam. 4.ª

La Petrimetra, en el Prado de Madrid

PASEO DE LAS SIGUIDILLAS BOLERAS

PASO DE SEGUIDILLAS

contestaron sin ponerse de acuerdo que no veían por qué un placer tenía que suprimir otro [21].

Y hemos visto al tratar de la tertulia lo importante que era para un joven que aspirase a hacer buen papel en la sociedad el saber bailar. Así lo subrayaba un anuncio del tiempo en los salones del maestro Asinelli:

«Muy útil es el bailar
elegante y acertado,
pues a un joven bien portado
le da medio de agradar.»

No es absolutamente necesario ser un poeta para decir verdades como ésta. Ni siquiera para advertir después en otro papel que:

«Aquí se enseña a danzar
con finura y perfección;
pero ponga su atención
el discípulo ilustrado
en que el mes adelantado
lo ha de dar con precisión» [22].

Puede decirse, sin embargo, que como en todas partes y en todas las épocas, los amantes del baile por sí mismo eran mujeres y los hombres se reducían a aprenderlo porque era necesario. Muchos textos del tiempo advierten que los ya maridos, si condescendían en llevar al baile a su esposa la dejaban rápidamente aun arriesgando las consecuencias de ese olvido y se iban a un rincón a hablar de política y a jugar a las cartas, principalmente al tresillo. De ahí la queja en la protagonista de Bretón de los Herreros:

«Tú te casas para ti,
no para él, y, por último,
¿quién repara ya en maridos?
Todos vienen a ser unos.
Las mujeres dan el tono
con sus gracias y sus lujos.
¿Qué hacen ellos en un baile,
por ejemplo? Como buhos
se van todos agrupando
en el rincón más oscuro
de la sala. Allí reparten

9

los dominios del Gran Turco,
y en un dos por tres revuelven
el Tajo con el Danubio;
o en el tresillo engolfados
discuten como energúmenos
sobre si echaste la «mala»
debiendo rendir el punto...
y no sabe alguno de ellos
que mientras cuenta los triunfos,
un galán le da codillo
y a su esposa hace renuncio» * [23].

El vals, baile atrevido. Cuando apareció en los salones españoles el vals fué considerado de gran audacia porque permitía lo que apenas se usaban en lanceros o rigodones, esto es, el contacto personal en las parejas. El hecho de bailar abrazado, aunque la separación fuera mucha entre los cuerpos, producía una sensación teniendo en cuenta, además, que en los bailes nacionales no existe el roce con que lo patriótico y lo moral se unían para condenarlo. Así en una obra de Bretón se establecen cortapisas a la libertad de bailar:

«D. Luis: Basta. Baila con quien quieras,
              aunque a mí me lleve el diablo,
              pero el vals... de ningún modo.
Cecilia: ¡El vals que me gusta tanto!
D. Luis: Bien. Yo valsaré contigo.
Cecilia: ¿Sí?
D. Luis: Soy ágil como un sapo;
              pero no importa. Aunque reviente
              no quiero verte en los brazos
              de un títere» [24].

EL CARNAVAL

La vida madrileña se hace bulliciosa, especialmente durante los días de Carnaval. Para los españoles del tiempo tiene una mayor significación, porque representa un concepto de libertad (de vestirse de forma estrafalaria, de correr, de gritar) tras la opresión de los primeros tiempos del rey absoluto. Efectivamente, Fernando VII, a su vuelta del destierro lo prohibió, suspicaz de que la máscara ocultase

* Juego de palabras sobre jugadas de tresillo.

algo más que una simple faz con ganas de divertirse, y en los dos primeros lustros de su gobierno no hubo fiesta de Carnaval público, estando prohibido también en las casas privadas. Estas hacían caso omiso de la orden, y el Rey se quejó airadamente al superintendente de aquella falta, y éste, puesto al acecho, detuvo y llevó al cuarto real a dos Infantas que salían disfrazadas y a escondidas para asistir a un baile, siendo las primeras en faltar a la ordenanza de su augusto pariente. Con el golpe de Riego y primer gobierno constitucional, se volvió a bailar en las calles y en los teatros de la Cruz y del Príncipe. Luego, con algunos cortes a su libertad, siguió durante todo el siglo la costumbre carnavelesca.

La calle estaba muy animada en esos días. Los graciosos del tiempo ponían «mazas», es decir, trapos o papeles a la espalda de las personas sin que éstas se diesen cuenta. Disparaban con cerbatana sobre sombreros o vitrinas, abrazaban a los desconocidos y se decidían incluso a abofetear si alguien «les cargaba», según opinión de Mesonero. Al carácter a veces misántropo y siempre aristocrático de Larra no podía irle en absoluto la alegría ruidosa y siempre un poco plebeya del carnaval de Madrid, y contra él dirigió muchas de sus pullas, probablemente las más amargas. Su descripción de un baile carnavalesco, aun dentro de su indiferencia, puede darnos una idea de las máscaras más habituales del tiempo.

«Subimos la escalera, verdadera imágen de la primera confusión de los elementos: un Edipo sacando un reloj y viendo la hora que era; una vestal atándose un liga elástica y dejando a su criado los chanclos y el capote escocés para la salida; un romano... dando órdenes a su cochero...; un indio..., con su papeleta impresa en la mano y bajando de su birlocho; un Oscar acabando de fumar su cigarro de papel para entrar en el baile; un moro santiguándose, asombrado al ver el gentío; cien dominós, en fin, subiendo todos los escalones.

...Después de un molesto reconocimiento del billete y del sello y la rúbrica y la contraseña, entramos en una salita...; algún cielo alquilado para toda la noche, como la araña y la alfombra (tocaba).

...No entiendo todavía a don Jorge cuando dice que estuvo en la función habiéndole visto desde que entró hasta que salió en derredor de una mesa en un verdadero «ecarté». Toda la diferencia estaba en él con respecto a las demás noches, en ganar o perder, vestido de mamarracho» [25].

Bastantes años después, en 1861, el bullicio no había cesado en esos días especiales. Las primeras líneas de «El Escándalo» son una buena prueba de ello.

«El lunes de Carnestolendas..., a la hora en que Madrid era un infierno de más o menos jocosas y decentes mascaradas, de alegres estudiantinas, de pedigüeñas murgas, de comparsas, de danzarinas, de alegorías empingorotadas en vistosos carretones, de soberbios carruajes particulares con los cocheros vestidos de dominó, de mujerzuelas disfrazadas de hombre y de mancebos de la alta sociedad disfrazados de mujer; es decir, a eso de las tres y media de la tarde..., apretada muchedumbre... se encaminaba por su parte hacia la calle de Alcalá o la Carrera de San Jerónimo en demanda del Paseo del Prado, foco de la animación y la alegría de tal momento» [26].

Cinco años más tarde, otro espíritu selecto más cerca de Larra que de Alarcón describe con cierta distancia aristocrática el espectáculo. Esta vez se trata del más popular de los Carnavales. El de la Pradera de San Isidro. Habla Bécquer:

«El Rastro parece que se ha salido de madre, y desbordando por las calles vecinas a los portillos de la Ronda, inunda la Pradera con un océano de telas mugrientas, trajes haraposos, guiñapos y objetos sin forma, color ni nombre, que aún conservan la señal del gancho del trapero... Aquí el turco indispensable; aquí la cantinera; aquí le llaman «el higuí», y los mamarrachos de toda especie circulan y se agitan, van y vienen en el más amable desorden. Los felpudos, las esteras viejas, el lienzo de embalar y el papel son las telas más a la última en esta grotesca danza, donde en vez de dijes de oro, plumas de color y piedras preciosas de brillantes, lucen cacerolas y aventadores, escobas y aceiteras, ristras de ajos y sartas de arenques. El «ambigú» se halla establecido al aire libre; el escabeche abunda; la longaniza frita no escasea; los callos son el plato de entrada de rigor; el vino se vende en los propios carros que lo han traído de las llanuras manchegas, y se traslada al estómago desde el pellejo virginal» [27].

Se va terminando el siglo, y los escritores siguen aburridos del Carnaval. Alarcón nos dará esta vez una visión más pesimista. Es cierto que han pasado más de veinte años desde «El Escándalo». El protagonista de «La pródiga» se asoma al espectáculo...

Desde los balcones del despacho de Guillermo, correspondientes a la espalda de la casa, se descubría parte del Prado y del Paseo de Recoletos. Algunos coches particulares, algunos carromatos con mojigangas y algunas mal pergueñadas estudiantinas, arrostrando el frío, el agua y el viento, daban allí, entre unos árboles sin hoja y un cielo de color ceniza, no sé qué aspecto fúnebre a las carnestolendas de aquel año.

...oía los lejanos gritos y músicas de aquellas máscaras llenas de lodo, aburrimiento y fatiga. Y pensaba en los viles afanes de ...» [28].

BIBLIOGRAFIA DEL CAPITULO VI

1 Mesonero Romanos, R.: *El Retrato*. New York, 1913. Selección. Ref. 1832.
2 Bretón de los Herreros, M.: *¡A Madrid me vuelvo!* Madrid, 1928.
3 Nombela, Julio: *Impresiones y recuerdos*. Madrid, 1909, t. II. (Los recuerdos eran de la primera guerra carlista.) Ref. 1854.
4 Debrowsbi, Ch.: *Deux ans en Espagne et Portugal pendant la guerre civile*. París, 1841.
5 Villegas, M.: *El Fandango*. Madrid, 15 de enero de 1845.
6 Ford, Richard: *The Spaniards and their country*. Ob. cit., pág. 330. Ref. 1846.
7 Mazade, Charles de: *Madrid et la societé espagnole en 1847*. «Revue de Deux Mondes». París, 1847.
8 Anónimo: *Madrid hace cincuenta años*. Ob. cit., pág. 47.
9 Tamayo y Baus: *Huyendo del perejil*. Madrid, 1853.
10 An.: *Madrid hace cincuenta años*. Ob. cit., pág. 201.
11 Ib., ob. cit., pág. 271.
12 González Blanco: *La literatura española del siglo XIX*. Ref. 1850.
13 Nombela, Julio: *Impresiones y recuerdos*. Ob. cit., t. II.
14 Larra, Mariano José de: *El Album*. Artículos de costumbres. Ref. 1833.
15 Alarcón, Pedro A de: *La Pródiga*. Madrid, 1882. Cap. X, libro V.
16 Biosca, Antonio: *Arte de danzar o Reglas de Instrucción para los aficionados a bailar la contradanza francesa o rigodones*. Barcelona, 1832.
17 Mesonero Romanos, R.: *Memorias de un setentón*. Madrid, 1880.
18 Didier, Ch.: *Une année en Espagne*. París, 1845.
19 Anónimo: *Madrid hace cincuenta años*. Ob. cit., pág. 209.
20 Ib., ob. cit., pág. 51.
21 Inglis, Henry: *Spain in 1830*. London, 1831. Tomo I, pág. 145.
22 Debrowski, Ch.: *Deux ans en Espagne et Portugal...* Ob. cit., pág. 59.
23 Bretón de los Herreros, M.: *El pelo de la Dehesa*. 1837, acto II, esc. I.
24 Bretón de los Herreros, M.: *El pro y el contra*. Madrid, 1838. Acto I, escena X.
25 Larra, M. J. de: *El mundo todo es máscaras*. 1833. «Artículo de costumbres». Ob. cit., vol. I, pág. 126.
26 Alarcón, P. A. de: *El Escándalo*. Ob. cit., cap. I.
27 Bécquer, Gustavo Adolfo: *El Carnaval*. 11 febrero 1866.
28 Alarcón, P. A.: *La Pródiga*. Cap. XIV, libro IV.

VII

DEL LECHUGUINO AL POLLO PASANDO POR EL CALAVERA Y HASTA EL EMPLEADO

En toda sociedad que se divierte—y esta española del siglo XIX ya hemos visto que hace lo que puede para ello—hay siempre quien lleva la dirección de lo social, de lo aparente. Alguien a quien unos envidian, otros imitan y muchos atacan. Este alguien puede llamarse siempre el hombre de moda. Pero en tiempos del siglo XVIII se llamaba petimetre, y en los del XIX pasó a llamarse lechuguino, pollo o calavera.

Mesonero Romanos les llama también elegantes o tónicos [1]; pero evidentemente el título que más cuajó para el tipo de hombre que vamos a describir fué uno de los tres citados. Lechuguino, calavera y pollo se parecen en que a los tres les urge hacerse notar y que se hable de ellos, pero difieren grandemente en algunos detalles. Intentaremos describirlos a través de los escritores que de ellos se ocuparon, para satirizarlos. El que más tenazmente intentó retratar al primero de la serie, el lechuguino, es Larra, y el caso es curioso si tenemos en cuenta que muy a menudo, y a juzgar por sus propias palabras, Larra tiene mucho del tipo que caricaturiza, y quien sólo leyera de él, por ejemplo, «El Castellano Viejo», en el que tan ferozmente ataca la tradicional, honrada aunque tosca cortesía y mesa española, describiendo con pena su ropa francesa manchada y la cocina gala abandonada, no comprendería cómo se puede al mismo tiempo hablar tan violentamente de un tipo con manchas de las mismas cualidades:

«Botarates que no acertarían a entrar en sociedad si los desnudasen de dos o tres cajas de joyas que llevan como si fueran tiendas de alhajas en todo el frontispicio de su persona y los mandaran que pensaran como racionales y se movieran como hombres...» [2].

Y más abajo insiste: «...esa bandada de sentimentales que ha pasado el Bidasoa, que en sus aguas, como pudiera en las del Leteo, se despojaron de todo lo español que llevaban y volvieron a los dos meses haciendo ascos de su antiguo puchero, buscando la calle en que vivieron y no sabiendo cómo llamar a su padre...; éstos... tienen sobrada dicha con que no los obliguen a gastar paños de Tarrasa en sus vestidos, con que los dejan desafiarse todos los días a primera sangre..., insultar y hacer reir a todo el mundo en el... teatro, en las concurrencias; disputar mucho sobre las óperas, sin entender una nota de música, y hablar una jerigonza de francés, italiano, inglés y español...; para éstos son insípidos los toros, y repiten con énfasis: función bárbara» [3].

En este artículo de 1828, Larra nos da una idea de lo que un «lechuguino» representa, aunque más tarde la haga borrosa con unos detalles de «matón» que no corresponden al puro «lechuguino», sino al ««calavera». Quedamos, pues, en que las circunstancias que distinguen al «lechuguino» son tener dinero, porque sin ello la vida que lleva no es posible; despreciar lo español profundamente, desde la fiesta nacional al cocido, y decir las más palabras francesas e italianas posible. En este aspecto el «lechuguino» es un legítimo heredero del «petimetre». E incluso es una afectación al hablar y moverse para huir de lo celtíbero, que considera duro y áspero, es característico. A veces usa corsé para aparecer más esbelto y airoso, y, naturalmente, en él se ceban las burlas de sus enemigos. Marcela, por ejemplo, rechazará a un pretendiente porque

«Es un fatuo, un botarate,
post-data de hombre; el non plus
del lechuguinismo; enclenque,
periquito entre ellas... ¡Puf!
¡Qué peste! Siempre moneando.
Siempre cantando el «Mai piú» *,
siempre hablando de piruetas,
y de él sólo...
...Hombre que iría al Japón
por bailar un padedín **;
y siempre con golosinas...;
así está él, que no echa luz.
Y dale con si el peinado
ha de llevar marabús.

---

* Famosa aria.
** Baile de la época.

> y es color más de moda
> el de hortensia que el azul;
> y si el corsé...» [4].

Y en la escena última de la obra le da lo que podríamos llamar consejos deportivos y viriles:

> «...déjese de caramelos,
> robustezca sus pulmones,
> emancipe su cintura
> del corsé que se la come,
> déjese de figurines,
> déjese de rigodones,
> que el hombre ante todas cosas
> está obligado a ser hombre.»

En los consejos que un personaje de Larra da a otro para iniciarle en su papel de elegante no falta la alusión a los gestos que debían hacer de cada «lechuguino» un muñeco de resortes, a pesar de la evidente exageración que estas estampas llevan inherentes:

«...Es preciso que venga ustd haciendo muchos gestos, muchos ascos, muchas cortorsiones; que hable usted algo de francés, algo de italiano, español poco y mal y siempre sin fundamento; que baile; que saque un reloj de salto de Breguet *; que hable mucho de la Opera y de París; y, si puede ser, de Londres; que tenga deudas, que... ya me entiende usted. ...¿Tiene usted anteojos? ¿Y látigo y espolines?» [5].

El «lechuguino» come tarde, porque se levanta tarde. Eso es lo que intenta explicar después el falso «lechuguino» en la misma obra.

«Bernardo: Sí, señor; no me gusta levantarme por la mañana; almuerzo mi «biftec» o mi «rosbif» a la inglesa; como por la noche a la francesa...

Bibiana: ¿No comerá usted cocido nunca?

Bernardo: Señora..., cocido... ¡jamás!» [6].

El «lechuguino» tiene que entender de música. No hacerlo es pasar por un atrasado, con vergüenza de la misma familia.

«Bernardo: Y usted... ¿no es apasionado de la ópera?

Bibiana: (Verá cómo dice alguna brutalidad.)

---

* Famoso relojero de París.

Deogracias: Sí, señor, mucho; pero de música... yo no entiendo una nota; y me gusta más ir al «Pelayo», de Quintana, o al «Viejo y la niña», de Moratín, que a la Opera *.

Bibiana: ¿No lo dije? No haga usted caso, señor Conde; mi marido no está en el tono; es un español muy español y nada más» [7].

Resumiendo, la vida del «lechuguino», que podríamos definir: el elegante que no hace más daño que la que produce el espectáculo de su inutilidad, podría ser definido en esta otra estampa del mismo Larra:

«...a eso de las diez estoy de pie. Tomo té, y a veces chocolate; es preciso vivir con el país **. Si a estas horas ha aparecido algún periódico, me lo entra el criado; tiendo la vista por encima...; me rodeo al cuello una «écharpe»; me introduzco en un «surtú», y a la calle. Doy una vuelta a la Carrera de San Jerónimo, a la calle de Carretas, del Príncipe y de la Montera; encuentro en un palmo de terreno a mis amigos—que hacen otro tanto—; me paro con todos ellos; compro cigarros en un café, saludo a alguna asomada y me vuelvo a casa a vestir. ¿Está malo el día? El capote de barragán (tela impermeable); a casa de la marquesa, hasta las dos...; de la condesa, hasta las tres...; a tal otro, hasta las cuatro. En todas partes voy dejando la misma conversación. En donde entro oigo hablar mal de la casa de donde vengo, y de la casa adonde voy... ¿Está bueno el día? A caballo. De la Puerta de Atocha a la de Recoletos y viceversa; una vuelta a pie. A comer, a «Genyes» o al «Comercio»...; las más de las veces fuera de casa. Acabé: Al «Sólito» (café del Prado), dos horas, dos cigarros y dos amigos» [8].

CALAVERAS

Este tipo, aparte de alguna deuda de honor, como la de empeñar el reloj de un amigo para tener coche y teatro para una conquista ocasional, no es peligroso, porque poco necesita para halagar su vanidad infantil y ser admirado como muchacho a la moda. Más incómodo para la sociedad que la alberga es otro individuo en quien la comezón

---

* Curioso como cambian las posiciones con los años. Cincuenta años antes al que hubiera ido a ver a Moratín, representante de las «reglas» francesas, hubiera sido el enemigo de lo tradicional español.

** El chocolate que, en el siglo anterior había luchado como bebida tradicional con el exótico café, ahora peleaba con el té inglés.

de ser admirado e imitado por los demás le lleva a enfrentarse con la sociedad de distintas formas. Estas han sido descritas por el mismo Larra en su artículo «Los calaveras», en el que después de preguntarse las razones del absurdo nombre con que fueron calificados esos tipos, intenta una clasificación de ellos, que en resumen es la siguiente:

«Hay el «calevera» silvestre, que es el hombre de la plebe. Es achulado, gasta navaja y sus manos están siempre ocupadas en el cigarro, la faja, el chapeo o el garrote, que maneja a la perfección. Es el amo del barrio, y, por rencor de clase y porque a menudo a ambos les gusta la misma mujer, la maja, odia a muerte al «señorito» o «lechuguino» que baja a sus dominios. Entre sus cualidades está la de su bárbara nobleza. Es capaz de matar, pero no de estafar.

Viene luego el «calavera» que Larra llama doméstico y que se puede dividir en varios subtipos. Por ejemplo el «lampiño» de quince a dieciocho años. Mal estudiante, descarado, presume de hombre, se burla del profesor, vive casi en el billar y en el café, y es amigo de prostitutas. De ahí pasa fácilmente, en cuanto se hace mayor, al «calavera temerón», que gasta bromas a los viejos tirándoles con cerbatana, hace abrir las boticas por la noche, los balcones de madrugada. Naturalmente, necesita ir acompañado de admiradores de su audacia, porque todo lo hace para ser admirado. Sus bromas, sin embargo, son inocentes al lado de las del...

...«calevra langosta». Es el achulado de los barrios altos. Si un hombre que no le dice nada, «le carga», le da un bofetón, y si éste reacciona no le importa desafiarse a muerte. Es violento y arrebatado, juega y pierde.

Entre el «calavera temerón» y el «lechuguino» está el «calavera de buen tono»; es el más simpático de los «calaveras», y a la gente le encanta. Habla bien, dirige la sociedad y todos lo conocen. Inicia el aplauso en la ópera, monta a caballo, habla francés, inglés e italiano. Lee a Paul de Kock, a Walter Scott, D'Alincourt, Cooper, Voltaire, Pigault Lebrun, y ésto y bailar bien le convierten en el rey de las reuniones. De vez en cuando tiene un escándalo ligero con una casada, que no produzca demasiado transtorno, pero que sirva para mantener en algo su fama. Si es necesario se bate también, pero procura hacerlo a primera sangre, y casi siempre sus desafíos se terminan con un almuerzo amistoso.

Hay también, termina Larra, el falso «calavera», que presume sin serlo, y el «viejo calavera», que es el que mayor pena da en su inútil y tardío esfuerzo para ser el primero[9].

A ese tipo de «calavera» de buen tono aspiraba sin duda Carlos, creación de López de Ayala, cuando dice:

> «...Ya tengo ansia
> de ejercitarme. Es forzoso
> hacer algo, ganar fama.
> Ni he tenido un desafío
> importante, ni una mala
> aventura escandalosa,
> ni he sido ministro... ¡Nada!» [10].

POLLOS

Por el nombre de «pollos» se entiende un tipo más generalizado, pero en el que entraron algunas de las características de «lechuguinos» y «calaveras».

La denominación hacía reír a los mismos que la usaban. Narciso Serra hace extrañarse a un indiano que vuelve:

> «Homobono: Desde que a mi patria he vuelto
> dudo si estoy en mi patria.
> He oído decir que hay pollos
> que saben francés y bailan.
> ¿Es que usan los hombres cresta
> aquí, o que las aves parlan?
>
> Escamilla: No, tío; los pollos son,
> corregida y aumentada,
> la edición del currucato,
> del petimetre; una cáfila
> imberbe que, sin saber,
> por ejemplo, quién fué Wamba,
> censuran obras ajenas,
> fastidian a las muchachas
> y no saben hacer más
> que el nudo de la corbata» [11].

Existe un catecismo de los pollos que, a través de su sátira, refleja algo del tipo que tratamos. Corresponde al año 1851:

> «Pregunta: ¿El pollo es hombre?
> Respuesta: No, padre.

Pregunta: ¿Quizá medio hombre?
Respuesta: Tampoco.
Pregunta: ¿Qué cosa es, pues?
Respuesta: Un espíritu
infinitamente tonto,
examinado de necio
y forrado de lo propio.»

Lo necesario para ser pollo es...

«Que apunte el bozo,
llevar lentes, fumar puro,
hablar mucho, pensar poco,
y decir cada blasfemia
sin cesar de tomo y lomo.
Pregunta: ¿Adónde concurren más?
Respuesta: A los bailes de gran tono.
Al Ariel, a la Academia,
las Delicias y el Hipódromo,
ornamento de la Corte» [12].

Caracteriza al pollo especialmente su juventud, y de ahí su vanidad. Fernández de Córdoba sostiene que el nombre nació en los salones de la Duquesa de Osuna, Condesa de Benavente, «aplicado a los jóvenes de la aristocracia que formaba el rango de esa dichosa edad en que el hombre es hombre sin haber dejado de ser niño. El mote lo creó... el Marqués de Santiago. Habían venido cierto día... gran número de aquellos aristocráticos mozalbetes, y haciendo todos gran algazara Santiago les gritó: ¡Callen los pollos! El apóstrofe fué apropiado e hizo fortuna» [13].

Pérez Galdós nos da una versión totalmente diferente del significado y nacimiento de la palabra:

«Este (el término) se aplica hoy sin ton ni son y significa frivolidad, corbatas de colores, primeros pasos en cualquier carrera; significa infatigabilidad en el baile, lanzándose a la moderna pelea con vértigo y furor, audacia en los amores, atreviéndose con las damas de alto copete, alegría decidora, jactancia de los triunfos si los hay, resignación en las calabazas; significa el desprecio del romanticismo y la repugnancia de venenos y puñales. El llamar pollos a los muchachos es uso moderno y data de 1846... Lo inventó una dama muy linda en una reunión aristocrática... al insistir un jovenzuelo en una petición y preguntar ¿por qué? al ser rechazado, dijo tomando el brazo de un señor de cuarenta años: ¿Por qué? Porque es usted todavía «demasiado pollo» [14].

La frase, fuese quien fuese el padre, ha tenido éxito casi hasta hoy. En 1853 el diplomático amigo nuestro se asombraba de que le calificasen de tal y se explicaba a sí mismo que todos los muchachos *brillantes* de la sociedad madrileña y menores de treinta años son llamados así.

EMPLEADO

El siglo xix es el siglo de oro del empleado español, y cuando nos referimos a él estamos hablando, naturalmente, del que depende del Estado. La burocracia tiene en nuestro país un largo historial y procede desde cuando el Estado concentró en pocas manos, las de los componentes de los Consejos, la inmensa tarea de regir la infinidad de pueblos españoles. Los moralistas del xvii, como los del xviii, lucharon infinitas veces con esa marea de papel que obligaba a superar de día en día el número de empleados; pero la administración concentróse cada vez más con los Borbones. Desde todas las partes del reino acudieron los peticionarios a Madrid, porque sólo en Madrid, tras la abolición de los fueros, estaban los permisos y las prebendas. Y ello produjo, como es natural, que al mismo tiempo que los peticionarios, llegaran los que aspiraban a resolverles los problemas, es decir, a convertirse en nuevos empleados.

De todas formas, si el germen estaba echado, la gran floración de los empleados ocurre en el siglo anterior al nuestro. Las razones para ello son varias. Veamos las principales: La cultura es mayor, el número de analfabetos ha decrecido. La cantidad de seres humanos en Madrid capaz de llevar una pluma por el papel de oficio es más grande y sus ambiciones de hacerlo múltiples. Segunda, aunque resulte quizá la principal: la política. Los Gobiernos del siglo cambian constantemente. Cada nuevo jefe entra con sus amigos, que forman su equipo. De esos amigos, muchos entran a ocupar los puestos que, por grado o por fuerza, han dejado los más destacados del bando contrario. Pero de los antiguos quedan muchos a los que ya sea porque en realidad no se destacaron excesivamente en la profesión de ideas liberales o conservadores, esparteristas o serranistas, ya por su conocimiento de la materia que llevan, ya, en fin, por circunstancias familiares de fuera (parentesco con un prohombre) o de dentro (familia numerosa, algún enfermo), no es posible eliminar. Y para evitar todo ello y quedar al mismo tiempo bien con los que han seguido al jefe en los momentos difíciles, se duplicaban los cargos o los empleados que debían servir los antiguos. Así se fué creando, a lo largo de la centuria, unas generaciones que tenían como único objetivo un pretendido derecho a un puesto en la administración pública.

La ambición del español residente en Madrid o del mismo madrileño, polarizada en los cargos del Estado, tienen una explicación en lo que se refiere a poderse quedar en la capital, que desde el xvi era considerada el *summum* de la felicidad, y estar en contacto con los órganos de mando del país, con lo que esto representaba de información y de influencia, ambas cosas a las que los españoles han sido siempre muy aficionados.

No es demasiado claro, en cambio, el porqué ese cargo administrativo representase al mismo tiempo una sinecura, es decir, un trabajo mínimo para un sueldo no excesivo ni seguro. No se sabe dónde empezó la tradición de que trabajar para el Estado significaba trabajar poco, pero así era y así ha seguido. Quizá el mismo hecho de ser la mayoría de los cargos de procedencia política hacía muy difícil exigir de quien había sido colocado allí por su fidelidad a una idea unos conocimientos administrativos además. Y el mal ejemplo cundía.

Los escritores contemporáneos subrayan con sus palabras, a menudo satíricas, la opinión que le merecían los empleados, aunque muchos acudiesen al fácil expediente de serlo (ya se dice al hablar de los literatos), como una recompensa a sus genialidades, nunca como una obligación de trabajar. En cabeza de los debeladores está, naturalmente, Larra. Larra, que en su famoso «Vuelva usted mañana», llega al sarcasmo total.

«Presentóse una proposición de mejoras quedando recomendada eficacísimamente. A los cuatro días volvimos a saber el resultado de nuestra pretensión.

—Vuelva usted mañana—nos dijo el portero—. El oficial de la mesa no ha venido hoy.

—Grande causa le habrá detenido—dije yo entre mí.

Fuímonos a dar un paseo y nos encontramos, ¡qué casualidad!, al oficial de la mesa en el Retiro, ocupadísimo en dar una vuelta con su señora al hermoso sol de los inviernos claros de Madrid. Martes era el día siguiente y nos dijo el portero:

—Vuelva usted mañana, porque el señor oficial de mesa no da audiencia hoy.

—Grandes negocios habrán cargado sobre él—dije yo.

Como soy el diablo y aun he sido duende, busqué ocasión de echar una ojeada por el agujero de la cerradura. Su señoría estaba echando un cigarrito al brasero y con una charada del Correo entre manos...

Diónos audiencia el miércoles inmediato, y... el expediente había pasado a informe... Vuelto de informe se cayó en la cuenta en la secretaría de nuestro bendito oficial que el tal expediente no correspondía a aquel ramo; pasóse al ramo, establecimiento y mesa correspondiente... El expediente salió del primer establecimiento y nunca llegó al otro.

Hubo que hacer otro...

—Es indispensable—dijo el oficial con voz campanuda—que estas cosas vayan por los trámites regulares.

Es decir, que el toque estriba... en llevar nuestro expediente tantos o cuantos años de servicio.

Medio año de subir y bajar, y estar a la firma, o al informe o a la aprobación o al despacho oficial...» [15].

Veinte años después, o poco menos, Gil de Zárate nos describía el tipo del empleado, más devoto de su posición que del trabajo que le han encomendado, viviendo siempre entre el temor de ser despedido y la necesidad de apuntalar su situación con medios políticos, como el de inscribirse en la Milicia Nacional. Con los sueldos siempre cobrados con atraso y, sin embargo, aferrado a su situación como una lapa. La máxima penalidad, la cesantía, en la que se encontraban a veces por caprichos de la situación política con idéntica razón que estuvieran en la posesión de su empleo. Los cesantes, tremendo nombre para un empleado, pueden ser: jubilados, retirados, excedentes, ilimitados, indefinidos [16]. Con lo que se ve perfectamente que hay adjetivo que aplicar siempre a un enemigo político.

Pasemos más adelante. Estamos ya en 1868. La empleomanía (palabra que aplicaban mucho los periodistas, y en general los costumbristas) está cada vez más en auge; debemos a P. M. Barrera una definición del empleado que lo explica todo. Habla un aspirante a serlo y sus razones podrían ser las de millones de españoles:

«Madre, ya he visto una carta
del hijo de Veremunda:
dice que en un ministerio
tiene su plaza segura;
que le dan ocho mil reales
y que la crecida turba
de porteros y ordenanzas
con respeto le saludan.

PERFECTO CURRUTACO.

RIÑA DE MAJOS

Que se levanta a las once,
se va a la oficina, y su única
ocupación es ponerse
a fumar junto a una estufa,
no muy lejos de una mesa
donde hay papeles y plumas.
Después sale de paseo,
después come, después busca
en el café a sus amigos,
todos de elevada cuna,
y a los teatros van, trazando
amorosas aventuras.
Madre, feliz el que tiene
inferiores que le adulan;
feliz el que cobra un sueldo;
feliz el que no madruga,
y en cafés, teatro y amores
las horas de huelga ocupa» [17].

La intención del autor es más moral de lo que a primera vista parece, porque su protagonista, en su deseo de seguir esta vida, se casa y más tarde se suicida; pero ahí está su aspiración como ejemplo.

Como siempre, en el siglo XIX le toca a Pérez Galdós dar la última y definitiva pincelada a este estado de cosas. Pérez Galdós, que tanto gustó de describir al hombre medio de la España de su tiempo, no podía dejarse en el tintero la representación del empleado ministerial, siempre al cuidado de la cesantía, siempre contento al final del mes. Su estampa del momento de cobrar el sueldo no puede ser más plástica:

«Hoy nos dan la paga.

»Ya se conocía en el ruido de pisadas, en el sonar de timbres, en el movimiento y animación de las oficinas en que había empezado la operación. Cesaba el trabajo, se ataban los legajos, eran cerrados los pupitres y las plumas yacían sobre las mesas, entre el desorden de los papeles y las arenillas que se pegaban a las manos sudorosas. En algunos departamentos los funcionarios acudían conforme los iban llamando al despacho de los habilitados. En otros, los habilitados mandaban un ordenanza con los santos cuartos en un hortera, en plata y billetes chicos y la nominilla. El jefe de sección se encargaba de distribuir—y de hacer firmar a casa—lo que recibía.»

A veces, en lugar de dinero había un papel. El empleado estaba en débito.

«Uno a quien entregó el jefe el pagaré otorgado a un prestamista diciendo:

—Está usted cancelado»[18].

El mismo protagonista de la obra «Miau», un cesante, hará con los recuerdos de su vida una descripción casi dramática, verídica, del destino de unos empleados sujetos a los vaivenes políticos de la nación:

«Se le representaba entonces toda su vida administrativa, carrera lenta y honrosa en la Península y Ultramar, desde que entró a servir, allá por el año 41 (siendo ministro de Hacienda el señor Surú). Poco tiempo había estado cesante antes de la terrible crugía en que le encontramos. Cuatro meses en tiempo de Beltrán de Lis, once durante el bienio y tres y medio en tiempo de Salaverría. Después de la revolución pasó a Cuba y luego a Filipinas, de donde le echó la disentería. En fin, que había cumplido sesenta años, y los de servicio, bien sumados, eran treinta y cuatro y diez meses. Le faltaban dos para jubilarse con los cuatro quintos del sueldo regulador, que era el de su destino más alto, jefe de Administración de tercera»[19].

El drama de ese empleado modelo, Villamil, dedicado por entero a su tarea, quizá lenta y sin brillantez, pero honrada y eficaz, y que no puede cumplir con sus dos meses para poderse retirar dignamente y ve que en su lugar ponen los políticos a sus peones, representa la parte sana de la administración española en el siglo pasado. Su yerno, que con una conducta dudosa logra los mejores cargos, la otra.

BIBLIOGRAFIA DEL CAPITULO VII

[1] Mesonero Romanos, R.: *Memorias de un setentón,* cit. pág. 309.

[2] Larra, Mariano José de: «Artículos de Costumbres», ob. cit., t. I, pág. 51.

[3] Larra, Mariano José de: *Los toros.* Pág. 22.

[4] Bretón de los Herreros, M.: *Marcela o cuál de los tres.* Madrid, 1831. Acto I, esc. I.

[5] Larra , Mariano José de: *No más mostrador.* Madrid, 1831. Acto I, escena IV.

[6] Ibidem. Acto II, esc. VII.

[7] Ibidem. Acto II, esc. VIII.

[8] Ibidem. «Artículos de Costumbres».

[9] Ibidem. *Los calaveras.* «Artículos de Costumbres». 1835. Madrid, 1923, tomo I, pág. 260 y siguientes.

[10] López de Ayala, Abelardo: *El tejado de vidrio.* 1882, acto I, esc., XI.

[11] Serra, Narciso: *Un huésped del otro mundo.* Madrid, 1854. Acto único, escena VI.

[12] *Ellas.* «Gaceta del Bello Sexo». Madrid, 8 de octubre de 1851.

[13] Fernández de Córdoba, Fernando: *Mis memorias íntimas.* Madrid, 1886, tomo I, pág. 72.

[14] Pérez Galdós, B.: *Narváez.* «Episodios Nacionales». Ob. comp. Madrid, 1941, pág. 1902.

[15] Larra, Mariano José de: *Vuelva usted mañana.* «Artículos de Costumbres». Vol. I, pág. 113.

[16] Gil de Zárate, A: *El empleado.* «Los españoles vistos por sí mismos». Madrid, 1851, pág. 41 y 46.

[17] Barrera, P. M.: *Dos cuadernos.* «Cuadros sociales y composiciones diversas». Madrid, 1868, pág. 21.

[18] Pérez Galdós, B.: *Miau.* «Obras Completas». Ob. cit., vol. I, pág. 682.

[19] Ibidem. Ob. cit., vol. V, pág. 583.

VIII

EL HUMO, LAS BARBAS Y LOS BIGOTES

Quizá se congenie bien con el carácter español eso de echar humo; quizá dé la sensación de hacer algo cuando se está sin hacer nada; pero, evidentemente, fumar se acomoda con charlar y con tomar el sol y la sombra, y todas estas cosas son apreciadas por los españoles del siglo XIX. Comentadas por los autores extranjeros tanto como por los nacionales, todos los estilos del fumador han pasado a letras de molde.

El tabaco se hizo popular en el siglo XIX de una forma extraordinaria. Al principio tuvo que luchar con la moda dieciochesca del rapé, pero probablemente Larra exagera cuando dice que ésta era muy habitual en su país.

«... y una caja llena de rapé de cuyos polvos que sacaba con bastante frecuencia y que llegaba a las narices, con objeto de descargar la cabeza, que debía tener pesada del mucho discurrir, tenía cubierto el suelo, parte de la mesa y porción no pequeña de su «guirindola» (chorrera de la camisola), chaleco y pantalones... Porque... desde que Napoleón, que calculaba mucho, llegó a Emperador, y que se supo que podría haber contribuído mucho a su elevación el tener despejada la cabeza y, por consiguiente, los puñados de tabaco que a este fin tomaba, se ha generalizado tanto el uso de este estornurífico, que no hay hombre, que discurra que no discurra, que, queriendo pasar por persona de conocimientos, no se ataque las narices de este tan precioso como necesario polvo» [1].

Como digo, esta, en todo caso, fué moda que sobrevivió sólo en los ancianos, porque los modernos gustaban mucho más del tabaco y éste hizo su aparición en todas las situaciones literarias. Quizá ayudaba mucho a su difusión el importante papel que el brasero desempeñaba en todas las casas del tiempo como centro de la vida corriente. Lo mismo se encendía en el de miniatura el cigarro, como nos cuenta Zorrilla...

«... el humo de un puro de dos cuartos que iba a encender... en el brasero... ².

»...como en el grande uno de papel, según Borrow describe...»

—«Me alegro de conocerle, señor Nacional—dije después que su madre se fué y Baltasar tomó una silla y, naturalmente, encendió un cigarrillo de papel en el brasero» ³.

Pero evidentemente se fumaba más y sobre todo cigarros después de la comida. La descripción que Bretón nos hace de un momento parecido nos demuestra que las señoras no podían moverse de la mesa, aunque los caballeros tuviesen el permiso de fumar, porque se juzgaba descortés:

> «Juliana: Pronto deja usted la mesa.
> Marcela: Ya han levantado el mantel;
> no tienen por qué quejarse.
> Les he servido el café,
> y huyendo de los cigarros,
> que maldiga Dios, amén,
> aquí me vengo, Juliana.
> Juliana: Pero esa es mucha esquivez,
> señorita. ¿Qué dirán
> viendo que se aleja usted tan pronto?
> Marcela: ¿Qué han de decir?
> Que preciándome de ser
> amiga suya, los trato
> con franqueza» ⁴.

El permiso de fumar había que concederlo sin embargo y éste era un privilegio de las señoras. Inciar el acto sin haber sido invitado a ello constituía una descortesía como la que Elisa achacaba al palurdo que varias veces hemos visto contra las costumbres de la corte:

> «Elisa: ...le dicen un cumplimiento,
> y él endereza una pulla;
> y, para colmo de gracias,
> saca una bolsa de nutria,
> la deslía, toma un puro,
> enciende un fósforo y fuma!» ⁵.

Como contraste he aquí un hombre fino que sabe alternar sus gustos sin mezclarlos groseramente:

«D. Julián: Mucho es venirte al jardín
                dejando a Cecilia hermosa
                por allí dentro.

D. Luis: ¿Qué quieres?,
            por fumar.

D. Julián.   Siendo tu novia
                y prima nuestra además,
                creo que esas ceremonias
                son excusadas.

D. Luis: Con todo
            no es razón, que de una boca
            salgan simultáneamente
            la saliva y la lisonja,
            y entre humaredas horribles
            palabras de miel y rosa»[6].

¿Y las señoras? Ford en 1846 dice que algunas fuman cigarrillos suaves y que no está bien visto.

Tamayo y Baus entre bromas y veras acepta que fumen entre defectos no pequeños que van en la lista y que no pueden compararse con el de los celos:

«Fernando: Cásate con la que sea
                más pobre y más gastadora,
                más necia y más habladora,
                más presumida y más fea;
                con una dama de pro,
                a quien cerque el mundo entero,
                y que juegue y fume; pero
                ¿con mujer celosa? No»[7].

A últimos de siglo, al parecer, se había adelantado mucho en este aspecto pero casi exclusivamente entre señoras de alta sociedad, más influídas por la moda extranjera. Al menos así las describe el padre Coloma:

«...Poca animación y escasa concurrencia en el «fumoir» de la duquesa de Bara. Casi tendida ésta en una chaise-longue, quejábase de jaqueca, fumando un rico cigarro puro, cuya reluciente anilla acusaba su auténtico abolengo; tenía sobre la falda sin anudarlo un delantalillo de finísimo cuero y elegante corte, para preservar de los riesgos del incendio los encajes de su matinée de seda cruda.

»...Pilar Balsano fumaba haciendo figuras otro cigarro no tan fuerte pero sí tan largo como el de la duquesa y Carmen... se desquijaraba chupando un «entreacto» que se mostraba algún tanto rebelde... La señora de López Moreno... contraía sus gruesos labios para chupar un cigarrito de papel» [8].

Straforello en 1894 insistirá en que solo algunas lo hacen de escondidas y que son severamente criticadas.

El fumador de la calle.—Cuando el español fuma en la calle ofrece al extranjero un aspecto curioso. Primero el de la igualdad social que el cigarrillo comporta. Muchas veces se ha comentado en textos no españoles la igualdad que por encima de clases reina entre nobleza y pueblo, pero esta igualdad nunca es tan clara como cuando se ratifica en el uso común del tabaco. El cigarrillo une y acerca los hombres hasta tal punto que el más desastrado de los mendigos no vacila en encender su cigarrillo en el de un duque, ni éste pone en ello ningún inconveniente. Ford y Straforello, entre otros, se asombraron de ello así como de que el hecho de ofrecer y aceptar un cigarrillo no signifique condescendencia en el primero ni humillación en el segundo.

El cigarrillo es, además, un lazo de comunicación y un principio de charla. Decir, echemos un cigarrillo equivale a: «Vamos a hablar un rato». Igualmente sigue siendo una invitación a fumar como ofrecer la pipa de la paz y la amistad con ella y es desaire no admitirlo. Puesto a buscar punta al ceremonial del fumador, se nos explica que es falta de urbanidad dar lumbre con la mano izquierda, lo mismo que tirar la punta en que se encendió en el acto o dejársela al que pidió fuego; delicadeza y finura en cambio el fumar después el cigarro en que encendió el que pidió lumbre [9].

En segundo lugar está el aspecto que ofrece el fumador por la calle y la gente que a sus alrededores vive. El primero de ellos es el niño de la candela o lumbre que va por la calle con una mecha que sopla de vez en cuando para mantener encendida y que la ofrece continuamente. Luego están los que venden papel para envolver el cigarrillo. Gautier decía en 1840 que no hay diferencia entre el papel corriente de cartas y el que se fuma, que es el mismo cortado en trozos pequeños. Pero sólo seis años más tarde Ford afirma que no hay español que no lleve en el bolsillo su librito de papel hecho en Alcoy.

En lo que todos están de acuerdo es en la solemnidad y la lentitud con que el español fuma. «Todos esos graves personajes (los que están en la Puerta del Sol desde la mañana temprano) están de pie envueltos en sus capas aunque haga un calor atroz con el frívolo pretexto de lo que defiende del frío defiende también del calor».

No sabemos por qué el escritor francés considera «frívolo pretexto» un principio físico de circulación de aire entre ropas que aplican aún hoy los árabes del desierto; pero vayamos al tabaco...

«De tiempo en tiempo se ven salir de entre los pliegues de la capa... un pulgar y un índice, amarillos como el oro, que aprisionan un papelito y alguna pulgarada de tabaco picado y a poco, de la boca del gran personaje se eleva una nube de humo...»[10].

«Los hacen desde niños—los cigarrillos—y les salen perfectos —añade Ford—. El cigarrillo se fuma despacio porque lo mejor es lo último..., al fin se tira la colilla, que es tan diminuta que los dedos pulgar e índice de los españoles parecen inmunes al fuego... y algunos usan unas pinzas de plata para aprovecharlas más...»[11].

Muchos escritores extranjeros creen que la costumbre española de fumar constantemente es la que les da tanta sed y que por ello es tan floreciente la industria de acarrear agua y servirla en las mismas calles anunciándola como un producto. Fuego y agua se complementan, dice John Hay[12]. Después del pedernal y yesca, aun contra la voluntad de muchos tradicionalistas que lo mantuvieron como más seguro, aparecieron las cajas de fósforos de los que un buen fumador consume una caja diaria. Con la libertad que trajo la República las cajas llevaban en la portada caricaturas de la ex reina Isabel II, de Castelar o de don Carlos el Pretendiente.

En fin, y para demostrar totalmente el amor español por el humo, Imbert afirma que se fuma incluso en los entierros por parte de los familiares más cercanos y esto que, incluso hoy, parecería a los españoles un medio de distraer el dolor, lo cree el francés una muestra de que no se siente ninguna pena por la desaparición del deudo[13].

BARBAS Y BIGOTES

Todos los tipos masculinos que hemos visto empezaban la mañana con una grave preocupación. Los cabellos y el pelo de la cara. Ningún español que se respetase se afeitaba solo y por mucho tiempo, además, a principios del siglo, se continuó llevando la peluca o al menos empolvado el cabello. Con la mayor libertad de indumentaria se cambió asimismo la idea, pero las clases que pudiéramos llamar de tradición. como el ejército o los empleados del Estado. siguieron manteniendo la moda antigua. A primeros de siglo, en 1805 y poco antes de la batalla de Trafalgar, el héroe de Pérez Galdós, Araceli, se asombraba del cuidado y tiempo que empleaban oficiales y tropas para tener una digna presentación en la batalla, herencia del elegante y refinado siglo XVIII, que obligaba a un caballero a morir de punta en blanco vestido:

«Los oficiales hacían su tocado no menos difícil a bordo que en tierra y cuando yo veía a los pajes ocupados de empolvar las cabezas de los héroes a quienes servían me pregunté si aquella operación le era la menos a propósito dentro de un buque donde todos los instantes son preciosos...

»Hasta el soldado tenía que emplearlo (el tiempo)... en hacerse el coleto... Yo los ví puestos en fila unos tras otros arreglando cada cual el coleto del que tenía delante, medio ingeniosísimo que remataba la operación en poco tiempo. Después se encasquetaban el sombrero de pieles, pesada mole cuyo objeto nunca me pude explicar..., los marineros no usaban aquel ridículo apéndice capilar» [14].

Si hay cierta libertad en los rostros de los españoles, en la cara del militar no manda más que el ministro de turno. Y así en 1809 se ordena a la marina que se corte el pelo. Esta consigna dió motivo a una carta llena de quejas y no falta de sentido común, de unos marineros, en la que decían que el pelo largo «les puede servir de enganche o agarradero en el caso de peligrar en su destino en la mar». En vista de lo cual se releva de esta obligación a quien así lo desee.

El uso del bigote, para el mismo cuerpo, se autoriza en 1815 y hasta 1869 no se les permite llevar barba corrida [15].

Lo mismo ocurre en el ejército. A primeros de siglo la tropa tiene que llevar pelo corto; solo los ingenieros pueden gastar barba hasta de tres centímetros. En 1845 se permite llevar bigote a la tropa y patilla y perilla a los oficiales pero no más; en 1869 alcanzan la barba corrida todos los grados, como en la Armada [16].

En general podemos afirmar que la tradición impedía llegar demasiado deprisa a las nuevas modas a las filas del ejército, y que sólo tras numerosas súplicas se conseguía poner a la milicia al nivel del resto de los mortales. En esto como en la mayor parte de las órdenes para españoles muchas se acataban sin cumplirse porque O. S. S. O. encuentra en el cuadro de Casado representando la batalla de Tetuán varias barbas corridas completamente ilegales en aquel momento.

Debido a este llamemos retraso en acceder a los nuevos estilos de pelo, en casi todo el siglo sigue manteniéndose una diferencia entre el paisano y el militar en cuanto a la presencia del bigote. Zorrilla nos confirma que en 1827 estaba rigurosamente prohibido usar bigote a los paisanos, quedando el uso de dicho apéndice solo para los militares [17], y a Larra le bastaba ver en un café a un militar aunque fuese de paisano, para conocerle por los bigotes. Su descripción, como todas las suyas es jugosa y plástica. La costumbre de tırar y acariciarse los bigotes probablemente nació con el primero que apareció en una cara masculina:

«En una (mesa) se hallaba un subalterno vestido de paisano, que se conocía que huía de que le vieran, sin duda porque le estaba prohibido andar en aquel traje, al que hacían traición unos bigotes que no dejaba un instante de la mano, y los torcía y los volvía a retorcer como quien hace cordón, y apenas dejaba el vaso en el platillo cuando acudía con mucha prisa a los bigotes, como si tuviera miedo de que se le escapasen de la cara» [18].

Ya hemos visto tratando del traje del romántico que para éste no existía prohibición que valiera. El bigote con las patillas formaba una oscura máscara que añadir al despeinado cabello y todo junto producía un aire sombrío que armonizaba perfectamente con su deseo de impresionar al público. Si existía una ordenanza en contra, más a su favor. El romántico estaba siempre deseando desafiar al mundo entero, cuanto más a una simple medida de policía.

Con el correr de los años la costumbre del bigote gana o pierde, pero lo que cada día se afianza más es la de la barba. Esta podía ser más o menos larga, pero era conveniente no usarla excesiva cuando se trataba de jóvenes. En la cara de Serafín ese era un defecto...

«...y qué presumido es! (exclamó un señor de cierta edad). Mirad cómo luce la blancura de su mano acariciándose esa barba negra..., demasiado larga para mi gusto...» [19].

En el caso de Fabián parece que estaba en lo justo para lo que se llevaba en su tiempo:

«Podría tener veintiséis o veintiocho años. Era alto, fuerte aunque no recio; admirablemente proporcionado y de aire resuelto y atrevido... tenía bellos ojos negros, la tez descolorida, el pelo corto y arremolinado como Antinoo, poca barba pero sedosa y fina como los árabes nobles, y gran regularidad en el resto de la fisonomía...» [20].

No todo el mundo admiraba así el pelo en la cara. Las personas de cierta edad—estamos hablando de los años 60 al 65—recordaban perfectamente las caras afeitadas de antes y las añoraban. Así doña Isabel en el caso de su sobrino:

«Otra cosa hay que me estomaga, y es esas barbas que han dado en usar ahora todos los hombres... ¿qué hermosura encontráis en esta suciedad? Por fuerza los espejos no son como los de mi tiempo y hacen ver las cosas de otro modo. Pareces un chivo» [21].

A favor o en contra de la medida, el cuidado capilar repito, era

una obsesión mayor, porque el día empezaba naturalmente por la
llegada del peluquero y, si éste se retrasaba por cualquier motivo, el
hombre del tiempo tenía que quedarse en casa. Los que podían ci-
taban al barbero en casa, los otros enseñaban a afeitar a un criado,
los más salían de casa con tiempo para ir a la barbería. El barbero
en casa del hombre como el peluquero en la de la señora era un
confidente, un ser que por entrar en el cuarto a horas tempranas de la
mañana, sorprendía no sólo el desorden del cuarto sino el de la men-
te, todavía adormilada y demasiado sincera. Como los que usaban
el barbero en casa eran gente rica, acostumbraban a levantarse tarde y así no entorpecían el trabajo del oficial en la barbería, siempre
llena de quienes preferían pagar menos y disfrutar además de la sociedad que allí se reunía. Vale la pena de describir aparte el oficio
y el hombre.

BARBERÍAS

Eran algo más que un lugar donde realizar un servicio higiénico, eran en muchos barrios, cuando más populares mejor, el centro
de la vida social. Allí se sentaban, leían y sobre todo charlaban la
mayor parte de los vecinos de la ciudad y el tipo de Fígaro, decidi-
dor, gracioso y entrometido tenía origen y tuvo mil consecuencias
entre los de su oficio. Desde la entrada, el parroquiano debe de sentirse en un ambiente agradable y confianzudo. Hay en las paredes
dibujos enmarcados de bandidos célebres, toreros y contrabandistas
y una imagen de la Virgen más popular en la ciudad, en su correspondiente hornacina o rinconera. Hay una guitarra adornada de lazos y colgada de la pared para que la toque quien quiera, quizá el
mismo barbero en sus momentos libres. Se puede jugar a las cartas
en un rincón o discutir ruidosamente de política en el otro; ambas
cosas están allí en su lugar. Ford se asombra de la personalidad
del barbero [22] y Antonio Flores nos contará con minuciosidad los ma-
teriales que allí se encuentran para su profesión:
«Un espejo seis pulgadas en cuadrado a poco más de medio pie...,
unas dieciocho navajas..., sillas de Vitoria, sofá, sillas corrientes
para cortar el pelo..., una bacía blanca floreada de azul (Talave-
ra)..., para afeitar saca del bolsillo una bola de jabón que viene jas-
peada de migas de pan y empieza a pasarla por la cara del cliente
después de mojarla con una agua a 80° de temperatura..., mientras
no cesa de hablar..., dura esto de trece a quince minutos. Luego
enciende el cigarro, pasa la navaja por el afilador y empieza a afei-

tar». A. Flores recomienda al paciente que nunca diga que sí a la pregunta: «¿Quiere que le descañone?» equivalente a destrozarle la cara para dejársela más tersa. Reconoce que es barato de todas maneras, de seis a ocho cuartos.

El mismo autor nos dice que el barbero se levanta temprano. De seis a siete. En seguida empiezan a llegar parroquianos; son dependientes de comercio, jornaleros, sacristanes que deben ir a la iglesia temprano. Esta lista nos indica que ni el más modesto se afeita solo. Luego algún militar saliendo de guardia. A las diez empiezan a llegar porteros de oficina que se escapan de ella o van antes de presentarse y algunos elegantes que tienen que salir temprano por la mañana. De una a dos, como dijimos, salen a afeitar a los que en aquel momento se levantan. A las dos no hay nadie en la calle ni en el establecimiento, y el barbero se va a estudiar cirugía o a practicarla.

Porque este es su segundo arma y la que le da popularidad y fama. El barbero no sólo afeita sino que también sangra, aplica ventosas y sanguijuelas. No está autorizado para visitar enfermos pero éstos le llaman a menudo porque resulta más barato y más humano que el doctor. En su práctica de medicina estriba tanto como en la guitarra, el secreto de sus éxitos y aunque no receta más que sangrías, porque es lo único que sabe hacer, sus vecinos le perdonan las equivocaciones en gracia de los aciertos. Su título total puede verse en la caricatura que le hace el mismo Flores:

«D. Ciriaco Lagartos. Profesor
aprobado de cirugía. Comadrón
y sacamuelas. Afeita y corta
a real, y medio riza el pelo» [23].

Más caro que el descrito por el mismo autor anteriormente, pero con más capacidad según se ve por la variedad de sus conocimientos.

Cara afeitada o solo con patillas. Sin ningún pelo en la cara no iban más que los curas y los toreros. Estos, sin embargo, usaron mucho tiempo patillas características. Los que gustaban de imitar a la gente de bronce las gastaban a veces y esto produjo un escándalo en casa de don Bernardo, tío de «Riverita». La víctima fué Enrique:

«Por qué te has dejado esas ridículas patillas de torero?

»Me estorbaba la barba—respondió el alférez humildemente.

»Y porque la barba te estorbase ¿había razón para ponerte la cara como la de un chulo o un chispero?... ¿No sabes que eres hijo de una familia respetable y que debes imitar a las personas decentes lo mismo interior que exteriormente? ¡A ver si te quitas inmediatamente esos adornos!, ¡no quiero chulos o picadores en mi casa!» [24].

BIBLIOGRAFIA DEL CAPITULO VIII

1 Larra, Mariano José de: *El café.* «Artículos de Costumbres». Ob. citada, pág. 26.
2 Zorrilla: *Recuerdos del tiempo viejo.* Ob. cit., t. III, pág. 14 (ref. 1828).
3 Borrow, George: *The Bible in Spain.* London, 1842, pág. 115.
4 Bretón de los Herreros, M.: *Marcela o cuál de los tres.* Madrid, 1831. Acto II, esc. I.
5 Ibidem. *El pelo de la dehesa.* Madrid, 1837. Acto II, esc. X.
6 Ibidem. *El pro y el contra.* Madrid, 1888. Acto I, esc. I.
7 Tamayo y Baus: *Bola de nieve.* Madrid, 1856. Acto I, esc. IX
8 Coloma, Padre, L.: *Pequeñeces.* Bilbao, 1891, pág. 31, vol. I., ref. 1872.
9 Castellanos de Losada: Ob. cit. pág. 186.
10 Gautier, Theophile: *Voyage pour l'Espagne.* Trad. esp. Madrid, 1932, página 145.
11 Ford, Richard: *The Spaniards and their country.* Ob. cit., pág. 344.
12 Hay, John: *Castilian Days.* Boston, 1871.
13 Imbert: *Splendeurs et misères de l'Espagne.* «Voyage artistique et pittoresque». París, 1876.
14 Pérez Galdós, B.: *Trafalgar.* «Episodios Nacionales». Madrid, 1941. Obra citada, pág. 34.
15 J. G. T.: *Correo erudito.* Vol. II, pág. 48.
16 O. S. S. O.: *Correo erudito.* Madrid. Vol. II, págs. 64 y 65.
17 Zorrilla, José: *Recuerdos del tiempo viejo.* Madrid, 1882.
18 Larra, Mariano José de: *El café.* «Artículos de Costumbres». Madrid, 1923, t. I, pág. 14.
19 Alarcón, Pedro A. de: *El final de Norma.* Cap. II. Madrid, 1855. El detalle de las manos nos enseña que éstas estaban cuidadas entre los hombres y eran objeto de admiración. Zorrilla nos describió las de Espronceda: «Nerviosas, finas y bien cuidadas». *Recuerdos del tiempo viejo.* Pág. 48. También los pies eran cuidados. Los hombres presumían como las mujeres de tenerlos pequeños. En «La desheredada», de Galdós, pág. 1099, obras completas, t. IV, hay pruebas. Ref. 1817.
20 Alarcón, P. A. de: *El escándalo.* Madrd, 1861. Cap. I.
21 Pérez Galdós, B.: *El doctor Centeno.* Ob. comp. Madrid, 1942, pág. 1369.
22 Ford, Richard: *The spaniards and their country.* New York, 1848, páginas 259 y 265.
23 Flores, Antonio: *El barbero.* «Los españoles vistos por sí mismos». Biblioteca Gaspar Roig. Madrid, 1851, pág. 13.
24 Palacio Valdés, A: *Riverita.* Pág. 137, ref. 187.

IX

PRETENDIENTES, NOVIOS, MARIDOS

El amor y su natural consecuencia al deseo de acercarse al objeto amado es el mismo en cualquier nación y año desde el nacimiento del mundo o poco después. Hay que reconocer, sin embargo, que el siglo XIX en España ponía entre amante y amada un cúmulo de dificultades que no se conocen hoy. Recordemos los impedimentos que había para encontrarse y saludarse, lo difícil que era entablar relaciones con una persona sin haber sido presentado por algún amigo y de ahí las mil intrigas con que se acostumbraba a eludir los obstáculos y que los escritores del tiempo han reflejado.

Lo primero, cuando un joven se enamoraba de una muchacha a primera vista por la calle o en un teatro, era seguirla y averiguar dónde vivía. Luego acechar el momento de abocarse con la portera y preguntar, acompañando la demanda de una buena propina, el nombre y detalles familiares de la señorita. Más tarde nacía el cansarse arriba y abajo horas y horas como el muchacho que el francés Muret vió en Barcelona:

«Un domingo por la tarde apercibí en la calle un joven de clase media, pero muy cuidado y con guantes de etiqueta. Se me dice que es un «oso»..., los jóvenes que hacen así la corte antes de prometerse se pasean en traje de ceremonia durante horas bajo la ventana de su amor. Los parientes fingen ignorar estas asiduidades» [1].

Estos paseos se hacían igual en Madrid que en provincias, pero eran más largos en estas últimas porque las costumbres eran más estrechas y rígidas y las ocasiones de encontrarse, menos. Así se paseaba a últimos de siglo lo mismo Gerardo, el protagonista de la Casa de la Troya, por las húmedas losas de Santiago de Compostela, que Ceferino, el de «La Hermana San Sulpicio», por las soledades andaluzas. Como ellos miles de jóvenes se detuvieron, se movieron, pasearon. Y ¿con qué resultado? Si gustaba podía esperar que una cortina se moviera; si gustaba más, que una cara se asomara y caso de que el amor fuera recíproco y la resistencia paterna no demasiado fuerte, llegaban a hablarse desde el balcón a la calle con más señas que palabras. (En el caso andaluz la reja resolvía mejor todos los problemas).

Ventura de la Vega nos lo explicará mejor en verso:

«Clara: Entonces, ¿cuál es tu idea?
           ¿Qué plan es el vuestro; estaros
           toda la vida con señas
           y cartitas, tú asomando
           a escondidas la cabeza
           por detrás de la cortina
           del balcón, y él en la puerta
           del tirolés de ahí enfrente,
           hecho una estatua de piedra
           de noche y de día? ¿A qué hora
           come ese hombre? ¿A qué hora almuerza?
           Cuando se abren los balcones,
           ahí está; cuando se cierran,
           ahí está; cuando salimos
           a paseo o a las tiendas,
           detrás; si vuelvo la cara
           tal vez da un brinco y se cuela
           en algún portal, huyendo
           y tomándome las vueltas» [2].

El hecho de llevar rodrigón (dueña o hermana o madre o tía) cada vez que la muchacha se asomaba a la calle hacía muy difícil abordarla, a no ser que estuviese uno en buenas relaciones con la familia, porque aun pareciendo su aspecto bueno y económicamente solvente, a la responsable de la niña le parecía feo aceptar ni siquiera su compañía. Había, pues, que engatusar primero a la acompañante como en el caso siguiente: habla una niña de dieciséis años, edad para entonces muy adelantada en el camino del amor y aún en el del matrimonio [*].

«Hace dos días que estuve en Apolo con mi tía, estaban bailando...; yo envidiaba secretamente la suerte de todas las jóvenes que

[*]   La española de la época empezaba a presumir a los trece años y acababa pronto. «El Regañón»—claro que en 1803, y todavía está lejos Balzac—le pone como tope la edad de treinta años. 14-IX-1803.

CABALLERO A PRINCIPIOS DEL XIX

CABALLISTA

estaban allí..., porque mi hermano no quiso que yo bailase, y me
veía reducida a mirar solamente... Mi tía se reía como una tonta
de mi envidia... cuando un joven la pide permiso para servirme de
caballero y ella se lo concede..., estuvo siempre galante conmigo, y
tan amable con mi tía que (sensible como todas las señoras antiguas
a esas atenciones) le acordó una prórroga para que me acompañase
e ignoro cuántas veces se la renovó durante la noche...» [3].

Tampoco cabía el recurso de salir dos muchachas acompañán-
dose mutuamente a hora tardía. Cuando el Conde protagonista de
una novela de Valera ve a dos chicas solas por el jardín del Retiro
piensa que evidentemente una está casada para salir así. Casarse,
pues, representaba entonces mucho más que hoy en el camino de
la libertad. (Valera hace además y, a propósito de ese caso, unas reflexiones curiosas. Dice que la casada del tiempo, si es honesta, rech-
za sin ofenderse de su audacia a un conquistador mientras la sol-
tera se indigna ante unos avances excesivos. El escritor se asombra de la diferencia porque, al menos en el segundo caso no habría
engaño, es decir, no habría hijo legítimo dado por legítimo al confiado
padre.) [4].

La dificultad de hablarse hacía mucho más importante que hoy
el lenguaje de las miradas y de los signos. Existieron al socaire
de la necesidad una serie de libros tratando del lenguaje de las flores
y del abanico. Nace precisamente hacia 1870 la palabra «flirtation»,
traída del inglés, para designar una coquetería mútua que no al-
alcanza ningún estadio grave, pero que puede llevar a todos.

Una mirada podía significar el sí o el no, un gesto del abanico,
soluciones igualmente terminantes. Véase, por ejemplo, como el Andrés del «Tanto por ciento» explica el porqué de su audacia al ser
sorprendido en el cuarto de la persona que ama. Ante su indignación se defiende...

Andrés:	Condesa... si está mal hecho, usted con más de un favor me ha animado.
Condesa:	¿Yo?
Andrés:	Esta flor se encontraba en ese pecho.
Condesa:	¡Oh!
Andrés:	Recibida en presencia de quien creí mi rival.
Condesa:	¡Ay, Dios!

Andrés: La juzgué señal
de mutua correspondencia.
Condesa: ...Ya me dice mi quebranto
que a cualquier mujer honrada,
un descuido, una mirada
cuesta raudales de llanto» [5].

Como ve el lector se hilaba delgado en aquel tiempo. La poca frecuencia de las entrevistas acrecentaba su emoción y cada gesto o palabra podía interpretarse a voluntad. Pero en el ejemplo anterior había un error evidente. Uno de los dos imaginó lo que no existía. El ser correspondido. Veamos algún amor en que ambos intervengan. Por ejemplo, la del «Amante corto de vista» de Mesonero Romanos que, a través de la burla, nos cita la gran oportunidad de los pretendientes de la época. Esta gran oportunidad es el baile. El baile permite la cercanía de la mujer adorada y además su aislamiento de la familia se adelanta más en un baile que en cien paseos por la calle y si en provincias toda la aventura amorosa es más difícil que en la capital es precisamente porque hay pocos bailes al año. Gerardo tuvo su ocasión en el baile del casino («La Casa de la Troya») y no la dejó escapar. El amante, corto de vista, toma sus medidas entre danza y danza:

«Ya nuestros amantes habían hablado largamente; tres «rigodones» y un «galop» no habían hecho más que avivar el fuego de su pasión; pero el sarao se terminaba y el rendido Mauricio renovaba las protestas y juramentos.

»Tomaba exactamente la hora y el minuto en que Matilde se asomaría al balcón; la iglesia donde acudiría a oír misa, los paseos y tertulias que frecuentaba, las óperas favoritas de la mamá; en una palabra, todos aquellos antecedentes que vosotros, diestros jóvenes, no descuidais en tales casos» [6].

Este era el normal plan de batalla de un joven hasta que su posición o su insistencia le hacían merecedor de entrar en la casa y convertirse en novio de la señorita. A veces, muchas veces, los noviazgos nacían entre vecinos. La forzada reclusión de la mayoría de las muchachas hacían más golosos balcones y ventanas. Cada individuo visto desde el encierro parecía mejor que los otros. Como en el noviazgo que Larra describe:

«...Hubo guiños y apretones desesperados de pies y manos, varias epístolas recíprocamente copiadas de la Nueva Eloísa; y no hay más que decir que a los cuatro días se veían los dos inocentes por la ventanilla de la puerta y escurrían su correspondencia por las rendijas, sobornaban con el mejor fin del mundo a los criados, y, por último, uno que debía quererla muy mal presentó al señorito en la casa.»

Como se ve no bastaba el ser vecinos para llegar a hablarse declaradamente y ni siquiera el entusiasmo romántico que les obligaba a copiar cartas de amor de las novelas más en boga. Era necesaria la presentación. Y luego, como Larra sigue contando, ese romanticismo se enfrentaba con la realidad o sentido práctico del padre que amonestaba al muchacho al verle demasiadas veces en su domicilio:

«...Hubo aquello de decirle:

—Caballerito, ¿con qué objeto entra usted en mi casa?

—Quiero a Elenita—respondió mi sobrino.

—Y ¿con qué fin, caballerito?

—Para casarme con ella.

—Pero no tiene usted empleo ni carrera.

—Esto es asunto mío.

—Perfectamente; mi hija será de usted en cuanto me traiga una prueba de que puede mantenerla y el permiso de sus padres; pero en el interin, si usted la quiere tanto, excuse por su mismo decoro sus visitas.

—Entiendo.

—Me alegro, caballerito.»

Parece que la cosa está perdida para el fingido sobrino de Larra, pero su romanticismo le obliga a saltar por encima de los prejuicios sociales y económicos de quien —miserable materialista— no comprende que se puede vivir con sólo el amor. La forma en que Larra relata el incidente demuestra que eran muchos los que acudían al mismo sistema cuando no podían conseguir de otra forma a la adorada:

«...No dudó nuestro paladín... en recurrir al medio en boga de sacar a la niña por el vicario. Púsose el plan en ejecución y a los quince días... Elenita depositada en poder de una potencia neutra; pero se entiende de esta especie de neutralidad que se usa en el día, de suerte que nuestra Angélica y Medoro se veían más cada día» [17].

Esta costumbre causa el asombro de Debrowski: «las leyes sobre el matrimonio son tan liberales (en España) que merecerían ser adoptadas en todas partes; cuando un muchacho quiere a una chica (y se le niega), puede solicitar del alcalde que la prometida sea sacada de la casa paterna y llevada a una casa de respeto esperando la decisón de los Tribunales que le es favorable si... está en estado de mantener una familia» [8].

Lo mismo tuvo que hacer el enamorado de «La Hermana San Sulpicio» para llevarla a la vicaría; pero estos son casos extremos y por ello excepciones en el normal desarrollo de los noviazgos españoles. Normalmente, pues, los novios cambian cartas, regalos y ellas a ellos a menudo mandan rizos de cabellos guardados con enternecimiento. Gautier nota en los novios que...

«...la actitud de los hombres con ellas parece muy humilde y sumisa... en el momento en que ponen su corazón a los pies de una beldad no les está permitido bailar más que con tatarabuelas... No pueden hacer visitas en las casas donde haya una joven; un visitante asiduo desaparece de repente y vuelve al cabo de seis meses o un año; su novia había prohibido que fuese a aquella casa. Se le recibe como si hubiera ido la víspera. Eso está admitido»[9].

Gautier se olvida de anotar que lo mismo o más exageradamente ocurría tratándose de la novia a la que sólo verla acompañada de otro hombre, aunque fuera además de la obligada criada, podía valerle una ruptura.

La libertad de los novios en el XIX era mínima. Tenían que ir a todas partes con la madre de ella, hermana o hermano, a veces con una amiga. Sus contactos eran furtivos, pero por la ley de la relatividad muy sabrosos y un apretón de manos en la oscuridad de un palco del teatro constituía casi el cielo.

Pero toda esta exaltación que exageraba hasta lo indecible el bien de estrechar una mano o recoger una flor que había caído de «su pecho», exageraba también el mal de ser despreciado o de sentirse solo, hasta la enfermedad y, muchas veces, si el arrebato privaba sobre la razón, llevaba hasta el suicidio. Máxima figura del suicida por amor o por odio a una sociedad que llevaba dentro repugnándole, nuestro Mariano José de Larra. Pero aquí queremos dar un caso más típico, más normal; un hombre que no era un escritor ni un poeta y en el cual por ello no es tan lógica la exaltación ni la borrachera de las propias ideas. Entre los ejemplos que nos da la prensa y el libro del XIX sobre los suicidas por amor, hemos escogido sencillamente el de un andaluz. La amable comprensión del periodista, aun condenado el hecho, nos da una idea clarísima de cómo se sentía el problema en la España de nuestros abuelos:

«Se ha suicidado en Sevilla el capitán del Provincial de Córdoba Don José María González. A este extremo, a que nos conducen las pasiones desenfrenadas, y las ideas que sin estudiarlas las acogen los volcánicos cerebros, le condujo, según se asegura, la muerte de una interesante joven a quien amaba. El vehemente, cuan desgraciado González, tomó en un líquido una porción de sustancia fosfórica el mismo día que se le dió sepultura a su amante. Cuantos medicamentos se le han suministrado han sido infructuosos, habiendo conseguido a los cuatro días del atentado seguir a su apasionada, como él mismo decía en los últimos momentos» [10].

No eran ejemplos diarios, pero bastaron a caracterizar un siglo.

LA IDEA SALVADODA

Evidentemente a la sociedad del siglo xix le faltaba arranque para las relaciones entre hombre y mujer. Había demasiadas dificultades y obstáculos que arrostrar antes de llegar a conseguir el ansiado sí, y si a ello se unía en algunos caso la timidez humana, el resultado era descorazonador, tanto desde el punto de vista de la felicidad individual, como del demográfico. Convencido de ello en 1835, un hombre de iniciativa lanza su programa, que se sintetizará en el proyecto de unir a hombres y mujeres con un pequeño porcentaje económico para su introductor. Las razones que le mueven a establecer lo que hoy llamaríamos agencia matrimonial son varias y profundas. Veamos algunas:

¿Por qué no se casa la gente...? «Negligencia de las leyes en aprovecharse del carácter del hombre. Hay muchos hombres a quienes repugna el estado de matrimonio y estos necesitan de un estímulo muy eficaz para conducirles al fin de la ley y que no priven a una mujer de su convivencia y al estado de sucesión. Todos los hombres experimentan momentos de contradicción por la influencia de las pasiones. y la ley debe aprovechar estos instantes, convidándoles en todos ellos con una esposa de su elección.»

Como se ve todavía hay aquí mucho del xviii, del estado-padre severo y amistoso, al mismo tiempo procurando, si es necesario con la fuerza, la felicidad de sus súbditos. Pero más abajo hay más comprensión. El hombre es tímido:

«...Hay otros hombres a quienes por educación o carácter les es imposible declarar su honesta pasión a una mujer que aman; la ley debe hacerlo por ellos.

»Otros experimentan honestos caprichos que no siempre pueden satisfacer por falta de relaciones; la ley debe proporcionárselos.

»Otros temen verse desairados con una repulsa que ofenda a su carácter o a su estimación; la ley debe prevenirlo».

Pero también en el sexo femenino hay sus dudas y sus problemas. El legislador tiene que tenerlo en cuenta. No está del todo mal el ensayo de psicología femenina, un poco a la buena de Dios, que sigue ahora:

«...Las mujeres en su primera edad núbil apetecen novios por emulación y lo que empieza por coquetería concluye por casamiento. En su segunda edad, cuando tienen más experiencia, ya no es tiempo de aprovecharse de ella porque temen un celibato perpétuo.»

Y en el sexo contrario...

«...Los hombres en su primera edad están dominados por vehementes pasiones y sólo apetecen mujer como para salir del paso. En su segunda edad la razón sustituye al influjo de las pasiones y ordinariamente profesan el celibato por especulación y por conveniencia; pero si están mal avenidos con este estado, todavía no basta su experiencia para hacer su elección acertada, porque regularmente se estrecha el círculo de sus relaciones y no es para todos los días el tantear una novia.»

De todo lo cual se deduce el reglamento que sigue, capaz de proporcionar la felicidad rápidamente:

«Reglamento para el establecimiento del Museo de la Juventud:

»...Art. 2.º Los jóvenes de uno y otro sexo que quieran disfrutar de los beneficios del Museo, depositarán en él sus retratos.

»...Art. 5.º Estos retratos de la juventud se expondrán al público en las salas del Museo, colocados por orden numérico y procurando muy especialmente que las clases no se confundan.»

Como se ve el Museo es jerárquico porque el amor no iguala todavía en ese tiempo. Insiste más abajo:

«...Art. 6.º Para facilitar la obra de los retratos se venderán litografiados en el establecimiento, medios cuerpos en varias actitudes, hasta el nacimiento de la garganta, en las cuales se presentan figuras imitativas de las diferentes clases de la sociedad.

»...Art. 19. La persona que con el fin de casarse haga elección de retrato, lo presentará al Director en un carta abierta, sin nombre ni apellido, señalando el número y la sala de su retrato y manifestando hallarse en el caso de solicitar matrimonio con el número tantos de tal sala.

»...Art. 20. Si el Director advirtiese notable diferencia entre la persona pretendiente y la pretendida, de la que pudiera resultar una ofensa de parte de la última, podrá repulsar la pretensión» [11].

Imaginemos que todos los obstáculos han sido al fin superados. Que raptándola a lomos de un caballo blanco o prosaicamente dirigiéndose a la agencia, el español ya está casado. Ya puede salir, por fin, sólo con su esposa y darla el brazo o tomar el de ella. Una nueva vida comienza. ¿Feliz? Depende de ellos y no de las costumbres. Pero, ¿cuál es el ambiente de la época respecto a la unión matrimonial? Realmente se hace un poco difícil describirlo. Para los extranjeros, por ejemplo, los engaños son numerosos en España. Inglis asegura que en Sevilla y en Málaga encontró una absoluta libertad de maneras y muchos engaños. El escritor estuvo allí pocos días y quizá se asustó de la forma liviana de hablar de muchos lugares del Sur y del general coqueteo con el que los ojos españoles prometen mucho más de lo que dan. Dice que en Madrid hubo en el tiempo que estaba él dos muertes por celos [12].

Está claro que, aparte de casos excepcionales, lo que se llamaba el honor de la familia estaba celosamente guardado en España. Engañar a un marido era posible, pero también lo era jugarse la vida en ello. Los jueces absolvían generalmente a quien mataba en circunstancias que probasen concluyentemente el engaño. Y en este ambiente general entraban todos los espíritus españoles, desde el más antiguo por tradición y honor, hasta el que se consideraba más adelantado y libre de prejuicios. Recordemos, por ejemplo, el vacuo e inútil sobrino de «Casarse pronto y mal» que Larra describe. Estaba educado con olvido de la tradición y de la moral, no era religioso ni anticuado. Cuando su mujer le engaña, mata al amigo y ella se suicida arrojándose por un balcón. Lo mismo, años más tarde, podría haberle pasado a León Rosch, que Pérez Galdós presenta con un espíritu de tolerancia europeo, con todas las virtudes de comprensión imaginables. Pues bien, León Roch, al hablar de un posible adulterio, es bien explícito:

«Mi mujer es honrada y fiel; mi mujer no ha manchado mi nombre. Si hubiera sido adúltera, la habría matado...» [13].

Esto se decía cerca de cincuenta años después del episodio de Larra, y como se ve las circunstancias no habían cambiado en absoluto. La misma reacción en los maridos, movidos más que por un amor despreciado por el orgullo español y el temor al ridículo.

Las obras teatrales, como las novelas, nos pueden dar una idea de que, siendo la vigilancia de las mujeres mucho más intensa que

ahora, el adulterio se hacía más difícil y especialmente peligroso.
Todos los autores están, sin embargo, de acuerdo en atribuir a las
clases elevadas mayor número de engaños que en las bajas. Mayor
tiempo que perder, mayor despreocupación producida por las ideas
importadas de Francia, más dinero para arreglar misteriosas citas,
ocasionaban más adulterios en las clases aristocráticas, casadas a veces por interés económico o de sangre, que en la sufrida y religiosa
clase media o en la popular de majos celosos de su sombra. El mayor
ejemplo de ello está en la Curra Albornoz que el padre Coloma re-
trató en «Pequeñeces».

El problema de los celos en los matrimonios un poco conocidos
se planteaba en la misma lucha entre lo nacional y lo extranjero que
hemos visto en todo. Ser «celoso» no se llevaba, era anticuado, rí-
dículo, risible. Si había sospechas, era mejor guardárselas para no levantar la liebre. De forma que, entre el temor de que fuera y el de
obligarlo a ser, el pobre marido no vivía de sufrimiento. Oigamos a
don Simón explicárnoslo; es personaje de una comedia anónima, y
cuando don Antonio le exhorta a quitarse de en medio el moscón
que gira alrededor de su mujer, dándole un puntapié si es necesario,
él replica:

> «D. Simón: Eso lo dice muy pronto
> quien no está comprometido;
> pero en llegando a marido,
> el más sabio es el más tonto.
> Hasta el día de la fecha,
> ¿en qué mi querella fundo?,
> ¿en qué su malicia el mundo?:
> en una leve sospecha.
> Mas si despido al galán
> con dicterios y amenazas
> ¡a Dios honra! Por las plazas
> las gentes me silbarán.
> Y así peligra el marido
> mucho más, porque un amante
> nunca es tan interesante
> como cuando es perseguido.»

El problema es insoluble, porque...

> «¿Qué recurso el mundo deja
> a quien con celos batalla?

Es ridículo si calla,
y mucho más si se queja.
Sí, señor; yo estoy celoso
y nunca la soltaría;
pero como esto en el día
dicen que es hacer el oso...,
y el amiguito es tan pulcro
y la mujer tan taimada...
Está visto; no haré nada
y me echaran al sepulcro» [14].

BIBLIOGRAFIA DEL CAPITULO IX

[1] Muret, E.: *Un hiber en Espagne*. París, 1893.
[2] Vega, Ventura de la: *El hombre de mundo*. Acto I, esc. I. Madrid, 1845.
[3] *Un ramillete, una carta y varias equivocaciones*. Trad. del francés por Nicolás Lombía. Acto I, esc. II. Madrid, 1857.
[4] Valera, Juan: *Pasarse de listo*. Ob. cit., pág. 426.
[5] López de Ayala, Abelardo: *Tanto por ciento*. Acto II, esc. X. Madrid, 1861.
[6] Mesonero Romanos, R: *El amante corto de vista*. «Escenas matritenses». Madrid, 1851. Ref. 1832.
[7] Larra, Mariano José de: *El casarse pronto y mal*. «Artículos de Costumbres», t. I, págs. 73 y siguientes.
[8] Debrowski, Ch.: *Deux ans en Espagne et Portugal pendant la guerre civil*. Ref. 1838. París, 1841.
[9] Gautier, T.: *Voyage en Espagne*. Ob. cit., trad. esp., pág. 156.
[10] *Defensor del Bello Sexo, El*. Periódico de Literatura, Moral, Ciencias y Modas, dedicado exclusivamente a las mujeres. Madrid, 5 de octubre de 1845.
[11] Salas, Xavier de: *Reglamento de la agencia de matrimonios titulada, Museo de Juventud*. Reproducida por D..., correo erudito. T. II, página 227. Madrid, 1835.
[12] Inglis, Henry: *Spain in 1830*. London, 1831. Vol. I, pág. 151.
[13] Pérez Galdós, B.: *La familia de León Roch*. Ob. comp. Madrid, 1941, página 868.
[14] *Un día de campo o el tutor y el amante*. Anónimo. Madrid, 1839. Acto II, esc. IX.

X

EL DESAFIO Y EL DUELO

Por todo el siglo xix, como una obsesión sobre la sociedad cuando más alta más expuesta a ella, cruza la sombra del duelo. Los hombres se desafían y se matan por mil motivos. El xviii intentó y sólo consiguió, en parte, borrar la idea del duelo, considerándola bárbara y típica de un siglo, el anterior, que despreciaba en todos sus aspectos. El «petimetre» no se batía, y consideraba ridículo al que lo hiciera. Pero con el Romanticismo se vuelve la vista a lo medieval (Zorrilla), a la edad de oro (Duque de Rivas), y los ejemplos del hombre que no se deja ofender se multipican, siendo sólo un símbolo «Don Juan Tenorio». El español del siglo xix se bate, y muchas veces se bate seriamente. ¿Y por qué se bate? El hecho de haber puesto este capítulo tras el del matrimonio parece indicar que los casados están más expuestos a batirse que los solteros, que hay alguna relación entre ambos hechos; y es cierto. Muchos desafíos y duelos subsiguientes se realizan porque hay una mujer de por medio; pero interesa hacer notar que la lucha no es por el amor de una mujer, sino por salvar un honor que se considera manchado, insultado. Este es el principio esencial al que siguen todos los demás. Se bate uno por salvar su honor y para evitar el ridículo y el «qué dirán», tremendos fantasmas del español de todos los tiempos. La prueba es que un español puede batirse por una mujer que no ama, por que no se la juega a ella, sino a su propia reputación.

El siglo xix, como el xviii, tiene una completa legislación contra los duelos; pero es inútil luchar contra algo que está en plena conciencia ciudadana. Y dejemos hablar para ello al mejor comentarista sobre este tema, Mariano José de Larra, que dedicó un completo artículo de costumbres, «El duelo», a este problema, refiriéndose, además, continuamente a él en otros trabajos. Su tesis nos da una completa explicación de lo que ocurre. El mismo, como hombre ilustrado,

puede y debe estar contra el duelo; pero como individuo, y mientras
se considere una mancha el ser insultado, se batirá a pesar de la
aparente incongruencia de este proceder. Veamos:

«Mientras el honor siga eternizado donde se le ha puesto; mientras la opinión pública valga algo, y mientras la ley no esté de acuerdo con la opinión pública, el duelo será una consecuencia forzosa de
esta contradicción social. Mientras todo el mundo se ría del que se
deje injuriar impunemente o del que acuda a un tribunal para decir:
«Me han injuriado», será forzoso que todo agraviado elija entre la
muerte y una posición ridícula en sociedad. Para todo corazón bien
puesto, la duda no puede ser de larga duración; y el mismo juez que
con la ley en la mano sentencia a pena capital al desafiado, indistin-
tamente, o al agresor, deja acaso la pluma para tener la espada en
defensa de una ofensa personal» [1].

Los mismos abogados caían en la total denegación de sus principios acudiendo a la fuerza en vez del derecho. Así, el personaje de
Hartzenbusch:

> «Fernando: Desdice un poco del hombre
> cuyo ejercicio le obliga
> a cursar los tribunales
> en demanda de justicia;
> desdice un poco el andar
> echándola de duelista;
> pero en haciéndose moda,
> ¿quién de la moda se libra?» [2].

Para un tratadista del siglo, Sierra Valenzuela, el problema está
planteado parecidamente. Mientras la sociedad sea así, hay que reaccionar a su compás.

«...Ha querido verse una desobediencia a la autoridad y un des-
acato a sus representantes en la reanudación de un duelo que aquélla había tratado de impedir; pero se olvida lastimosamente que, conforme al concepto que la sociedad tiene del honor, puedan inferirse
a éste agravios que no sufran la impunidad, y que la opinión pública, que en estas cuestiones pesa a veces más que los preceptos legales,
no juzgaría vindicado al hombre herido en su honra si desistiere de
reparar una ofensa por el mero hecho de haberle exigido o impuesto
este sacrifio la autoridad.»

Para él no hay otra posibilidad que cortar la ofensa antes de que
se efectúe.

«Díctese una ley de injurias sabia y filosófica, y los lances personaies serán menos frecuentes; si de este modo se disminuyen, mucho habremos adelantado considerando que, por hoy, es casi imposible proscribir una costumbre, errónea si se quiere, pero que descansa en el modo de ser y de pensar de la humanidad desde hace muchos siglos» [3].

Si vemos el Código Penal de la época, el castigo tiene siempre algo de comprensión del problema.

Tanto en el de 1822 como en el de 1842 «se impone la pena de destierro al que acepta o propone simplemente el duelo; la de arresto mayor, si se verifica sin consencuencia; la de prisión menor, si produce lesiones graves, y la de prisión mayor al que mata en duelo a su adversario; impónense dichas penas, en su grado máximo, al injuriante que no dió satisfacciones, al injuriado que se negó a recibir las que se le ofrecieron y al retador que no hizo saber a su adversario el motivo en que se fundaba su reto» [4].

Se trata, pues, de una posición humana que no puede entrar por caminos jurídicos aun conociendo su valor. Aquel juez que Larra sostenía incapaz de resistir sin desafiarse una ofensa personal, no estaba moralmente capacitado para castigar pecados ajenos. Y si las leyes eran bien explícitas al respecto, le bastaba para sentirse benévolo alegar falta de pruebas, que casi nunca se presentaban. Incluso en un caso de duelo tan ruidoso como el que enfrentó a Montpensier y al Infante don Enrique causando la muerte de éste, el juez aceptó como buenas las declaraciones de los testigos de que don Enrique había muerto al disparársele accidentalmente una pistola que estaban examinando [5].

Pero es que, además de que la sociedad admite y perdona al que se desafía porque lo encuentra natural, algunos sectores de ella llegan a más: llegan a aplaudirle. Y el duelo se considera un deporte, no por peligroso menos apetecible, y ser un hombre con algunos duelos en su historia de prestigio. Recordemos al «calavera» de buen tono o al más peligroso: el «langosta». Recordemos al personaje Carlos de «El tejado de vidrio», de López de Ayala, quejándose de que no había tenido «un desafío importante y que por ello no tenía categoría en la vida». Volvamos a Larra cuando trata de la enseñanza para los chicos...:

«Lo que sí debe aprender es el arte de tener siempre razón, es decir, la esgrima, porque andan muy en boga los desafíos de un tiempo a esta parte; de suerte que ya en el día es una vergüenza no haber estropeado a algún amigo en el campo de honor» [6].

Y en una comedia del mismo autor se establece la diferencia. La gente elegante se bate. La corriente no:

«Bernardo: Primero es indispensable que se vaya a romper la cabeza con el insultado; las leyes del honor, todo lo exigen; el señor Conde no es un cualquiera» [7].

Las razones del duelo pueden ser varias. Cuando uno quiere batirse por vanidad o por chulería, las encuentra fácilmente. Todo puede ser ofensivo para él y hacerle exigir una reparación:

«...no hablemos de su pundonor, porque éste es tal que, por la menor bagatela, sobre si le miraron o no le miraron, pone una estocada en el corazón de un amigo con la más singular gracia y desenvoltura que en esgrimidor alguno se ha conocido» [8].

Otras veces, el que desafía se ha creído aludido en un periódico. y la libertad de Prensa que en grandes periódicos del siglo XIX hubo, provocó en muchos casos alusiones personales que fueron exageradas por los considerados ofendidos.

«...No se puede evitar el que haya tontos que se crean el objeto de la sátira del autor cuando éste tal vez no les ha hecho el honor de acordarse de ellos..., y menos se puede evitar el que muchos de estos tontos se quieran echarla de valientes y vayan todos los días a desafiar al redactor, que tiene entonces que dejar a todas horas la pluma para tomar la espada, y dar satisfacción particularmente a cada individuo de los que componen el público de lo que sólo ha dicho a éste en general» [9].

La política, con mayor libertad de congreso y palabra que en el siglo pasado, provocaba también incidentes, pero éstos eran menores. Didier dice que Martínez de la Rosa, indignado porque el conde de las Navas le había tratado de afrancesado, en el calor de una discusión parlamentaria le desafió, pero que el duelo se arregló pacíficamente. «España—puntúa—no ha llegado todavía al duelo político» [10], y ello es posible porque el que produjo más escándolo (Montpensier y don Enrique) tenía en su interior una rivalidad personal de la que la apariencia política era sólo una cobertura; la pelea política podía servir de punto de partida, pero los españoles del XIX no se mataban por la libertad o el absolutismo, sino porque el contrario les había ofendido en su personalidad o en el honor, que para ellos era mucho más importante que cualquier organización de partido.

En la mayoría de los casos, pues, el duelista, o al menos uno de los dos, iba como arrastrado al campo. Le arrastraban sus propias convicciones, la necesidad de *hacer* algo. Así, el caso de un marido engañado, al que la publicidad dada al engaño casi más que éste en sí, marca el camino a seguir. De la reconocida obligación del duelo nos da idea que Larra, que tan briosamente hablara contra él, asistiera como padrino. Y tal nos lo cuenta...

«La mala suerte de mi amigo quiso que entre tanto marido como llega a una edad avanzada diariamente con la venda del himeneo sobre los ojos, él sólo entreviese primeramente su destino y lo supiese después positivamente. La cosa, desgraciadamente, fué escandalosa, y el mundo exigía una satisfacción. Carlos hubo de dársela. Eduardo fué retado, y llamado yo como padrino, no pude menos de asistir a la satisfacción. A las cinco de la mañana estábamos los contendientes y los padrinos en la puerta de..., de donde nos dirigimos al teatro frecuente de esta clase de luchas *. Esta no era de aquellas que debía acabar con un almuerzo. Una mujer había faltado y el *honor* exigía en reparación la muerte de dos hombres. Es incomprensible, pero es cierto.

»Se eligió el terreno, se dió la señal, y los dos tiros salieron a un tiempo; de allí a poco había expirado un hombre útil a la sociedad. Carlos había caído, pero había quedado en pie su mujer y su honor.

»...¡He aquí el mundo! ¡He aquí el honor! ¡He aquí el duelo!» [11].

Lo peor del duelo es que uno basta a empujar al peligro. El ser pacífico, por jemplo, no le basta al protagonista de Gorostiza para evitar el duelo; don Carlos le pregunta:

«D. Carlos: ¿Tienes padrinos?
D. Severo: ¿Tú sueñas?
             ¡Padrino! ¿Pues quién se casa
             o se bautiza o se vela?
D. Carlos: El ceremonial exige
             la indispensable presencia
             de dos amigos, que juzguen
             si ambos se matan en regla.»

En la sucesiva queja del desafiado, que ya ha aceptado, está implícita la queja. Si uno no quiere dos no se pegan no era un refrán que pudiese aplicarse a la España del XIX.

D. Severo: Bueno es que un loco me obligue
             a ollar por vez primera
             mis principios. ¡Qué remedio
             tiene! ¿Y quién tiene paciencia
             para sufrir sin motivo
             dicterios, insultos, befas

---

* Larra oculta el lugar del duelo en su artículo. Todo el mundo oficialmente ignoraba *dónde* ocurrían, y las autoridades incluso *que* ocurrían.

y provocaciones? Vaya,
ya no extraño que sucedan
dos mil lances cada día,
y que un hombre de prudencia
sin gustos de espadachín
muchas veces lo parezca» [12].

La misma queja es el protagonista de «Ella es él», veinte años más tarde:

«D. Alejo: ¿Está dado a Barrabás
ese hombre? Según las trazas
me quiere desafiar.
¿Es delito ser marido?
¡Buena está la sociedad!
No basta el amor; no basta
la bendición del altar,
ni constar como casado
en el padrón vecinal.
No, señor, no; que amén de eso
tiene uno que conquistar
a estocadas la pacífica
posesión de su mitad» [13].

Pero hasta ahora hemos visto sólo ejemplos del primer tercio o poco más del siglo XIX. Se podría pensar que con los años y las nuevas concepciones humanitarias fuera desapareciendo la costumbre, que la misma ironía española puesta contra el duelo en lugar de a favor bastaría a desterrarlo.

Y, sin embargo, no es así. Los duelos siguen enturbiando la vida española durante el resto de la centuria. He aquí, por ejemplo, a Fabián Conde; el autor escribe su vida en 1861. La moral ha cambiado, el progreso es evidente y, sin embargo, la concepción sigue siendo la misma. Quien me ofende—y la ofensa está en casi todos los actos de la vida—es mi enemigo, y me deshonra a los ojos de la sociedad. Fabián Conde se bate por cualquier circunstancia, y el hecho de tratarse de un «joven a la moda», de un «calavera», aunque marca su caso como extremo no lo define como único. El duelista perfecto no sólo cree que tiene siempre la razón, sino que exige a sus amigos que también lo crean constantemente. Y sobre todo sus padrinos, amigos fieles y escogidos precisamente para sostenerle en el lance. Así habla Fabián de ellos:

JUEGO DE LA GALLINA CIEGA

«Otras varias quejas teníamos (Diego y Fabián) de Lázaro. Por ejemplo, una vez que cometí la torpeza de nombrarlo mi padrino para un duelo con cierto marido prematuramente celoso, que me prohibió la entrada en su casa, dió la razón a los representantes de mi adversario, reconociendo que «mi mala fama justificaba la determinación de éste». Quedé, pues, en una posición desairadísima, y gracias a que Diego (que era mi otro padrino), para sacarme de ello a su modo, insultó a los padrinos contrarios, batióse con los dos, hirió al uno y fué herido por el otro, y todo esto antes de que yo hubiese podido enterarme de lo que ocurría... Interpelado Lázaro por mí... me dijo que había procedido con arreglo a su conciencia. Yo estuve por ahogarlo; pero le perdoné como se perdona a un loco, y al día siguiente me batí con el tal marido y le derribé una oreja de un sablazo» [14].

La defensa del amigo se considera obligatoria, y el mismo Fabián, poco después, no vacila en desafiar a un desconocido a quien encuentra insultando a Lázaro. El hecho de que éste acepte la ofensa sin reaccionar asombra al protagonista como algo inaudito:

«...—He aquí mi nombre y mis señas—le decía yo entretanto al adolescente, alargándole mi tarjeta.

—¡Un duelo!—sollozó Lázaro—. ¡Yo te lo prohibo, Fabián! Este caballero tiene derecho para hablarme como me ha hablado.

—Pero, ¿sabes lo que te ha dicho?

—Lo sé.

—¿Y lo toleras?

—No tengo otro remedio.

—¡Qué horror!—exclamamos Diego y yo, apartándonos de Lázaro» [15].

Aunque estamos ante un caso extremo de duelista casi profesional que no vacila en jugarse la vida y tiene del honor un concepto extremadamente vidrioso, como se ha visto en ambos ejemplos, su personalidad está puramente dentro del espíritu del siglo. Así lo comprobamos cuando, convencido de sus errores y dispuesto a ser un buen cristiano y perdonar a sus enemigos, confiesa al Padre Manrique la dificultad, casi la imposibilidad, de resistir un insulto en público. Ese público para el cual y ante el cual se sentían los españoles de la época responsables de su comportamiento.

«Dentro de pocas horas, los padrinos de Diego llegarán a mi casa y me desafiarán..., ¡y tendré que rehuir el lance o que batirme con mi mejor amigo! Si rehuyo el duelo, quedaré por cobarde en el concepto público, ¡y añadiré esta fea nota a la ignominia que ya cubrirá mi frente!... Pero suponga usted que el marido de Gregoria, al ver que rehuso batirme, o que no me defiendo en el campo de batalla, me insulta una vez y otra, me abofetea en público, le escupe no ya a mi cadáver inanimado, sino a mi faz todavía coloreada por el rubor de la vida... ¿Qué pasará entonces, Padre Manrique? ¿Qué pasará entonces? ¿Ha olvidado usted que soy hijo de un general, muy pecador sin duda alguna, pero que fué el rayo de la guerra y espanto de sus enemigos?» [16].

Todos los escritores de la época coinciden en la apreciación. La opinión pública se burla, desprecia al cobarde; se llama cobarde a quien rehuye el duelo. Entre enfrentarse con un enemigo, la espada al puño, o contra la sátira contemporánea de amigos y conocidos, la elección es difícil. ¡Cómo pesa la opinión pública! Pero entonces, ¿es que no hay más que hombres arrojados en la España del xix y en la sociedad conocida? No. Pero los cobardes procuran arreglárselas con algún truco. Pasar un desafío es suficiente para sentar plaza de valiente; así, el calavera de buen tono que Larra describió se batía a primera sangre, es decir, a la primera herida, por superficial que ésta fuera, y celebraba luego con una comida la reconciliación con el adversario.

Pero si por un lado la sociedad se aterrorizaba ante la posibilidad de una muerte, se burlaba en cambio del final feliz seguido del almuerzo, como el que logró D. Dámaso en la obra de Tamayo. De ahí que Cabriñana, en su famosa obra, advirtiera el peligro:

«En las estipulaciones que hagan los padrinos y consten en el acta... no se deben fijar las condiciones de que el duelo será *a muerte* ni *a primera sangre.*

La primera frase puede parecer presuntuosa y siempre expuesta al ridículo si el lance termina en lesión o herida sin importancia, aparte de la responsabilidad criminal... y la segunda también se presta al ridículo cuando las gentes se enteran de que basta para terminar una cuestión de honor en que intervienen dos adversarios, cuatro padrinos y dos médicos, un simple pinchazo o picadura si éste produce la salida de alguna gota de sangre.»

En lugar de ello se establecerá en las condiciones: En vez de «duelo a muerte», «hasta que uno de los adversarios quede fuera de combate o en la imposibilidad de continuar»... Por «duelo a primera sangre», «hasta que uno reciba una herida que lo ponga en condiciones de inferioridad respecto a su contendiente».

De este modo, termina Cabriñana, se evita la gravedad de las responsabilidades judiciales y el ridículo, «del que debe huirse siempre más en las cuestiones de honor que en ningunas otras» [17].

Pero a Dámaso le bastaba. Había dado sus pruebas:

«... un duelo no es cosa tan grave como parece a primera vista. Aquí me tienes a mí, que me he batido muy bien, según dice... Te confesaré en confianza que cuando aquel maldito lance pensé muy formalmente morirme de miedo. ¿Y qué sucedió? Que salí al campo y allí hice lo que cualquier hijo de vecino hubiera hecho en mi lugar» [18].

Hemos llegado a la obra más clara para explicarnos el porqué y la razón (o la sinrazón, pero más fuerte que la razón misma) del duelo. «Lances de honor» tiene un protagonista, Fabián, como en «El Escándalo». Pero mientras éste va del mal al bien, el de ahora va del bien al mal. Para el primero la vida alborotada del duelista, la necesidad de *limpiar el honor* es constante. Al segundo la religión católica y su deber de hombre le impiden matar o exponer una vida que es de Dios. El primero, asustado ante la fatalidad se vuelve pacífico a pesar del mundo en contra, capaz de ofrecer la otra mejilla. Para el segundo, muy firme en su decisión de no batirse al principio, la vida, la sociedad le va empujando poco a poco con sus burlas y desprecios a lo que le repugnaba. Y de nada le sirve el apoyo de su mujer que le incita a despreciar al agresor. Ni la definición que ella hace ante un amigo de lo que es un desafío:

«Doña Candelaria: Robos, asesinatos, desafíos..., parece mentira que los hombres olviden hasta este punto lo que se deben a sí mismos, lo que deben a sus semejantes y a Dios.

»Don Dámaso: Yo lo deploro como usted, pero sin dejar de conocer que el duelo es un mal irremediable, con el cual se evitan acaso otros mayores..., crea usted señora que a veces es imposible evitar un lance de honor.

»Doña Candelaria: Nunca es imposible obrar bien.

»Don Dámaso: Y el honor, amiga mía, ¿y el honor?

»Doña Candelaria: Y ¿qué es honor?, amigo mío, ¿qué es honor?... En nombre del honor mata el amigo al amigo, el marido a su mujer, la madre a su hijo; en nombre del honor se quita el hombre a sí mismo la vida; no hay crimen que en su nombre no pueda cometerse..., tribunales hay en el mundo (para penar a los que insultan u ofenden de obra).

»Don Dámaso: Para reparar una afrenta solo aprovecha entre caballeros la justicia que cada cual se toma por su mano» [19].

Los esfuerzos de la esposa y la misma comprensión de su hijo no bastan a proteger el espíritu de Fabián ante las continuas humillaciones. El criado mismo que ha sabido que su amo ha sido insultado y no piensa batirse, le mira con desprecio. El pariente más fiel y amigo le pone delante de lo que llama «responsabilidad».

«Medina: Fabián, hay desgracias irremediables. En ciertos casos el hombre bien nacido no puede acordarse más que de su honor. Considera que de tu mengua a todos nos alcanzaría alguna parte. ¿Quieres que tu esposa tenga que bajar avergonzada la vista delante de la gente que se ríe de su marido..., quieres que tu hijo sea hijo de un cobarde y empiece a vivir entre los hombres con nota de infamia?» [20].

Precisamente por dar a su hijo un ejemplo de cristiana resignación, Fabián no quería batirse. Pero el insulto del enemigo es repetido y violento. Amenaza con abofetearle en plena calle y donde le encuentre. Y el mismo hijo, antes tan orgulloso de la energía y fe de su padre, empieza a flaquear:

«Miguel: ¡Es una infamia lo que ese hombre hace con usted! Una infamia que nadie toleraría, ¡nadie! ¿Cómo he de aconsejarle yo a usted que se bata; cómo he de querer yo que mi padre arriesgue la vida? Pero... ¿con tan horrible afrenta se puede vivir?» [21].

Esto ya es demasiado para el ánimo turbado de Fabián en lucha entre las don tendencias. Porque hasta en su familia se ha infiltrado ya la idea de que es necesario, de que no se puede vivir ofendido así...

«¡Ser despreciado por mi hijo! No; ¡eso no!, ¡mis fuerzas no alcanzan a tanto!» [22].

El protagonista de Tamayo acepta ya en principio la idea que antes le horrorizaba. Se batirá. Luego de nuevo reflexiona, se vuelve atrás, pide perdón a Dios de su pecado. Retira su palabra de ir al campo de honor. Y entonces, tal la útima gota de agua para colmar el vaso, el enemigo le abofetea en plena calle. Como en el caso del otro Fabián, ésta es la prueba definitiva. Ningún español aceptaría ser tratado así sin reaccionar. Y cuando se enfrenta de nuevo con su esposa las exhortaciones de ésta, los llamamientos al deber cristiano caen en el vacío. Fabián arde de ira:

«...A la luz del día... en medio de la calle... ¿Delante de quién me presento yo con un rostro abofeteado?

Doña Candelaria: Mártir del deber, álzate ufano delante de Dios!... ¡¡Acuérdate del cielo, Fabián!

Fabián: El cielo no se acuerda de mí.

Doña Candelaria: ¡Por Dios!

Fabián: ¡Ni por Dios sufro yo un bofetón!»

El telón del acto tercero se alza pues sobre lo irremediable. El lugar del desafío. Pero en este se encuentran no los protagonistas de la pelea, no el insistente ofensor ni él, hasta última hora reacio Fabián, sino los hijos respectivos, Miguel y Paulino. El primero harto de sufrir moralmente ha desafiado al segundo. La escena nos da una idea de la seriedad y el rito con que se llevan a cabo esos desafíos; hablar en ellos se consideraba de mal gusto y las pocas palabras eran órdenes. Los padrinos estaban acostumbrados a los lances.

«Paulino: ¿Acabaremos hoy?
Padrino: Silencio, Paulino.
Padrino 2.º: Silencio, caballero.
Padrino 1.º: Ya están cargadas las pistolas... Ahora mida usted el terreno.
Padrino 2.º: ...doce.
Padrino 1.º: Usted aquí.
Padrino 2.º: Usted ahí.
Padrino 1.º: Que decida la suerte quién ha de elegir arma primero.
Padrino 2.º: ...Pidan ustedes.
Paulino: Cara.
Miguel: Cruz.
Padrino 1.º: Tome usted una pistola.
Paulino: Venga la mía... Ya está, acabemos.
Padrino 2.º: Otra vez le exijo a usted que se calle.
Padrino 1.º: A la segunda palmada se apuntan ustedes; a la tercera, fuego... ¡Quietos! Por entre aquellos árboles se ve gente; parece que vienen hacia aquí.»

Aunque los desafíos eran prácticamente conocidos de todo el mundo, jamás se admitía en ellos a extraños y la presencia de un desconocido, aunque no fuera de la policía, bastaba para interrumpirlos quizá para siempre, porque podía seguirse una reconciliación. De ahí que algunos duelistas hiciesen avisar por bajo mano a quienes podían salvar al mismo tiempo su honor y su vida, pero si este estratagema se llegaba a conocer, y era fácil, el descrédito se hacía mayor. En el caso de la obra que estudiamos, no hay más que un cambio de terreno. Los padrinos quitan las pistolas a los enemigos para evitar que el nerviosismo apriete el gatillo a destiempo.

«Padrino 2.º: Abajo las pistolas.
Padrino 1.º: Ya dije que estaríamos mejor detrás de un ribazo.
Paulino: Hay que dar un rodeo.
Padrino 2.º: ¿Qué importa? Vamos allá.
Padrino 1.º: Las pistolas.
Padrino 2.º: Ustedes delante» [23].

La obra termina con la muerte del hijo, el arrepentimiento del padre y del encarnizado enemigo, pero a nosotros nos basta lo visto, que es también la intención del autor. Demostrar la fortaleza de la opinión que llega a cambiar totalmente, a emborrachar se podría decir, a un hombre hasta entonces convencido de que sus ideas cristianas le bastarían a evitar la barbarie.

Pero si no existiera ese obstáculo de las ideas religiosas ¿cuál podía haber sido el camino del duelo? Batirse era elegante, fino, bien visto, daba al protagonista una fama de valiente, las mujeres le admiraban. Ya hemos visto al filósofo y moderno León Roch amenazar con matar a su mujer adúltera. Oigámoslo sobre el duelo en la discusión que tiene con su cuñado Gustavo. Este le odia pero no puede desafiarle:

«Aborrezco el duelo, porque es pecado; pero...

»—Pero en estas circunstancias... te decides a condenarte por tener el gusto de batirte conmigo y matarme.

»...Eso no sería un gusto. Soy cristiano.

»—Acaba—dijo León exaltado—. ¿A qué vienes? ¿A desafiarme?... El duelo es un absurdo que se acepta; un asesinato fiado al acaso y a la destreza, que a veces se nos impone con fuerza invencible. Yo acepto ese asesinato contigo..., cuando quieras...» [24].

Estamos ya en 1878 y ese «absurdo que se acepta», como dice León Roch en una definición perfecta, porque todos estaban de acuerdo en juzgarlo pero no en evitarlo, sigue triunfando. Naturalmente que no es general. Muchos románticos y postrománticos pasaron su vida en la mayor tranquilidad sin rozar siquiera la posibilidad de un duelo, pero el ambicioso, el político, a todo el que quisiera sobresalir en cualquier campo, le era muy difícil no cruzarlo en su camino.

Al norteamericano Hay le impresionó el problema del duelo en España. En Inglaterra, dice, está de caída. En Francia se hace raramente y, sobre todo, entre jockeys o periodistas, gente insegura en su posición que necesita «dar pruebas». En Alemania es un juego de estudiantes, mientras en España sigue siendo prueba de caballero. El pundonor—punto de honor—es tan importante y se usa tan a menudo, que han acabado haciendo una de las tres palabras. El abofeteado se bate aunque su condición social sea distinta y un general de vuelta de Filipinas se batió con un ex empleado a quien había echado de su puesto en las islas *.

El duelo—insiste Hay—es una cosa muy seria en España. Y cita que dos generales que después de desafiados llegaron fácilmente a un

---

* La igualdad hacía progresos, como se ve.

arreglo amistoso fueron criticados (probablemente por su historial militar más que por el hecho en sí mismo). En el otro extremo describe un caso macabro. Un duelista que avanzó hasta la línea divisoria de ambos campos estando ya mortalmente herido y sin apenas poder ver y dijo a su adversario: «Estoy muerto. Ven tú a morir». El otro llegó a su alcance, recibió el tiro y cayeron juntos [25].

Había para impresionar al viajero norteamericano y a todos los viajeros del mundo.

EL DUELO LEGISLADO

El siglo se terminaba cuando el marqués de Cabriñana escribió su famoso libro al que nos hemos referido varias veces; sus páginas están impregnadas de ese espíritu del XIX de donde extrajo ejemplos y deducciones. Su idea era que fuese promulgado un Código del Honor al que acudir en casos de desafío, que igual que Sierra Valenzuela cree imprescindible en la sociedad tal cual es. Veamos algunos ejemplos curiosos de sus principios; el duelo sigue a un desafío y éste a una ofensa. Y ¿qué es una ofensa? Cabriñana abre tanto la mano en sus definiciones que resultaba bien fácil al espadachín darse por ofendido.

«Toda acción u omisión que denote descortesía, burla o menosprecio hacia una persona o colectividad, se considera ofensa por los efectos de este proyecto de Código, si se realiza con intención de perjudicar la buena opinión y fama del que se sienta ofendido.»

...es ofensa por omisión «...negar el saludo a un caballero... retirar la mano que un antiguo amigo nos ofrece..., volverse de espaldas cuando alguien nos dirige la palabra o... abandonar en masa los escaños del salón de sesiones del Congreso en el momento de pedir un diputado la palabra...»

«Las ofensas se dividen en leves, graves y gravísimas... Una bofetada, un bastonazo, el lanzamiento de una botella o un guante, el agarrar a un caballero por las solapas, son todos movimientos que constituyen ofensas gravísimas... *el que toca, pega.*

»...Art. 7. El que recibe una ofensa leve tiene la elección de armas.

»...Art. 8. El que recibe una ofensa grave tiene la elección de armas y duelo. (Al mando, a la señal, a pie firme o marchando).

»El que recibe una ofensa gravísima elige armas, duelo y distancias» [26].

Considerándose el duelo una salida que no podía existir en ninguna otra circunstancia legal, Cabriñana insiste en su exclusividad. «El que acude a los tribunales con una denuncia sobre una ofensa ya no puede pedir reparación por las armas». Ha escogido el «otro» camino.

El ofendido designaba los padrinos, mejor los representantes, que son los que llevan su asunto. Los testigos solo son convocados para ello. El autor cree que es más difícil arbitrar que jugar y así mientras que se puede uno batir a los veintiún años no se puede ser padrino a esa edad. En la elección de los representantes Cabriñana aconseja no servirse de sordos, porque «no se entera de las voces de mando en el terreno y causa mil molestias a los demás padrinos al discutirse el asunto origen del desafío» [27].

Tras las primeras reuniones se toman contactos entre ambas partes. «Si los representantes del ofensor se niegan a dar explicaciones, si los del ofendido las rechazan, si las satisfacciones que se ofrecen no están en relación con la ofensa recibida, el duelo es inevitable» [28].

Ya estamos siguiendo a Cabriñana en el campo del honor. «Respetamos la costumbre... de que los adversarios, los padrinos, los médicos, asistan a los lances de honor con traje negro de levita; pero no podemos menos de expresar nuestra opinión de que, tanto en los duelos que se realizan en las primeras horas de la mañana, como en aquellos que se verifican en el campo o en las afueras de las poblaciones, a cualquier hora que sea debe dispensarse de este requisito de etiqueta... a fin de no llamar la atención de los madrugadores o de los campesinos con la desusada exhibición a esas horas y en esos sitios de dos landós conduciendo cada uno a cuatro caballeros en traje de duelo o de entierro del modo más a propósito para dar a conocer al público por su exterior aspecto que van a asistir a un lance de honor o a un desafío, como se dice vulgarmente».

Vestido en el lugar indicado:

«Una vez en el terreno, si la temperatura lo permite..., desnudos de cintura ambos, pantalones usuales y... calzado que tengan por costumbre... o una camiseta ceñida al cuerpo de lana, franela o de algodón que se pueda traspasar fácilmente con la punta de la espada...»

Acerca de guantes de gamuza, piel de Suecia o de cabritilla, preconiza el maestro de los lances que no se lleven así, como tampoco que se usen cazoletas anchas en los sables. La razón es curiosa: para que el duelo pueda terminar con la herida en un brazo y no haya necesidad de buscar el cuerpo adversario, lo que multiplica los peligros. Naturalmente, los aceros tienen que ser desinfectados antes de empezar el combate, recomendando el ácido fénico para ello [29].

Para pistola es mejor la levita oscura o negra, sin forros especiales, levantando el cuello para no descubrir un blanco que facilite la puntería adversaria [30].

El combate es llevado por un director que se elige entre los cuatro padrinos o testigos, debiendo ser el de mayor edad o más prestigio y costumbre. Avanzan al grito de «¡Adelante!» y se detienen al de «¡Alto!». Con espada o bastón fuerte los padrinos pueden detener el combate demasiado fogoso si se ha dado el ¡Alto! Y éste se pronuncia cuando se rompe una espada, hay una caída o una herida o al sobrevenir un accidente imprevisto. Igualmente al tocarse las cazoletas en el cuerpo a cuerpo. Los asaltos duraban de tres a cinco minutos.

En el desafío a pistola las distancias se marcan de 25 a 35 pasos y marchando al disparar de 28 a 32. El tiempo de disparar es mínimo. Los padrinos se colocan todos al mismo lado de los combatientes resguardados por árboles o accidentes del terreno. «¿Listos? Sí. Uno, dos, ¡fuego! Se baja la pistola a la primera voz, se apunta a la segunda y se dispara a la tercera».

La posición aconsejada por C. es la de perfil, ofreciendo al enemigo la cadera en vez del vientre. «La posición—reconoce—no tiene nada de estética pero es, en cambio, práctica».

Y de la misma manera que antes procuró mantener la seriedad del duelo contra la posibilidad de caer en el ridículo, tampoco quiere C. que se pueda eludir la dura suerte del desafío a pistola simulando generosidad, y así estipula:

«Si el agresor es el que tira al aire conserva el ofendido su derecho a disparar cuantas veces se haya estipulado» [31].

Con la misma severidad dice que deben batirse los minorados por defectos físicos si han sido ellos los ofensores, para no hacer surgir los matones con inferioridad convertida en facilidad de insultar. En los casos de los ofendidos, pueden batirse.

Los miopes, según la vista.

Los tuertos, pueden y deben batirse a sable, espada o pistola y a la señal.

Sordos, ni a pistola ni a la voz de mando. Substituir las voces o palmadas por toques de instrumentos de música o por detonaciones de armas de fuego.

Cojos, no pueden ni deben batirse al arma blanca [32].

BIBLIOGRAFIA DEL CAPITULO X

1 Larra, Mariano José de: *El duelo*. «Artículos de Costumbres». Vol. I.
2 Hartzenbusch, J. E.: *Jugar por tabla*. Madrid, 1850. Acto I, esc. XII.
3 Cabriñana, Marqués de: *Lances entre caballeros*. Madrid, 1900, pág. 53.
4 Ibidem. Pág. 36.
5 Hay, John: *Castilian Days*. Ob. cit., pág. 371 y sigts. La consigna de silencio era tan grande que la «Ilustración Española y Americana» publicó un retrato de muerto con este vago «pie»: «La desdichada muerte de este infante hace en extremo interesante la reproducción de su retrato. Nadie hay que ignore su triste fin y las causas de él, por más que las versiones sean contradictorias». 25-III-1870.
6 Larra, M. J. de: *Carta última de Andrés Niporesas al Bachiller*. «Artículos de Costumbres», t. III, pág. 31. 1833.
7 Larra. M. J. de: *¡No más mostrador!* Madrid, 1831. Acto II, esc. IX.
8 Larra, M. J. de: *Empeños y desempeños*. «Artículos de Costumbres». Ob. cit., pág. 55, t. I.
9 Larra, M. J. de: *El duende y el librero*. «Artículos de Costumbres», t. I, página 3.
10 Didier, Ch.: *Une année en Espagne*. París, 1835.
11 Larra, M. J. de: *El duelo*. «Artículos de Costumbres», t. I, ref. 1834.
12 Gorostiza, E.: *Indulgencia para todos*. Madrid, 1818. Acto III, esc. V.
13 Bretón de los Herreros, M.: *Ella es él*. Acto único, esc. XII.
14 Alarcón, Pedro A. de: *El escándalo*. Madrid, 1861. Lib. III, cap. V.
15 Ibidem. Buenos Aires, 1941, pág. 63.
16 Ibidem. Lib. VI. Cap. IV.
17 Cabriñana. Ob. cit., pág. 342.
18 Tamayo y Baus: *Lances de honor*. Acto II, esc. VII. Madrd, 1863.
19 Ibidem. Ob. cit., acto II, esc. V.
20 Ibidem. Ob. cit., acto II, esc. X.
21 Ibidem. Ob. cit., acto II, esc. XI
22 Ibidem. Ob. cit., acto II, esc. XX.
23 Ibidem. Ob. cit., acto III, esc. I.
24 Pérez Galdós, B.: *La familia de León Roch*. Madrid, 1878. Ob. comp. Madrid, 1941, pág. 927.
25 Hay, John: *Castilian days*. Boston, 1871, pág. 371 y siguientes.
26 Cabriñana, N. de: *Lances de honor*. Ob. cit., pág. 267.
27 Cabriñana, N. de: *Lances de honor*. Ob. cit., pág. 303.
28 Cabriñana, M. de: *Lances entre caballeros*. Pág. 333.
29 Ibidem. Ob. cit., pág. 354.
30 Ibidem. Ob. cit., pág. 404.
31 Ibidem. Ob. cit., pág. 359.
32 Ibidem. Ob. cit., pág. 299.

XI

TRANSPORTE

El español del siglo XIX, si puede, es decir, si tiene dinero suficiente para ello, va en coche o a caballo. Si no lo tiene también. Quiero decir que en ese último caso ahorrará de otro lado, quizá de la comida, pero saldrá luciendo su figura en una caja con ruedas. Por lo demás, de la misma forma que ahora en los automóviles hay coche para todos los gustos y todos los precios. Esa diferencia en los coches está basada principalmente, como es lógico, en la calidad del caballo de tiro, pero también en el dibujo y solidez del coche. José María de Villegas da una descripción de los coches que circulan por la urbe.

«Carretela, que es la reina de los carros. Preserva del barro y de la lluvia.

»Coche a secas, que tiene una nobleza y una apariencia de seriedad que le favorece para poner en su portezuela un escudo aristocrático.

»Tilburí, coche ligero para gente elegante, especialmente joven que no guste de ir a caballo. «Luneta ambulante» le llama el autor susodicho.

»Bombé, más modesto pero sólido. El coche preferido por los médicos en sus diarias visitas.

»—Omnibus, lleva de un lado a otro por poco dinero. «Propio para gente holgazana», comenta el autor. Y por fin lo que hoy llamaríamos taxi o

»Simón, de alquiler por horas o por carreras. Acostumbra a ser viejo el coche, viejo el cochero y viejo el caballo.

»Hay otras dos clases de coches por las calles de Madrid. Uno es el llamado «carro de Sabatini», porque a ese italiano se debe su implantación en España. Es el carro de la basura y lo anuncia además del chirrido de sus ruedas su mal olor.

De vez en cuando puede encontrarse también por la calle una *calesa*. Es un coche abierto que se usa para fiestas, ir a los toros o desfiles alegres. Lleva talco, borlas y sedas. «Está diciendo—apunta Villegas—¡Manolos! ¡Viva la sal madrileña!»[1].

Los coches ligeros, como el tilburí, no servían para viajes largos; en ese caso los viajeros se pasaban a otro mayor. Como en el caso del jockey que explica...

«Mi amo debe marchar esta mañana, ahora mismo voy a buscarle con el tilburí para dejarle en un coche francés; va por ocho o diez días a una casa de campo que tiene junto a Buitrago»[2].

Este personaje, el jockey como se decía en inglés o groom, el lacayo o lacayuelo en español, era persona obligada en los coches elegantes. Ya le hemos visto al hablar del servicio en el coche de Fabián Conde y contestando a sus preguntas. Lo cita también el mismo autor en otra obra.

«Un amigo nuestro... paró su caballo a la puerta de una antigua casa con honores de palacio situada en la Carrera de San Francisco... entregó las bridas al lacayo que le acompañaba y preguntó al levitón animado (portero)...»[3].

Cuando el elegante llevaba su cochecillo—y lo bonito era llevarlo por sí mismo sin dejarlo al cochero—el lacayo iba a su lado.

«...Sentado o más bien clavado a su izquierda iba un lacayuelo («groom» en inglés) que no tendría doce años, tiesecillo, inmóvil y peripuesto como un milord y ridículo y gracioso como una caricatura de porcelana de Sévres, especie de palillero animado cuyo único destino sobre la tierra parecía ser llevar, como llevaba, entre los cruzados brazos, el aristocrático bastón de su dueño, mientras que su dueño empuñaba la plebeya fusta»[4].

Porque lo elegante era conducir como digo; Juan, chico rico, solía tener un tilburí o un faetón, con el cual se paseaba por el paseo del Prado, mientras los padres iban en un coche mayor y más serio[5].

Tener coche, pues, resulta obligatorio y es fácil usar más de uno.

Cuando Cecilia, en 1826, está haciendo cálculos para casarse con su novio, empieza con la obligación de que la casa tenga cuadra y cochera. Sin lugar donde dejar caballo de silla y coche, una casa no es una casa.

«...Casa con cuadra y cochera, veinticuatro mil (reales)... Coches..., yo no puedo vivir sin coche. ¿Qué se diría? Sostenimiento de una berlina... y una carretela... treinta mil reales.»

Que lo importante era la carretela nos lo demuestra más tarde al conservarla en su presupuesto en su empeño de ahorrar:

«Carruajes... fuera la berlina» [6].

Algunos, naturalmente, procuraban salirse con un solo coche que sirviese al mismo tiempo para campo y ciudad, y de ahí el siguiente anuncio:

«Se vende una carretela de última moda, hecha en París por uno de los mejores artífices de allí; y además de ser muy elegante y ligera para ciudad, sirve para camino, pues tiene todo lo necesario para viajar cómodamente» [7].

Si el coche podía ser de París, el cochero, para que pudiera presumirse con él, debía de ser inglés. Inglesa era la mejor escuela de equitación y la conducción del coche debía ser también a la forma inglesa. Curra Albornoz, que está siempre en las últimas modas, lleva a un auriga británico en su coche, y cuando la gente de la calle le molesta demasiado, no le importa dar orden de que atraviese entre ella aun con riesgo de matar a alguien. Así lo hará el inglés, al que probablemente no le importa demasiado una vida española mientras finge que los caballos se desbocan. Estamos en la calle de Alcalá y ante el paso de la elegante dama madrileña se extiende una manifestación política. Los socios del club inglés se asoman...

«La vista de aquellos elegantes espectadores acabó de impacientar a Currita... que tiró del cordoncillo hasta descoyuntar el dedo del cochero y sacó la cabeza por la ventanilla gritando:

«¡Go on, Tom, go on! ¡Run through! ¡Carry them off!» [8].

La escena de pánico que siguió demuestra que en inexpertas o despreocupadas manos los coches de caballos causaban tantos sustos y estragos como los automóviles de hoy. En el 1846 ya encontramos una queja:

«Las gentes que arrastran coche siguen mofándose de los bandos de la autoridad y atropellando todos los días al pueblo soberano. La prensa periódica no cesa de clamar sobre este abuso» [9].

Pero lo normal es que el coche, más que para llegar de prisa a algún sitio, sirva para exhibir al dueño y a sus habilidades como conductor. Ya vimos al tratar de los paseos del espectáculo que ofrecían cuajados de coches bien conducidos. Lo mejor para lucir la habilidad era el ligero tilburí. Así lo emplea el tío Manolo para asombrar a «Riverita».

«Mandó enganchar el tilburí, empuñó las riendas y enderezó los pasos del caballo hacia la Casa de Campo. El tío Manolo era uno de los primeros mayorales de España... Miguel iba en sus glorias, admirado de ver al tío aflojar y recoger las riendas y fustigar al caballo con tanto arte, para ponerle al trote corto o largo, y hacerle revolver en poco espacio:

—Qué tal, Miguel... ¿quién lo entiende mejor, Pedro el cochero o yo?

—¡Tú!—respondió el chico con entusiasmo.

—Pues aún no has visto nada..., guiar con un caballo lo hace cualquiera. Mañana pondremos los dos... a la *tendée* y verás...

(Salieron)... al día siguiente... luciendo el tío Manolo sus aptitudes prodigiosas en el Prado; aquella manera de enganchar los caballos era todavía rara y un poco peligrosa, no contando con jacas amaestradas» [10].

El caballo: Quien podía, por su situación económica y atlética montar directamente a caballo, no dejaba de ofrecerse así a la admiración de las bellas y a la envidia de sus amigos y conocidos. Se presumía de buen caballo más que de buen jinete y se cuidaba hasta la ruina un buen ejemplar. Alguien quería tenerlo todo en una pieza, como lo demuestra el siguiente anuncio:

«Se desea comprar un caballo que reúna las siguientes condiciones: alazán muy claro, sin manchas; crines y colas del mismo color; raza árabe, castrado y noble, que tire de un carruaje y sea susceptible de tirar» [11].

Los que se conformaban con menos, cuidaban en cambio la actitud, para impresionar a la gente. Salir de casa con látigo y espuelas, aunque fuera para alquilar por treinta reales un jamelgo, tenía importancia.

«Esta es la primera satisfacción: ir por la calle exhalando chasquidos a guisa de correo y haciéndole resonar las metálicas estrellitas de sus espuelas, dando cada taconazo que desempiedra las aceras» [12].

COCHES DE ALQUILER

Cuando la gente no es propietaria de un coche, puede alquilarlo por horas, con o sin cochero. Pero el segundo método, aun siendo más práctico, parece que no es recomendable, a juzgar por la experiencia de Larra.

«Necesitábamos hacer varias visitas.

»Un carruaje—dijimos—pero un coche es pesado; un cabriolé será más ligero.

»No bien lo habíamos dicho ya estaba mi criado en casa de uno de los mejores alquiladores de esta corte, sobre todo de esos que llevan dinero por los que llaman *bombés decentes,* donde encontró efectivamente uno sobrante y desocupado que, para calcular cómo sería el maldecido, no se necesitaba saber más.»

La apariencia era tremenda, pero a pesar de ello llevaba un lacayo que fué el que rompió la balanza del coche con su peso.

«...un birlocho pardo... peor vestido que el birlocho, estaba el criado que le servía... fué a subir a la trasera... el birlocho venía sin barriguera, y lo mismo fué poner el lacayo la planta sobre la zaga, que a manera de balanza vino a tierra el mayor peso y subió al cielo la ligera resistencia del que *«tantum pellis et ossa fuit»* [13].

Las quejas sobre los coches de alquiler, son constantes en todo el siglo. Ya vimos al hablar de los paseos que su aparición deslucía el conjunto de los carruajes del Prado a la Castellana. En todos los demás aspectos de comodidad y facilidad hay quejas por todas partes. Véase lo que se dice de ellos en 1836, añorando los buenos ómnibus de Londres que solucionan el transporte.

«De tiempo inmemorial unos cuantos coches de alquiler, la mayor parte ridículos en su forma y atavíos, y un número mayor de estrambóticos y peligrosos calesines, tienen el privilegio de servir a esta culta población tan escasa como tiránicamente. Según su sistema, los coches de paseo o de visita no estacionan en las calles públicas, permaneciendo en las casas de los alquiladores, adonde hay que encargarlos de antemano y con la condición de ocuparlos medio día a razón de cuatro duros diarios. Los calesines, por su forma y demás circunstancias, no son propios más que para gente de chaqueta * y guardapiés y, sin embargo, se les ve campear... por la calle de Alcalá» [14].

Treinta años después seguían las quejas sobre dichos medios de transporte, esta vez enfocados desde el punto de vista económico.

«Vuelve a agitarse la cuestión del contador de los coches de alquiler. Generalmente se comprende lo que hay de anormal e injusto en el actual sistema que, por una carrera de poco menos que un kilómetro, impone la misma tarifa que por una carrera seis u ocho veces mayor» [15].

EL COCHE DE ALQUILER COMO SINTOMA

El hecho de usar un coche de alquiler por el anonimato que representa frente al coche propio, muy conocido en un Madrid todavía pequeño, tiene unas características, si no pecaminosas, sí, al menos,

---

* Gente de menor cuantía, opuesta a la de frac.

clandestinas. El contraste entre usar el suyo o tomar uno por horas, en el caso de la Duquesa que Ventura de la Vega relata, muestra claramente la diferencia. Para la posición desafiadora del mundo, la cínica, se podía usar el primero; para la hipócrita el segundo:

«Duquesa: ¿Y si yo le dijera que estoy tan ciega que tengo tentaciones de atropellar por todo?

Marquesa: ¿Cómo? ¿Alguna locura?

«Duquesa: ¡Sí, señora...! Desesperada de no recibir contestación a ninguna carta, indignada de su indiferencia, estoy casi resuelta a hacer que vaya mi coche a la puerta de su casa, y se esté allí toda la mañana, para que corra la noticia y me comprometa sin remedio...

Marquesa: Pero sobrina, ¿no has reflexionado?

Duquesa: Sí, tía... y por eso no me atrevo a hacerlo.

Marquesa: ¡Gracias a Dios...! Mejor te pasaría si fueses efectivamente a su casa en un coche de alquiler, con las persianas echadas.

Duquesa: ¡Qué dice usted!

Marquesa: Así no habría escándalo, y en todo caso se podía negar» [16].

La misma idea de que hay algo turbio en la vida de una mujer que sale de su casa en coche de alquiler, se refleja en la reacción de la criada de Enriqueta en otra obra estrenada años más tarde.

«Enriqueta: La estación de los carruajes está a dos pasos y el portero puede acercar uno a la puerta.

Ana: ¡Un coche de alquiler!

Enriqueta: ¿Y por qué no? Si viene mi marido le dirás...

Ana: (sola) ...¡Medrados estamos...! La señorita salir en coche de alquiler... y sola... puesta de veinte y cinco alfileres... ¿Qué quiere decir esto...? ¿Si tendrá...? Con su pan se lo coma» [17].

Los que no quieran pagar un coche de alquiler para trasladarse de un lugar a otro de la ciudad, pueden usar el ómnibus, coche grande e incómodo, hasta que llega el tranvía sobre rieles y tirado asimismo por caballerías, y que ha de llegar hasta hoy substituyendo la tracción, pero no su sistema ni casi su público. En 1888 lo describe Sepúlveda:

«El tranvía ha venido a llenar un vacío en los medios de locomoción. Es un coche al servicio de todas las fortunas, más económico que el simón, más seguro que el ómnibus, pero tan incómodo como el segundo, y tan desesperante, en cuanto a velocidad, como el primero. El cobrador levanta el brazo, da un tirón a la correa del timbre... y casi apabulla el reluciente sombrero de copa de un joven simpá-

JUEGO DE NAIPES

TRANSPORTE POR CARRETERA

tico que va de baile o al Real, al menos así trata de indicarlo, dejando ver por la abertura del cuello del gabán el pico de la corbata blanca.

»El cobrador va entregando billetes o taladrando tarjetas...»

El público es heterogéneo, como lo es la llamada clase media, tocando por arriba con el dinero y abajo con la pobreza:

«...Señora de toquilla vaporosa y pintoresca con que lleva medio oculto el rostro.

»Banquero que acaricia suavemente las largas y canosas patillas que se apoyan en el cuello de piel de marta de su gabán.

»Carpintero con las manos en los amplios bolsillos del chaquetón y la fiambrera colgada de la muñeca.

»Dos modistillas con dos líos.»

Dos acémilas arrastran el vehículo. Otra, auxiliar, es enganchada en el Ministerio de la Guerra. Alguien quiere subir:

—Aquí no se puede—dice el cobrador—. ¿No ve usted que es cuesta arriba?

Sigue el camino. Al llegar frente al café Suizo, alguien intenta lo mismo.

—Aquí no se puede parar. ¿No ve usted que es cuesta abajo? [18]

TRANSPORTE POR CARRETERA

Carros de posta, diligencias, galeras... Hay varias maneras de viajar en la España del diecinueve, muchas maneras y se puede decir que ninguna es cómoda. Pero ¿qué va uno a hacer cuando tiene que desplazarse? Los españoles de principio de siglo se mueven lo menos que pueden. Pero poco a poco se va poniendo de moda el viajar y las costumbres francesas, a que tantas veces hemos aludido, hay que ir a buscarlas a París. Viajar por ver Francia es quizá la razón más importante de los elegantes del tiempo para salir del adorado Madrid. Pero, además, las guerras carlistas y los naturales desplazamientos de gente a causa de los acontecimientos políticos, hacen el viajar cada vez más necesario. Las empresas de transporte poco a poco van mejorando sus servicios, y, al final del siglo, encontramos ya el tren para ayudar al movimiento...

Veamos algunas descripciones de viajes. En general ese ajetreo desagrada siempre y más en aquel tiempo. Zorrilla, en 1882, viajando de una forma que hoy nos asombra, se asombra a su vez de cómo iba la gente por la carretera en el año 1828.

«...de aquellos carros de posta se ha perdido ya la memoria en España...; eran unos carros de lanza con dos ruedas; las dos barandillas laterales iban forradas de cuero y a veces de simple estera, y encajados sus palos en el marco cuadrado del que la lanza salía; de una a otra baranda se sujetaba sobre tres aros, un encañado de cañizos cubierto de lona y una red de cáñamo muy espesa, colgada en los palos de las barandas; y colgada y clavada sobre el eje formaba dos senos a manera de serones, en los que iban las valijas y sobre ellas y sobre el eje iban el conductor y el zagal que de cada posta salía con los caballos. No hay para qué ponderar al lector lo incómodo de semejante vehículo, y dentro del cual saltaban viajeros y valijas a cada empujón que el eje comunicaba a las ruedas al pasar sobre las piedras y al hundirse en los infinitos baches del mal cuidado camino» [19].

Quizá se refería a años atrás anteriores al 1828, quizá los españoles efectivamente acostumbran a hablar mal de sus cosas siempre porque es el caso que Inglis, dos años después, hace esta extraordinaria observación:

«Causará sorpresa que diga que no se viaja en ninguna parte de Europa como en el coche español...; dos pasajeros van dentro, uno en el pescante con el guarda...; se puede viajar a doce millas por hora» [20].

Así encontraremos a través de los testigos del modo de viajar en el siglo pasado en España gente de muy opuestas ideas. Procuremos navegar a través de encontradas opiniones para dar idea de lo que se hacía en aquel tiempo.

Normalmente el viajero podía escoger entre dos medios. La *Diligencia* era el mejor, porque era el más serio. Cubría las líneas regularmente, iba bien provista de muelles y disponía de personal muy acostumbrado. Colocar una nueva línea de diligencias en algún sitio, era como hoy tender un ferrocarril o fijar un horario aéreo. Las galeras son más pequeñas y ligeras, pero naturalmente no caben tantos ni tiene tanta estabilidad. Inglis nos explica que, para ir a Sevilla, había dos sistemas desde Madrid: El primero era la diligencia, que salía dos veces por semana, y empleaba, para unas trescientas millas, cuatro días y medio. Naturalmente, se detenía cada tarde desde alrededor de las siete hasta poco después de medianoche. (Seguramente Inglis hizo el viaje en verano y aprovechaban parte de la noche para eludir calor y el cansancio de las mulas). Estas eran cuatro. Para Inglis las diligencias españolas también son las mejores del mundo: tienen buenas almohadas y buena suspensión. Se admira de la organización del equipaje; basta entregar éste y recibir un papel para estar seguro de recogerlo luego a la llegada.

En cuanto a las galeras—en el mismo servicio Madrid-Sevilla— salen casi todas las semanas sin día fijo y emplean alrededor de diez días. Son más baratas porque son más incómodas y tardan más, pero a Inglis le entusiasma el hecho como todo y le encuentra la parte buena. Dice que es estupenda porque entra el aire por detrás y de- lante, mientras arriba la tela cubre el sol (como en los «wagons» del Oeste americano) y que si no corre mucho, mejor, porque así se ve mejor el paisaje. Más conformidad es imposible [21].

Había también los coches privados, que se podían alquilar a precios muy altos, pero éstos tardaban todavía más. Cerca de catorce días, aunque es imaginable que eran los que alquilaban los que decidían la marcha a que debían ir.

Volvamos, pues, a la diligencia, que nos resulta el medio más co- mún de viajar. En esta hay cuatro partes: Cupé, interior, berlina y rotonda. Didier nos describe con las diversas personas la catego- ría social de cada uno de los compartimientos.

En el cupé una condesa, su camarera y un joven italiano, que era su «chevalier servant». En el interior, el escritor con tres estu- diantes y un emigrado (habla de 1834, tiempo de fuertes luchas po- líticas)..., en la rotonda un valet de la condesa, dos buenas señoras con dos niñas y un burgués. *

La llegada de la diligencia a una ciudad o pueblo, con relevo mar- cado, era su acontecimiento. Todo el mundo se congregaba a pre- senciar la operación, que los escritores del tiempo definen como muy complicada. Hace falta tanta cuerda, gritos y energía para enjaezar seis mulas briosas, como son necesarias en las diligencias, que no se termina nunca. Luego arranca ante los gritos de la muchedumbre, pero al llegar a una pendiente fuerte hay que bajar porque las dili- gencias no pueden con su peso.

Debemos a Larra, una coloreada, como todas las suyas, estampa de la salida de la diligencia. Estamos en 1835 y el escritor a quien no duele criticar los inconvenientes de España cree que en el servi- cio de transporte se ha mejorado mucho.

«Hace pocos años—dice— se preguntaba de posada en posada por los medios de transporte (cuando se quería viajar) y sólo se en- contraban coches de colleras, galeras, carromatos, tartanas y acémilas.

---

* Nombela, en cambio, afirma que la berlina era lo preferente. Que el cupé, situado en la parte superior, delante de la baca o lugar de equipajes, era lo más barato. Quizá el cambio de estaciones... Pero un anuncio de 1853 le da la razón. Ir de Madrid a Bayona costaba 200 reales en berlina, 160 en interior, 120 en la rotonda y 100 en el cupé. «La Discusión», 26 octubre 1853.

En la celeridad no había diferencia ninguna. No se separaba un hombre de su punto un solo día más allá de seis o siete leguas. Los coches eran sólo para poderosos. Las galeras para gente acomodada, empleados que iban a su destino, corregidores que mudaban de vara (lugar de mando). Los carromatos y acémilas estaban reservados a mujeres de militares, estudiantes y predicadores.»

¿Y los demás?—Los demás, dice Larra, no viajaban.

En cambio, ahora han nacido los servicios regulares (Mesonero Romanos coloca en 1822 el nacimiento de las diligencias más importantes: Barcelona, Irún, Sevilla, tres puntos extremos desde Madrid) y la gente viaja más. Las diligencias se llaman reales con un prurito muy español de ensalzarlas y colocarlas bajo la potestad del rey, pero Larra pregunta ¿por qué? El público las sostiene y el público las paga.

Los viajes son complicados. Para ellos no basta el traje corriente. Larra nos describe con su peculiar gracia el público que llega para el largo trayecto. Los hombres llevan capote o capa, aunque haga calor, *écharpe* al cuello y gorro griego o gorra en la cabeza; en los anchos bolsillos del capote, tabaco, el gorro de dormir y los chismes de encender, como la chispa y el pedernal. Si son mujeres llevan gorro o papalina (en ambos sexos es para protegerse el cabello del polvo, sin llevar sombrero, que no cabe en el estrecho espacio de la diligencia) y un enorme *ridículo,* gran bolso tomado del francés «ridicule», donde cabe todo: pañuelo, abanico, dinero, pasaporte, vaso de camino, etc. Flores añade: espejito, caramelo y frasquito de éter [22].

Según el mismo autor, el viaje en diligencia es propicio a Cupido. Si recordamos las dificultades que encontraban los enamorados sólo para ser presentados al objeto de su adoración, podemos comprender cuántas ventajas ofrecía el interior de una diligencia donde es muy difícil evitar hurañamente por horas y horas la conversación con un compañero de viaje. «Fácil al amor a presión...—dice Larra—una diligencia es como una isla desierta donde la naturaleza manda.» Aun reconociendo su exageración, porque en los viajes las niñas nunca van solas y siempre con un pariente o criada, es evidente que se ganaba más en cinco horas de diligencia, pegados los unos a los otros, que en diez días de inútiles paseos enfrente de la casa donde vivía la adorada.

En el mismo artículo de Larra empezamos a admirar ese curioso tipo del xix que se llama «mayoral». El mayoral es el dueño absoluto de la diligencia, algo así como el capitán en alta mar—una diligencia por el camino solitario y bamboleándose se parece bastante a un barco—y sus órdenes son acatadas sin chistar. «Tenga cuidado con esa maleta, le grita uno»..., «preferiría que ese saco»..., «quizá más allá»...; el mayoral no hace ningún caso. Pone las cosas donde le place y cuando da la señal de marcha es definitiva [23].

Auset nos dió años después una versión plástica de ese hombre: «El ser más libre, más indómito, altanero e insolente de la creación. Llega a tanto su desprecio de la raza humana que no lleva personas, lleva asientos.» Un diálogo con él podría ser algo así. El viajero intenta obtener una plaza cuando el coche está lleno. El otro deniega.

—¡Podría ir con usted en la delantera?

—No señor.

—¿Y en la baca? ¿Cuánto vale?

—Como un asiento de coche.

—¡Pero hombre!—Es inútil; se va.»

El mayoral duerme casi toda la mañana. Pocas veces dirige la palabra a las mulas y siempre lo hace con un sentido de superioridad. Desde luego las llama por sus nombres. Y la mezcla de las palabras a las mulas con las que dirige al zagal que va a su lado o al postillón que marcha montado en la mula delantera, son tan plásticas que sólo él puede decirles:

«¿Cuándo cambió tu amo ese macho bandolero? ¡Maldita sea su alma de bandolero...! Y a la Zagala déjala, déjala, que voy a ella y a la otra, ¡*toas, toas*! Si me bajo, ¡ay si me bajo, que no bajaré! ¿Y qué se ha hecho del animal que traías en cortas? ¡Qué lástima de animal! Buena sangre tenía. ¡Coronela! Y la Morata y la Gaona si voy a ellas con un *sabre*, con un *sabre* corvo! ¡Ooooo! Echate a la izquerda, Minuto, maldito seas, ¿no ves los baches? ¡Comisario! ¡Ay si me bajo...! Y llegando a ella le voy a hacer con el pellejo una papalina, anda, anda que algo quedará... ¡¡¡güeno, güeno, güeno!!! [24].

Todos los viajeros y muchos escritores españoles coinciden en el espectáculo que debía ser una diligencia arrancando. Su gigantesca mole, el pésimo empedrado en general, las seis mulas que hasta entonces estaban cada una por su lado y tienen que ponerse de acuerdo para encaminarse hacia delante, hacen la cosa bastante complicada. Según Debrowski, van todas uncidas por parejas, menos la del postillón, que va en cabeza. El mayoral sólo tiene las riendas de las cercanas, y las demás van independientes. Ruidosa carcajada...; los mozos del establo gritan; el zagal agarra un mulo del timón y hace emprender la marcha. El postillón fustiga por su lado y arranca las mulas de enmedio. Entonces el zagal coge la cola del mulo que tenía y salta a la izquierda del mayoral en el pescante dondé está su sitio. Cuando las filas se confunden, salta al suelo y, con ayuda de pedradas bien dirigidas, restablece, cambia la dirección..., sin que necesiten para ayudar esta maniobra detener o moderar la marcha del coche, que a menudo está al galope. Mientras el mayoral fustiga, corrige las mulas y las habla por su nombre (como hemos visto más arriba). Así corre, termina Debrowski, la diligencia española, como la mejor inglesa, a poco que el camino lo permita [25].

Al parecer, las mulas necesitaban ser animadas enérgicamente. No he asistido nunca, dice maravillado Hay, a una sesión de blasfemias tan altas, tan enérgicas y originales como las del postillón castellano [26].

El orgullo de los mayorales y caleseros no es superior al de los restantes españoles, pero quizá era más fácil de asombrar a los extranjeros, acostumbrados a ver en cada conductor sólo un criado. Gautier, en sus observaciones sobre la igualdad española, que ya comprobamos en el caso del cigarrillo, por ejemplo, señala que la marquesa, cuando va de viaje, no hace ningún asco a beber en el mismo vaso que el mayoral, el zagal y el escopetero que la conducen...; (por otro lado) un inglés que iba de Sevilla a Jerez, al detenerse en una fonda, envió a su calesero a que comiera en la cocina. El calesero, que en el fondo de su alma pensaba hacer un gran honor a un hereje sentándose a su mesa, no hizo la menor observación...; pero en medio del campo, a tres o cuatro leguas de Jerez, en un desierto temeroso, lleno de barrancos y malezas, nuestro hombre hizo apearse al inglés, y le gritó fustigando los caballos: «Milord, usted no me ha creído digno de sentarme a su mesa; yo, don José Albino Bustamante y Orozco, lo juzgo a usted mala compañía para ir sentado en esta banqueta. Buenas tardes» [27].

El inglés, tan mal tratado por su vanidad, había tomado un coche para sí solo, y así le ocurrió el percance. No le hubiera pasado en una diligencia. Ni en la segunda clase de viajes que ya hemos dicho con las *galeras,* que a veces con un adjetivo que suena ciertamente a irónico se llaman *aceleradas:*

«Las galeras aceleradas empleaban de Madrid a Zaragoza (unas trescientas millas) de siete a ocho días y diez o doce de Madrid a Sevilla. Sobre el fondo, a veces de pura cuerda atravesada, se colocaban los colchones de los que los tenían. Los viajeros entraban por delante y se sentaban encima de ellos; las señoras se ponían en el fondo. Marido y mujer, padre e hija entrelazaban las piernas con los que iban al otro lado. Se compartía el puesto con paquetes de merienda, cestos, botas de vino; alcarrazas de agua pendían del techo, atadas a los aros del toldo. A los lados exteriores de la galera, para aprovechar el espacio y hacer contrapeso, iban también, bien atados y cubiertos con lona y hule negro, equipajes y mercancías...

Delante estaba el pescante donde se sentaba el mayoral, alguna señora que se mareaba, un viajero de los más cucos o amigo del mayoral y el zagal, que se bajaba a cada instante para atraer a las mulas...; cuando había una cuesta los viajeros seguían al lado a pie o tomaban un atajo» [28].

Por esta descripción puede imaginarse el mundo bullicioso, y, aunque incómodo, divertido, que una galera debía ser, sobre todo con los estudiantes, que por pagarse menos que en la diligencia, constituían los viajeros más comunes. Debrowski señala, además, que el toldo encerado de color llevaba en letras negras el nombre del dueño, y que en la de Madrid a Segovia había doce plazas y el mayoral metía a veinte viajeros [29].

POSADAS

Al hablar de la comida, ya nos referimos a los lugares en que el coche paraba y los viajeros consumían sus comidas. Sólo nos resta añadir aquí dos notas de color. Para Inglis, el benevolente viajero, todas las cosas que se han contado sobre las posadas son absurdas. Entre Vitoria y Madrid, dice, siempre he encontrado cama limpia y algo que comer. Y la costumbre de pagar, aunque no se coma nada, que es realmente para extrañar a cualquiera, él la explica satisfactoriamente con la palabra «indemnificación», porque es la única forma de que el posadero compre provisiones, que sabe que le serán siempre pagadas, aunque no sean consumidas. La lejanía en que se encuentran muchas veces las posadas del centro habitado y la dificultad del transporte, justifican a ojos del viajero inglés esta determinación. En cuanto a la otra mitad de la Península, entre Madrid y Cádiz, ya pone en duda la buena organización. Nunca dan cuchillos y tenedores en las ventas, dice. Cada español lleva su propia navaja y le basta [30].

Para don Felipe, personaje de Gorostiza, la detención en una posada es un auténtico desastre:

«D. Felipe: Aún es para mí mayor
　　　　　　incomodidad llegar
　　　　　　a la posada de noche,
　　　　　　con el gaznate abrasado

del polvo, el cuerpo baldado
de los respingos del coche,
y entrando en una caverna
con título de cocina,
ver que Dominga, mohína,
se duerme, estira la pierna,
y la mete en la sartén»;

...llega la comida...

«...y después de estar
aguardando un siglo entero,
sobre la mesa me ponen
un mantel que sólo tapa
la mitad, un sucio mapa,
y lo de..., ustedes perdonen,
que no hay vasos para tantos,
ni cucharas, así que
yo, de malísima fe,
a los duelos y quebrantos
embisto por salir pronto
de aquella tribulación...»

Pues el dormir no es mejor.

«Callo empero y me desnudo,
...y está visto
que toda la noche sudo
batallando con las chinches,
con las pulgas, los mosquitos
y demás animalitos
de la inmundicia compinches.
...Doy un paseo aburrido,
pues la cocina se halla
hecha un campo de batalla
con tanto cuerpo tendido
que no tuvo más alcoba
ni quiso lecho más blando.
Ya está Dominga soplando
los fragmentos de una escoba
en el fogón; ya se va
de la gran chocolatera

el chocolate, o la fiera
legía que hirviendo está;
ya encima del santo suelo
ponen a tostar el pan,
y la jícara me dan
que apuro mirando al cielo» [31].

Otra vez aquí los españoles son peores enemigos de sí mismos que los extranjeros. El diálogo que V. de la Fuente finge entre un viajero y una posadera por la mañana temprano, tampoco es precisamente para animar a nadie a recorrer España, al menos, como digo, la situada al sur de Madrid. (La Fuente salva en su apreciación especialmente las Provincias Vascongadas, que dice muy limpias.)

La patrona hace sus cuentas:

«—La cama cuatro reales, los huevos una peseta...

—¿Una peseta un par de huevos?

—Cabal; pues qué, ¿cree usted que van de balde? Y luego la sal, la leña, el aceite...

—¡Si eran pasados por agua!

—Pero el de la luz y la ensalada, el pan, agua, chocolate, y luego el servicio y el arriendo, que nos cuesta un ojo de la cara, y el ruído que ha hecho usted, porque aquí todo se paga... ¡Ah! ¡Dieciocho reales son el chocolate!» [32].

Un anónimo francés o suizo, en los mismos tiempos o poco después de la sátira De la Fuente, se indigna contra la leyenda negra:

«Se cree generalmente que un viaje a España presenta dificultades y peligros extraordinarios. Es un error extendido por los que no han estado nunca y acreditado por los turistas de fecunda imaginación. Esta región puede ser visitada por tierra y por mar en longitud y amplitud con la mayor seguridad. Los barcos a vapor son regulares, las postas y diligencias convenientes y los mulos tienen el pie seguro...»

(Bueno, en eso vuelven a estar en desacuerdo españoles y ultrapirenaicos. Al menos en la obra de Tamayo...)

«Carolina: Esas voces..., ese ruido...: una silla de posta ha volcado en medio el camino...

Rafael: ¡Qué quiere usted... En España está de moda volcar en los caminos!» [33].

Pero no destruyamos los generosos esfuerzos de ese amigo de España, que insiste:

«...En estos últimos tiempos el número de posadas u hoteles ha crecido de gran manera y el número de brigantes disminuído, de manera que es necesario empeñarse para ser desvalijado o morir de hambre» [34].

BANDIDOS

El extranjero en cuestión ha planteado la espina de la imagen que los europeos y americanos se hacían de la España del tiempo, esto es: el peligro de los brigantes o bandidos que a juzgar por la imaginación de muchos infestaban las carreteras españolas. Estos delincuentes han pasado a la literatura mundial con el nombre de bandidos románticos o bandidos generosos, y había muy poca gente, por no decir ninguna, que no soñase con encontrársela ante su diligencia. Por ello los viajeros que volvían de España sin habérselos topado no se atrevían a explicarlo. Era un suceso emocionante, y para muchos un deseo recóndito.

Los bandidos españoles del XIX nacen con las guerras civiles, por un lado, porque éstas atraen la atención del gobierno y del ejército, y, por el otro, porque muchos asaltan desde entonces las diligencias llamando a esto política. Normalmente bastaba un solo «golpe» dado en una carretera para que por muchos meses se considerase peligrosa; en este caso, como Didier explica, iban en lo alto del carruaje dos escopeteros con media docena de escopetas cargadas—por la dificultad de cargarlas rápidamente con el movimiento del coche—en el imperial. Estos guardianes están bien pagados y a menudo son antiguos ladrones retirados o en activo. En este último caso, se trata de un arreglo especial que la administración de la diligencia hace con una banda de bandidos demasiado fuerte para ser dispersada, y el problema sólo está en defenderse de algún bandido suelto que no pertenezca a ella. Claro que lo peor que le puede pasar a este tipo de franco tirador es encontrarse con los «caballistas» o cuadrilla organizada, quo lo matan inmeditamente. Es la vida social de las grandes carreteras; también hay una jerarquía, y los pobres y desertores no son admitidos en ella.

Este Didier fué el único viajero de que tenemos noticias que tuvo la suerte—suerte se llamaba en la romántica España este caso para poderlo contar después—de encontrarse con los bandidos. Estos le hicieron arrojarse al suelo con los demás y poner la cabeza junto a la rueda. De sus compañeros de viaje que antes recordamos, el «chevalier servant» estaba más asustado que la marquesa.

Didier da algunos consejos prácticos para cuando se encuentre uno con bandidos españoles. Uno, llevar dinero adecuado a la categoría que el aire y el traje demuestra, porque los bandidos se enfadan en caso contrario, y un embajador fué abofeteado; tampoco es conveniente esconder las cosas entre los almohadones. Los bandidos consideran ésto de male fe y pueden llegar a matar, cosa que normalmente no hacen.

Y todos—señala Didier—, por último, sostienen que no son bandidos, sino facciosos que necesitan dinero para mantener la causa del rey Carlos, llamado el pretendiente desde Madrid [35].

Entre los bandoleros más conocidos iban por la sierra y bajaban a los caminos en la primera mitad del siglo, «José María el Tempranillo», «Rubio de Espera», «El Barquero de Santillana», «Chato de Benamejí», los «Siete Niños de Ecija». Estos últimos eran famosos, especialmente por su número, que no variaba aun con las luchas con la fuerza mandada por el Gobierno a combatirlas, y ello debido a que cubrían las bajas con voluntarios, les dió una curiosa fama de invulnerables. Al ser deshechos, se encontró que tenían una lista de sesenta y cuatro personas esperando turno para entrar en la famosa cuadrilla.

Otro bandido famoso, Ulloa, el gitano, antes de subir al patíbulo inventó y cantó una copla romántica y novelera como los mismos bandoleros, que no distinguían entre realidad y ficción, creyéndose de verdad héroes de las novelas escritas sobre sus hazañas. La copla decía así:

> «Una mujer fué la causa
> de mi perdición primera,
> que no hay perdición de hombres
> que por mujeres no venga» [36].

LOS TRENES

Poco a poco la diligencia va retrasando la fuerza impulsiva que le ha llevado a comunicar durante el siglo XIX la mayor parte de las ciudades españolas porque empieza a surgir el tren. Un tren ruidoso, sucio y lento, pero que ya es el moderno ferrocarril y siempre resulta más cómodo que la diligencia. El primero va de Barcelona a Mataró; el segundo de Madrid a Aranjuez. Al principio la diligencia no es su enemiga si no su ayuda y guía. Se establece un servicio combinado para los viajeros. Donde no llegaban todavía los rieles, estaba preparada la diligencia con sus mulas para favorecer el tránsito. Así, Nombela cuando vuelve de París...

«A la madrugada del 29 llegamos a San Sebastián; poco después continuamos al mediodía a Valladolid... Desde Valladolid hasta Avila pudimos aprovechar el ferrocarril español, cuya construcción en la parte anterior y posterior de la línea avanzaba por entonces rápidamente. La diligencia fué colocada en un furgón, los viajeros ocupamos los vagones que nos correspondían (es decir, que las categorías berlina, rotonda y cupé equivalían a primera, segunda y tercera clase problablemente) con arreglo a los billetes que habíamos adquirido; ya anochecido llegamos a Avila, y después de cenar volvimos a ocupar nuestros respectivos asientos en la diligencia que durante la noche debía atravesar el puerto de Guadarrama y terminar el viaje en las primeras horas de la mañana siguiente» [37].

En 1850 Flores describe ya las tres clases de que se componía el tren, y a juzgar por su relato, la diferencia entre ellas era abismal:

«En los coches de primera, el viajero tiene a su vista siete caras desconocidas; en la de segunda, treinta y nueve; en la de tercera, todos. En la primera hay alfombras, persianas, cristales y caloríferos. En la de segunda cristales, y en la de tercera nada.

Cuando el tren se para en la estación para comer, se dan quince minutos para hacerlo, y hay que tomárselo todo allí, porque está prohibido llevarse nada» [38]. De ahí que el fértil ingenio del mesonero ofreciera los platos muy calientes, a fin de hacer imposible su deglutición rápida y que se fueran los viajeros habiendo comido la mitad de lo que les correspondía.

Hay que destacar en cambio que desde los primeros momentos del ferrocarril y quizá por el temor que inspiraba se aseguraron los viajeros, y en caso de muerte podía cobrarse hasta 5.000 duros de prima.

Para otros escritores el tren era el progreso, la nueva vida que llegaba. Ved a Ruiz Aguilera aclamándolo jubilosamente:

> «¡Paso a la rauda
> locomotora!
> ¡Paso, que es hora
> de partir ya!
> ...Sobre ella en nube
> de luz sentado,
> el genio osado
> del siglo va.
> Donde ella pone
> su firme planta,
> nace la santa
> fraternidad.

> ...Ella dilata
> los horizontes,
> rotos los montes
> paso le dan.
> Ella, con lazo
> robusto y cierto,
> une al desierto
> con la ciudad.
> ...La sombra ahuyenta
> de la ignorancia
> con la abundancia
> lleva la paz» [39].

En 1872 los trenes siguen en la actualidad más viva. Representan, además del progreso cantado por Aguilera. un bellísimo espectáculo. Tanto es así que otro poeta, Ramón de Campoamor, canta su existencia imaginando en él un episodio de amor, pero en realidad como reacción marivallada de un hombre del siglo ante el progreso. La poesía se llama «El tren expreso», y en él volvía de París a Madrid el poeta.

La salida del tren de la estación no tiene nada que envidiar al arranque de la diligencia que hemos comentado más arriba:

> «...Luego a una voz de mando
> por algún héroe de las artes dada,
> empezó el tren a trepidar, andando
> con un trajín de fiera encadenada.
> Al dejar la estación, lanzó un gemido
> la máquina que libre se veía,
> y corriendo al principio solapada
> cual la sierpe que sale de su nido,
> ya al claro resplandor de las estrellas,
> por los campos, rugiendo, parecía
> un león con melena de centellas.»

Porque la máquina todavía tiene que compararse con lo animal para que se comprenda bien su significado. Para Campoamor, acostumbrado todavía a la diligencia, esos trenes de corto andar para el hombre de hoy son rapidísimos; no tienen calefacción, pero eso no le desamina:

> «... como el tren no corría, que volaba,
> era tan vivo el viento, era tan frío
> que el aire parecía que cortaba...

...«Tengo frío», me dijo dulcemente,
con voz que, más que voz, era un balido...»

El tren se acerca a la estación silbando. La iluminación de la estación estaba preparada para la llegada...

«De pronto, atronadora,
entre un humo que surcan llamaradas,
despide la feroz locomotora
un torrente de notas aflautadas,
para anunciar al despertar la aurora,
una estación que en feria convertida
el vulgo con su eterna gritería,
la cual, susurradora y esplendente,
con las luces del gas brillaba enfrente...»

... e insiste en la velocidad que llevaba el tren. Más abajo:

«Ayer era otra fauna, hoy otra flora;
verdura y aridez, calor y frío;
andar tantos kilómetros por hora
causa al alma el mareo del vacío;
pues salvando el abismo, el llano, el monte,
con un ciego correr que el llano excede,
en loco desvarío,
sucede un horizonte a otro horizonte
y una estación a otra estación sucede» [40].

Aparte de la queja del frío no hay en el poeta aludido más que entusiasmo por la nueva invención del ferrocarril, del que se halla tan orgulloso como de quien pertenece a la misma generación de hombres que la lanzaron por los campos españoles. La perfección que Campoamor describe, sin embargo, no es tan clara en otros autores. Por ejemplo, en López de Ayala el protagonista no está tan seguro de esa velocidad que llevaba el ferrocarril; al contrario, teme que vaya a haber, normalmente, un retraso, y la alusión a las estaciones no es tampoco muy amable para éstas:

«Fernando: Se me ocurrió sorprenderte...
...Pues tuve en cuenta también
que llega el tren con retraso,
y que, de avisarte, acaso
fueras a esperar el tren.

> Y me daba compasión
> imaginarte, bien mío,
> falta de sueño y con frío,
> y aburrida en la estación» [41].

Los escritores extranjeros se quejan bastante de los trenes españoles, estando más cerca de López de Ayala que de Campoamor. Bonomelli, por ejemplo, dice que sube a un vagón y lo encuentra «Reservado». Luego a otro, y están todos abonados. Los trenes españoles, apunta, no tienen prisa; toman las cosas con calma española y tienen gran compasión de los perezosos y poca de los activos y dinámicos.

Como dato curioso cita la distancia de Madrid a El Escorial, cubierta en cuatro horas. Y con indignación de «no español» menciona que una vez los maquinistas habían parado la máquina y bajado ¡para beber agua!

Del mismo autor es la explicación, si no total al menos relativa, del entusiasmo de Campoamor por los trenes. Dice que los únicos ferrocarriles posibles en España son los expresos, que van dos veces por semana desde Madrid a París, y que hay un abismo de ellos a los trenes ordinarios, lentos o lentísimos, de las demás líneas [42].

Las diligencias, al final del siglo, han cesado en la mayor parte de las provincias españolas, pero aún Gerardo Roquer y Paz, el protagonista de «La Casa de la Troya», llega a Santiago de Compostela en ella. Lo que, sin embargo, no ha cambiado es la idea de que viajar es sucio y que se necesita un traje especial para afrontar el camino, porque en el tren ocurre lo mismo. Vimos en Larra a los pasajeros con un uniforme especial para viaje. Pues bien, a últimos de siglo, 1889, Palacio Valdés nos presenta a un viajero que cambia totalmente su apariencia sólo al subir al vagón:

«Así que salimos de la estación quitóse éste (un juez catalán), lanzando apagados gemidos, las botas y se puso las zapatillas, colocó el sombrero de castor sobre la rejilla y se encasquetó una gorra de paño...» [43].

Viajar era, todavía, un cambio en la vida.

Si el transporte por tierra iba perfeccionándose, lo mismo le ocurría al marítimo. He aquí, por ejemplo, la corbeta de vapor *Reina Amalia,* de la Real Compañía del Guadalquivir. Le puede llevar desde Cádiz a Barcelona, y las condiciones, según su anuncio, son las siguientes:

«Cámara de popa, doscientos reales; la de proa, ciento cuarenta reales, y pasaje de cubierta, cien.

Hay cuarenta y ocho camas, veintidós en la cámara grande de popa, doce en el gabinete de señoras y catorce en la cámara de proa. Las cuales ocuparán los pasajeros por el orden de antigüedad de sus respectivos embarques, que se inferirá por la numeración de los billetes.»

Hay repostería decentemente surtida, en donde se dará de comer a los viajeros a precios equitativos de arancel» [44].

Si de Cádiz a Barcelona le parece poco, puede usted ir años más tarde en un vapor que va con ruedas y lleva nada menos que al Japón, con escalas en Yokohama, Kobé y Marsella. Admite carta a flete «y pasajeros que recibirán un esmeradísimo trato». La primera clase cuesta 7.600 reales; la segunda, 5.700, y la tercera, 3.400 [45].

CORREOS

Todos los medios de transporte que hemos reseñado se dedican, además de llevar pasajeros, y como es lógico, al envío de la correspondencia. Este servicio no parece haber sido perfecto a lo largo de ia centuria; el hecho de que apareciese este anuncio en 1825 indica que, al menos entonces, había mucha gente que no gustaba de confiar a manos extrañas sus papeles.

«En la calle de Toledo, números 5 y 6, darán razón del famoso andarín de la calle de Peregrinos; a cualquier sujeto que se le ofrezca remitir algunos documentos a alguna parte del Reino, éste desempeñará cuantos asuntos le encarguen con la exactitud que tiene acreditada en esta corte; anda de 18 a 20 leguas diarias» [46].

Larra nos cuenta también de un sacerdote catalán al cual otro andaluz le debía una peseta; no fiándose de los correos para que se la remitiera, adoptó la solución, si heterodoxa ingeniosa, de retirar una peseta del cepillo de las ánimas de su iglesia, escribiendo a su acreedor procediera a depositar la misma cantidad en el cepillo de la suya.

Las guerras civiles, con el corte de caminos y el asalto a la correspondencia, amén de alguna censura, hicieron lento durante la primera mitad del siglo el envío de cartas. Esta publicada en Madrid nos lo demuestra:

«Su apreciable carta de usted, escrita en diciembre de 1842, me la ha entregado el cartero en marzo de 1843... Traía el sobrescrito por detrás, y delante tres o cuatro sellos de cajas, administraciones, provincias y reinos diferentes. También daba indicios de haber sido abierta cuatro o cinco veces y vuelta a cerrar otras tantas, ya con lacre, ya con oblea, con cera, con hostia, con cola y con pan mascado» [47].

«LA VAQUILLA»

CORRIDA EN UN PUEBLO

MAJAS EN EL BALCÓN

BIBLIOGRAFIA DEL CAPITULO XI

1. Villegas, J. M.: *Coches. Los españoles vistos por sí mismos.* Ob. cit.
2. Larra, M. J. de: *No más mostrador.* Madrid, 1831. Acto II, esc. I. Madrid, 1851, pág. 138.
3. Alarcón, P. A. de: *El Capitán Veneno.* Parte IV, cap. III. Madrid, 1852.
4. Ib.: *El Escándalo.* Cap. I, pág. 1.
5. Pérez Galdós, B.: *Fortunata y Jacinta.* Ob. comp., pág. 1111.
6. Tamayo y Baus: *Lo positivo.* Madrid, 1862. Acto II, esc. IV.
7. *Diario Oficial de Avisos de Madrid.* 5 de enero de 1825.
8. Coloma, P. Luis: *Pequeñeces.* Ob. cit., p. 1, pág. 81. Ref. 1872.
9. *Fandango, El:* 15 de junio de 1845.
10. Palacio Valdés, A.: *Riverita.* Tomo I, págs. 49 y ss.
11. *Diario Oficial de Avisos de Madrid.* 6 de diciembre de 1860.
12. *Fandango, El:* 15 de julio de 1845.
13. Larra, M. J. de: *¿Entre qué gentes estamos?* Artículos de Costumbres. Volumen I.
14. *Semanario Pintoresco Español, El:* Madrid, 3 de abril de 1836.
15. *Siglo Ilustrado, El:* Revista. Madrid, 21 de octubre de 1867.
16. Vega, Ventura de la: *A muerte o a vida.* Barcelona, 1895. Tomo II. Acto III, esc. III.
17. Romano, César: *Un protector del bello sexo.* Est. 1853. Edición Madrid, 1863. Acto I, escenas II y III.
18. Sepúlveda, E.: *La vida en Madrid.* Ob. cit., pág. 208. Ref. 1866.
19. Zorrilla, J.: *Recuerdos del tiempo viejo.* Madrid, 1882.
20. Inglis, Henry: *Spain in 1830.* London, 1831. Vol. I, pág. 45.
21. Inglis: Op. cit. Vol. I, págs. 5, 45 y 63. Vol. II, pág. 3.
22. Flores, A.: *Ayer, hoy y mañana.* Ob. cit., pág. 181, 2.º vol.
23. Larra, M. J. de: *La Diligencia.* 1835. Arts. de Cost. Madrid, 1923.
24. Auset, A.: *Mayoral de Diligencia. Los Españoles vistos por sí mismos.* Madrid, 1851. Pág. 254.
25. Debrowski, Ch.: *Deux ans en Spagne et Portugal pendant la guerre civile.* París, 1841.
26. Hay, John: *Castilian Days.* Boston, 1871, pág. 65.
27. Gautier, T.: *Voyage en Espagne.* París, 1840.
28. Nombela, J.: *Impresiones y recuerdos.* Madrid, 1909.
29. Debrowsky, Ch.: *Deux ans en Espagne et Portugal...* Ob. cit.
30. Inglis: *Spain in 1830.* Ob. cit., vol. I, pág. 55; vol. II, pág. 149.
31. Gorostiza, Pedro de: *El Desconfiado.* Madrid, 1837. Acto I, esc. III.
32. De la Fuente, V.: *Posadera. Los españoles vistos por sí mismos.* Madrid, 1851. Pág. 297.
33. Tamayo y Baus: *Huyendo del perejil.* Acto I, esc. I. Madrid, 1853.
34. *Moeurs et Usages d'Espagne.* Biblioteque Universelle de Gènève. IV section; vol. XIV; 1850.

35 Didier, Ch.: *Une annèe en Espagne*. París...
36 Campillo, Narciso: *El bandolerismo. La España del siglo XIX*. Madrid, 1887, pág. 566.
37 Nombela, J.: *Impresiones y recuerdos*. Madrid, 1909. Vol. III, pág. 284.
38 Flores: *Ayer, hoy y mañana*. Ob. cit., vol. II, pág. 187.
39 Ruiz Aguilera, V.: *El Libro de la Patria*. Madrid, 1869. Pág. 28.
40 Campoamor, R. de: *El Tren Expreso*. «Los pequeños poemas». M. 1872. Poesías. Madrid, 1929.
41 López de Ayala, A.: *Consuelo*. 1878. Acto I, esc. IX.
42 Bonomelli, Mons. Geremía: *Un autumno in occidente*. Milano, 1907. Ref. 1897.
43 Palacio Valdés, A.: *La Hermana San Sulpicio*. Madrid, 1889. Pág. 3.
44 *Diario de Madrid*. 3 de enero de 1825.
45 *Diario Oficial de Avisos de Madrid*. 7 de julio de 1872.
46 *Diario de Avisos de Madrid*. 28 de abril de 1825.
47 *Museo de las Familias*. Periódico mensual. Madrid, 1843. Pág. 80.

XII

CRIANZA, EDUCACION, CULTURA

Una de las cosas que demuestran más claramente que el XIX es el hijo más o menos emancipado, pero siempre legítimo y natural del XVIII, es la diferencia que hay en él, como en el de su padre, entre la teoría y la práctica. Viendo los esfuerzos de pocos e ilustres cerebros para cambiar al país, y la lenta parsimoniedad con que el país cambiaba, puede acordarse un aplauso para quienes tan a contrapelo se empeñaban en hacer felices a sus paisanos.

Tomemos el cuidado de los niños, por ejemplo. A lo largo de la centuria, las madres los han fajado estrechamente cuando nacen a fin de que no «salgan torcidos» y, sin embargo, a principios de siglo ya había voces contra esta costumbre.

«La esclavitud física en que ponemos a los niños desde que nacen... Estos lienzos con que los apretamos tan cruelmente, influyen en extremo sobre su carácter y sobre su salud... Hay madres tan alucinadas o escasas de talento, que creen que en todo el mundo habitado se empaquetan así a los niños... (no saben que los extranjeros se indignarían si supiesen que existía un pueblo que apretase a estas criaturas débiles del mismo modo que se ata y aprieta un manojo de tabaco)» [1].

La advertencia cayó en saco roto, como caería la de no usar corsés, que eran antihigiénicos y deformaban. De la misma manera, los periodistas y autores de libros de la centuria se esforzaron inútilmente en que las madres diesen de mamar a sus propios hijos. A pesar de sus advertencias, la señora elegante confiaba sus hijos desde el principio a una ama de cría lujosamente vestida y que en la casa era persona principalísima, muy bien alimentada y llevando regalos por todo, por cada movimiento del niño, aparición de la palabra o dentición. Las madres se desinteresaban.

«¿Qué se diría—pregunta un periódico—si una dama del gran

mundo se presentaba en una reunión, en un *té dansant,* por ejemplo, seguida de la niñera portadora de la criatura, y que a lo mejor exclamara: Con permiso de ustedes, voy a dar de mamar a mi hijo?»

El ridículo caería sobre esta buena madre, y sus cuidados maternales serían objeto de chistosísimos epigramas y se la declararía inhabilitada para alternar con las gentes de tono en tanto que no destetara a la criatura» [2].

Declaremos al niño, más o menos maternalmente criado, de edad suficiente para jugar y para ir al colegio. En cuanto a lo primero, los juegos serán siempre los mismos para toda la centuria más o menos. Así el aro, la cuerda, la peonza, el trompo, el peón, las cuatro esquinas, el gato y la rata en círculo, el escondite. Ha dejado de jugarse hoy al volante, media esfera de corcho con ocho a diez plumas de colores arrojadas de un lado a otro por palas llamadas raquetas, forradas por un lado de pergamino y por el otro de muelle con cuerdas [3].

En el problema del colegio los españoles vuelven a dividirse, ¿cuándo no?, desde principios de siglo, y de nuevo insistimos por la influencia del gran siglo educador que fué el XVIII; circulaba en España difusamente la idea y el proyecto de terminar con los antiguos métodos de enseñanza. El nombre del pedagogo Pestalozzi era repetido con admiración, y bajo su patrocinio moral el privado Godoy organizó un colegio. Se llamaba Institución Real Pestalozziana, y tuvo desde el primer momento grandes elementos económicos, confiándose a la dirección del coronel D. Francisco Amorós. Estaba en la calle del Pez, y Mesonero Romanos recuerda que a la llegada de su creador, Godoy, los alumnos le recibían cantando en honor de la nueva, casi revolucionaria, institución moral, intelectual y física traída de Suiza, el viejo estribillo escolar:

«Viva, viva, viva
nuestro protector,
de la infancia padre,
de la patria honor
y del Instituto
noble creador» [4].

La idea de levantar al país hacia el progreso y la libertad, que siguió al absolutismo, daba gran importancia a la cultura. En el trienio 20-23 primero, y luego en los últimos años, más liberales, de Fernando VII, y tras su muerte, se hicieron grandes avances en la cultura española. En 1822 se crea la Dirección General de Estudios, derivada de la Universidad Central, que todavía no surgió pero que bastó a ampliar los antiguos Estudios de San Isidro y el Seminario de Nobles. Se creó también la Academia Nacional, a imitación del Instituto de Francia, con tres secciones: Ciencias Morales y Políticas, Físicas y Naturales, Literatura y Bellas Artes.

En 1830, Inglis encuentra en España una cultura superior a lo que esperaba y elogia la protección del Estado. Visita las Bibliotecas del Real Instituto de San Isidro, con 60.000 volúmenes; la Real Biblioteca, con 200.000, y la del Duque de Medinaceli, que este prócer ha abierto al público. Señala que el Estado manda becarios al extranjero, y que uno de éstos, enviado a Londres a estudiar el dorado de bronces, cobró 18.000 reales. Asimismo el inglés comenta la excelencia del Diccionario Geográfico de la Academia de la Historia, y la Gramática y Ortografía que hiciera la Academia Española [5].

Estas gestiones, como se ve, eran puramente dieciochescas, en el sentido que el Estado, considerado como padre y protector, era el encargado de subvenir a las necesidades espirituales de sus discípulos. Pero que había algo subterráneo, un anhelo de cultura general debido a la difusión cada vez mayor del periódico y la cultura, se demostró cuando el Estado, a pesar de sus buenas intenciones, quedó tan absorbido por las guerras civiles y problemas políticos que no pudo llevar adelante sus proyectos. Entonces—señala un observador francés—, en 1838, se formó una sociedad para mejor propagar y mejorar la educación popular. Entre los donativos y veinte reales anuales que pagan las madres, esta sociedad fundó en Madrid escuelas para setecientos niños. La mitad tenían enseñanza gratuita. Había en la institución métodos cuidados e inteligentes. La rutina fué expulsada... El creador de todo ello fué Mateo Seoane» [6]

Lo que desde luego se consiguió fué que no ser analfabeto fuese una necesidad, mientras antes era casi un lujo. El monstruo de la política, al lado de sus muchos defectos, obligó con su proliferación de periódicos de partido a que la gente se interesase por la letra impresa. El estilo del anuncio, que sigue perteneciente a una academia privada, es un canto al nuevo estado de cosas; obsérvese cuanto hay todavía de sensibilidad dieciochesca en esos maestros que no quieren dar su nombre a la publicidad...

«El Director de la Academia de idioma español, francés e inglés, giro, partida doble, dibujo y formación de letra inglesa, abre un curso... (se busca) la sólida instrucción cuya base son la correcta pronunciación, la ortografía y la sintaxis, puntos descuidados en la mayor parte de los llamados profesores, como lo acreditan los vicios que padecen los que han frecuentado otras academias y algunas regentadas por franceses, que ignorando nuestro idioma y genio hacen imperfecta su instrucción... Lo que dicho director podrá asegurar es que los profesores que están al frente son sujetos en quienes residen todas las circunstancias precisas e indispensables para llamarse maestros; siendo tal su delicadeza que no han permitido haga públicos sus nombres, pues si lo verificase no duda que muchos abandonarían a sus maestros, y sólo se contentan y creen estar recompensados con el aprecio que reciben de sus alumnos e interés que toman en rectificar más y más su justa opinión» [7].

En el otro lado, el opuesto de quienes esperaban en algo mejor fuera propaganda o real deseo, las escuelas del Estado agonizaban víctimas de la incuria en que les dejaba un Gobierno aplicado exclusivamente a la política. Véase el tétrico cuadro que nos da Pérez Galdós, fechándolo en 1863:

«... local de la escuela, cuyas puertas se abrían a las ocho en verano y a las nueve en invierno.

»...La clase duraba horas y más horas... Nunca se vió más antipática pesadilla, formada de horripilantes aberraciones de Aritmética, Gramática o Historia Sagrada, de números ensartados, de cláusulas rotas. Sobre el eje del fastidio giraban los graves problemas de sintaxis, la regla de tres, los hijos de Jacob, todo confundido en el común matiz del dolor, todo teñido de repugnancias, trazado a modo de espirales que corrían premiosas, ásperas, gemebundas...

»...En la cavidad ancha, triste, pesada, jaquecosa de la escuela se veían cuadros terroríficos: allá un Nazareno puesto en cruz; allí dos o tres mártires de rodillas, con los calzones rotos; a esta parte, otro condenado pálido, cadavérico, todo lleno de congojas y trasudores, porque se le había atragantado una suma; más lejos, otro con un cachirulo de papel en la cabeza y orejas de burro, porque sin querer se había comido una definición... Los números y las rayas trazadas en los encerados daban frío, y mareaban los grandes letreros y las máximas morales escritas en carteles. Las negras carpetas, al abrirse, bostezaban, y los tinteros, ávidos de manchar, hacían todo lo posible por encontrar ocasión de volcarse... Daba grima ver tanto dedo torpe y rígido agarrando una pluma para trazar palotes que más se torcían cuando mayor era el empeño en enderezarlos... Restallaban mejillas sacudidas por carnosa mano. Los pellizcos no cesaban, y a cada segundo se oía un «¡ay!». Se confundían las voces de *bruto, acémila,* con lamentos, las protestas y el lastimoso y terrorífico *«yo no he sido».* La palmeta iba cayendo de mano en mano, incansable, celosa de su misión educatriz, aporreando sin piedad a todo el que cogía... Y como auxilares de aquel docto instrumento, una caña, y, a veces, flexible vara de mimbre sacudían el polvo.»

«... Salvo las contadas ocasiones en que se veía cruzar por el aire una mosca con rabo de papel, sucediendo a esto la algazara propia del caso, el aburrimiento llenaba las horas de la clase, aquellas horas que avanzaban arrastrándose como las babosas sobre una peña. Los miembros se entumecían y no había fuerza humana capaz de impedir las patadas, los desperezos, el acostar la cabeza sobre los brazos cruzados, el cuchicheo, la inquietud...» [8].

LA EDUCACIÓN FEMENINA

Si la educación masculina, como se ha visto, a pesar de algunos admirables esfuerzos, dejaba mucho que desear en el conjunto, la de las mujeres se podía considerar prácticamente inexistente. Sobre todo las letras estaban muy abandonadas, porque se trataba sólo de darlas una enseñanza práctica y del hogar. Refiriéndose a 1855, Nombela nos hace notar que...

«Las mujeres de aquella época enseñaban a sus hijas a ser mujeres de su casa. Cuando tenía dos o tres en edad de poder dedicarse a los quehaceres domésticos, distribuían entre ellas el trabajo: una tenía a su cargo la inspección de la cocina y del lavado, otra se ocupaba del repaso de la ropa y el planchado. Alternaban en estas faenas bajo la dirección de la madre, y en ocasiones no se limitaban a vigilar... sino guisaban, lavaban, barrían, planchaban y cosían... porque una criada «para todo» solía bastar a las familias que podían llamarse acomodadas.»

Pasar de escribir y contar era gollería para muchachas de clase media. Las ricas, en cambio...

«Había señoritas que por nada del mundo entraban en la cocina... juzgándose perfectamente educadas porque tocaban una polka o un vals en el piano, bordaban un perro de aguas en cañamazo o pintaban a la acuarela un ramito de flores» [9].

EL INFLUJO FRANCÉS

El influjo francés— no en balde se escribió en ese idioma el «Emilio o de la educación»—se manifestó poderosamente en lo que se refiere a la materia que tratamos. En ese aspecto privó la moda, sobre todo entre los exilados a su vuelta a España, de traer nuevas costumbres pedagógicas a aplicar en la misma familia con los pequeños. En resumen, el nuevo estilo consistía en suprimir diferencias entre padres e hijos, obligando a una mayor intimidad, dando al cariño lo que perdía el respeto. El *pater familias,* que a pesar de los aires renovadores del XVIII seguía gobernando el hogar con mano afectuosa pero dura, debía dar paso a un hombre comprensivo y amplio. Para Fernán Caballero mucha de esa transformación iba inherente en el cambio de trato. Veamos la diferencia entre lo viejo y lo nuevo a través de sus líneas:

«—Mamá, dame un bizcocho—dijo en media lengua el niño.

—¿Qué significa eso de tutear a su madre, señor renacuajo?— dijo el general—. Se dice: madre, ¿quiere usted hacerme el favor de darme un bizcocho?

—...Pero, tío—le dijo la condesa—yo quiero que mis hijos me tuteen.

—¡Cómo, sobrina!—exclamó el general—. ¿También quieres tú entrar en esa moda que nos ha venido de Francia, como todas las que corrompen las costumbres?

—¿Conque el tuteo entre padres e hijos corrompe las costumbres?

—Sí, sobrina; como todo lo que contribuye a disminuir el respeto, sea lo que fuere... El tuteo que pone en un pie de igualdad que no debe existir entre padres e hijos, no hay duda que disminuye el respeto... Dicen que aumenta el cariño; no lo creo» [10].

El militar ha hablado como corresponde a una persona tradicional apegada a la vieja escuela. Y obsérvese como comprobación ulterior del «usted» utilizado como riña y del que hemos hablado anteriormente, que al dirigirse al niño reconviniéndole por usar mal el «tú», él, lógicamente, emplea mal el «usted».

Unas líneas más probarán como la confianza en la familia, en la mesa, como reacción ante los exagerados miramientos anteriores se unían al espíritu importado, incluso empleando la lengua.

«El hijo de un castellano que de padres a hijos conservaba en su casa las costumbres de tiempo del Cid, volvió a ella de la Universidad de Salamanca con otras muy diversas; sin rezar se sentó a la mesa diciendo: «Sans façons»; vino la sopa y sin hacer caso de sus padres sirvióse de ella bajo la salvaguardia de «sans ceremonie», y del cocido... apelando al usado «sans compeiment»..., mas el padre, justamente amostazado, le dijo: Hijo mío, traes de los estudios unos santos desconocidos en mi calendario. Destiérralos para siempre de tu memoria y devoción y no te estará mal evitar mi enojo» [11].

Volvamos a usar al impagable Larra para que nos acabe de explicar esta encarnizada lucha entre lo que se llevaba en sociedad y lo que la tradición mandaba, aplicada a la educación moral que los hijos deben recibir. Aún burlándose de ambas exageraciones, Larra se nos muestra aquí un poco tradicional, un poco más en la línea de «En este país...» que en «El Castellano Viejo». Porque aunque al principio ironiza suavemente sobre lo antiguo... (su hermana había tenido...»).

«Aquella educación que se daba en España no hace medio siglo, es decir, que en casa se rezaba diariamente el rosario, se leía la vida del santo, se oía misa todos los días, se trabajaba los de labor, se paseaba sólo las tardes de los de quedar, se velaba hasta las diez, se estrenaba vestido el domingo de ramos, se cuidaba de que no anduvieran las niñas balconeando y andaba siempre señor padre que entonces no se llamaba «papá» con la mano más besada que reliquia vieja y registrando los rincones de la casa temeroso de que la muchacha... no hubiese nunca a las manos ningún libro de los prohibidos ni menos aquellas novelas que, como solía decir, a pretexto de inclinar a la virtud enseñan desnudo el vicio.»

La invasión francesa lo cambió todo. Si muchos se hicieron más reaccionarios, otros, aún combatiendo, se dejaban llevar por el son de la música de ultrapirineos. No hablemos ya de los que se quedaron en Madrid absolutamente afrancesados...

«Vinieron los franceses y como aquella buena o mala educación no estribaba en principios ciertos sino en la rutina y opresión doméstica de aquellos terribles padres del siglo pasado, no fué necesaria mucha comunicación con algunos oficiales de la guardia imperial para echar de ver que aquel modo de vivir no era el más divertido».

Su hermana se casa con un oficial francés y le sigue en la retirada. Muerto el marido vuelve a España completamente cambiada. De un extremo, señala Fígaro, salta al otro:

«Pasó del Año Cristiano a Pigault Lebrun * y se dejó de misas y devociones sin saber más ahora por que las dejaba que antes por que las tenía... Dijo que el muchacho (su hijo) se había de educar como convenía..., que podía leer sin orden ni método cuanto libro le viniese a las manos y... que la religión era convención social en que sólo los tontos entraban de buena fe y de la cual el muchacho no necesitaba para mantenerse bueno; que «padre» y «madre» eran cosas de brutos y que a «papá» y a «mamá» se les debía tratar de

---

* Novelista francés del género frívolo, muy en boga en la época.

tú, porque no hay amistad que iguale a la que une los padres a los hijos» [12].

No sólo nos hallamos ya con una sátira mucho más fuerte que la que ha planteado en el caso del tradicionalismo tomando posición declarada—él, el hombre que busca el equilibrio entre Africa y Europa—, a favor de la primera, llámase España tradicional, o respecto al anciano, si no que, además, en la segunda parte de su narración, carga las tintas del educado con libertad casi rusoniana, hasta convertirle en un anarquista intelectual. Sin freno de ninguna clase toma del mundo lo que cree conveniente y acaba, desesperado y engañado por su esposa, en el suicidio. Larra aquí, pues, se ha declarado a sí mismo partidario de la guerra civil. Está por la educación clásica, por la superioridad del padre sobre el hijo, mundos relativamente alejados, pero sin exageraciones. Una autoridad templada por la razón en suma.

UNIVERSIDAD Y ESTUDIANTES

En el siglo que comentamos la Universidad hace un esfuerzo para romper las cadenas de la tradición que la tenía sólidamente sujeta y emprender una nueva vida. Las contiendas políticas de la época con los estudiantes, siempre a la vanguardia de los motines y de las revoluciones, no ayudan a que el Estado las mire benévolamente. Sin embargo, poco a poco, la cultura se va europeizando.

Podemos fijar el cambio del sistema en los años de 1830 a 1840. En la primera fecha un escritor británico, Inglis, ya comentado varias veces, visita la península y estudia algunos aspectos de las universidades. Por él sabemos que en Valencia, para llegar a ser abogado, se necesita trece años desde la primera enseñanza, que es pesado, pero no es caro, que hay dos mil quinientos estudiantes matriculados en la Universidad, lo cual es un buen número teniendo en cuenta que Valencia contaría entonces pocos millares de habitantes. Los abogados antes de obtener título deben jurar defender gratuitamente a los pobres y por pobres se entienden los que no ganen más de cuatro mil reales anuales.

El choque entre lo antiguo y lo moderno está claro en su exposición. Yendo a Valencia encuentra un estudiante encaminándose al mismo lugar para empezar los estudios; lleva capa parda y un hatillo con libros y provisiones. ¿Estamos en el siglo XIX o entre los personajes del Buscón o del Quijote? Pero aún hay más detalles para encontrar de nuevo al viejo tipo de estudiante español. Muchos van todavía a pedir la sopa a los conventos al mediodía. Es decir, son los «sopistas» de vieja tradición española. Y además las clases se dan como en el siglo XVI, en latín. Pero, por otro lado, el viajero se asombra de lo adelantado que está el sistema pedagógico en la Universidad de Valencia. He aquí la clase de Arte, por ejemplo, donde—en la vieja y púdica España—se dibuja del natural con dos hombres desnudos. Y además, nota con cierta ingenuidad Inglis, *desde diversos ángulos,* lo que da una variedad a los distintos trabajos (?) [13].

Otro escritor francés, Didier, dice que el estudiante español del XIX tiene la misma miseria y las mismas libres costumbres que su antecesor del XVI. Siempre el alto sombrero y la ancha capa que esconde secretos que no es prudente descubrir, porque el desorden y la suciedad son elementos necesarios a la juventud universitaria. «Un estudiante que no vaya roto—dice—no vale nada» [14].

El golpe mayor dado a la juventud universitaria fué la abolición del traje típico. Ya vimos a Zorrilla en sus recuerdos insistiendo en el mal efecto que causó esta medida en la juventud de las aulas. Con el manteo y el tricornio—dice el poeta—, todos se uniformaban y los ricos valían tanto como los pobres. Y roto y manchado ya hemos visto que no era deshonra y así existía una auténtica solidaridad. Cuando hubo libertad de llevar traje corriente se empezó a notar la diferencia social y con ello la desconfianza y el recelo sucedieron a la antigua hermandad universitaria. No ha habido medida más mala, recuerda nostálgicamente Zorrilla que tanto se divirtió de estudiante. Pero Debrowski no es de la misma opinión:

«A pesar de la supresión de su capa y las numerosas modificaciones hechas por los cristianos al código universitario, (el estudiante) no difiere sensiblemente de lo que era en tiempos de Gil Blas...»

Pero sí había alguna diferencia. Por ejemplo, la política del tiempo trata de terminar con los conventos refugio de muchos estudiantes hambrientos.

«...Los desgraciados... a los cuales ha quedado el mote de sopistas, aunque no quedan monjes que hagan su distribución diaria..., se ofrecen a cuidar las cosas de sus camaradas más ricos, obteniendo a cambio un puesto a su mesa y algún dinero para comprar libros, sin que por ello la fraternidad existente entre camaradas sufra; Mecenas y protegidos se tutean y se tratan con la igualdad más absoluta. Llega la época de la vacaciones y los sopistas o quienes gustan de aventura cogen guitarras y van en pequeños grupos a hacer como vagabundos la tournée de la provincia, lo que en estilo estudiantil se llama «correr la tuna». Sus estatutos prohiben tener fondos y los estudiantes se presentan al cura, alcalde, boticario, barbero, que les ofrecen casa y mesa. El dinero recogido es conservado por un cajero y sirve después para pagar los derechos de matrícula y diplomas de los estudiantes necesitados»[15].

Aunque Debrowski sostenga que el viejo espíritu continuaba, evidentemente estaba herido de muerte. Con la abolición del uniforme y la entrada de la política en la Universidad, el estudiante español deja de considerarse en una colectividad cerrada al extraño, con espíritu de solidaridad y defensa del compañero ante la policía para formar en las distintas banderías políticas. Lafuente señala que el último gran golpe para la Universidad antigua fué llevarla a las grandes capitales donde la universidad se disuelve y muere, en lugar de mantenerla en las pequeñas ciudades de provincia donde constituía el centro de la atención y la vida[16].

Y pongamos como resumen del estudiante necesitado español, pero lleno de vida y humor, dispuesto a todo para salir adelante en sus estudios, ese anuncio:

«Sirvientes: Un joven de veintiún años, instruído en leer, escribir, contar, gramática latina y filosofía, y también sabe afeitar bien, desea colocarse en clase de ayuda de cámara de algún caballero o señora o director de algunos niños; aunque no se le agracie con otra cosa que la subsistencia, siempre que se le permitan dos horas expeditas para la asistencia a su clase en el Colegio de Cirugía Médica de San Carlos; tiene personas que abonen su conducta»[17].

Latino, filósofo, barbero, próximo cirujano. Todavía está aquí toda la clásica estampa del estudiante español, pícaro u honrado, pero siempre bregando por la vida.

LA REUNIÓN LITERARIA

Ya hemos visto en la tertulia cómo a menudo se convertía en literaria, muestra del aprecio que iban obteniendo las letras; el escritor, como en el caso Nombela, constituía la máxima atracción. Vimos también a Larra quejándose del martirio a que está expuesto un literato firmando álbums de señoritas. Todo ello nos ha indicado ya el favor que en el público tiene el escritor, pero este éxito obedece sobre todo a dos grandes instituciones que en el Madrid del xix le dieron un renombre, una resonancia.

Estos fueron el *Ateneo* y el *Liceo.* El primero fué organizado en 1835, el segundo en 1837. Ambos «no solo produjeron enseñanzas útiles en las ciencias política, artística, literaria, no solo dieron por resultados adelantos especiales en todos los ramos del saber, sino que presentadas con aparato y magnificencia singulares en suntuosos salones frecuentados por lo más escogido e ilustrado de la sociedad, excitaron el entusiasmo público y realzaron la condición del hombre estudioso, del literato, del artista, ofreciéndole a la vista de aquel (público) con su aureola de gloria, con sus frescos laureles en la frente, su doctrina en el labio y en la mano su libro o el pincel».

No faltaba casi nadie de importancia en estas reuniones, o sea, que los escritores prestigiaban y eran prestigiados a su vez. En la primera sesión del Ateneo intervineron:

«Quintana, Gallego, Espronceda, Bretón de los Herreros, Madrazo (pintor), Latorre (actor), Romea (actor)..., Donoso Cortés, Lista, etcétera.

La casa del Liceo Fernández de la Vega atrae a artistas y a literatos todos los jueves. Van Espronceda, Esquivel (pintor), Gallego, Escosura, Zorrilla. El Liceo artístico y literario pasa luego al Palacio de los Duques de Villahermosa. Se establecen en esas reuniones competencias artísticas en verso y prosa. Acuden también las representantes femeninas de la escultura española, las señoritas Carolina Coronado y Fernández de Avellaneda» [18].

Cuando el español empieza a reunirse para hablar de literatura no le basta un palacio o un ateneo, una casa particular o un café. Tiene que hacerlo también en algún lugar cerrado y abierto al mismo tiempo, como el de la barbería que vimos centro de conversación. El español forma su tertulia literaria en la librería. Y Mesonero Romanos nos la describe lamentándose de que la cultura siga albergándose en feos lugares a pesar de la moda que ha adquirido.

«Cuando veo un hermoso mostrador..., buena luz..., etc., etc., es una tienda de guantes o una confitería.

»...Empero cuando vean un menguado recinto... abierto y ventilado por todas sus coyunturas, cubiertas las paredes de unos andamios bajo la forma de estantería y en ella fabricada una segunda pared de volúmenes de todos gustos y dimensiones..., siempre que vean este recinto... cortado... por un menguado mostrador de pino sin disfraz..., varias hojas impresas a medio plegar..., un pequeño nicho en forma de altar con una estampa de San Casiano, patrón de los hombres de Letras...»

Como se ve se parece mucho a la barbería citada páginas atrás. Según M. R. el dueño de la librería, que además era encuadernador, no compartía el entusiasmo por la literatura, limitándose a ser un negociante más:

«Ocupado sin cesar en sus mecánicas tareas, plegando calendarios o dando a los cartones una mano de engrudo, escucha con in-

diferencia las interesantes polémicas de los abonados concurrentes
(todos por supuesto literatos) que ocupan constantemente los mal seguros bancos extramuros del mostrador; los cuales literatos cuando
alguien entra a pedir un libro, le glosan y le comentan, y dicen que
no vale gran cosa, y después de juzgado a su sabor, le piden prestado al librero un ejemplar para leerle. Y mientras tanto hojean un
periódico y mascan y muerden a su sabor al artículo de fondo, y
luego la pegan con la comedia nueva y hacen una disección anató-
mica de ella y de su autor... hasta que dan las dos, hora en que el
librero... les invita a comer... que es lo mismo que decirles que se
vayan a la calle» [19].

Y así lo hacen sin perjuicio de volver después a la tarde y hasta
la noche. A primera vista no parece que estos aficionados a la literatura que hablan de ella por hablar, que critican un libro sin haberlo
leído y que, por fin, lo piden prestado en lugar de comprarlo, puedan
ayudar eficazmente a la causa de la cultura o al menos a la del escritor. Y sin embargo lo hacen. Con sus comentarios, con sus conversaciones, haciendo tema de su vida la personalidad de los literatos dan a estos una importancia que jamás habían tenido entonces.
Ser un escritor adquiere una categoría y la gente que no le lee no
deja por ello de admirarlo.

«La literatura—insiste M. R.—se pone de moda. En cafés y tertulias era asunto de todas las conversaciones el drama en boga y se
formaban bandas en pro o en contra del protagonista de la pieza
aplaudida; en los cuerpos de guardia entre escaramuza y escaramuza, se recitaba y comentaba la poesía recién publicada; la dama en-
copetada dolíase de los infortunios del caballero Manrique mientras
su humilde camarera cantaba las desdichas del triste Chactas; el lechuguino y el menestral, la señorita y la modista, peinaban luengas
y ensortijadas guedejas «a la romana» encuadrando rostros pálidos
de mirada lánguida, revelación externa de un alma romantizada» [20].

EL ESCRITOR EMPLEADO

Si la admiración que despierta no le da tangiblemente para vivir,
sí en cambio, para considerársele merecedor de vivir aunque sea en
otro ambiente. Y así nace curiosamente el mecenazgo del Estado
dando cargos administrativos a quienes nacieron para soñar.

Dejemos que nos lo explique el mismo Mesonero Romanos:

«En el último tercio del siglo anterior... una feliz casualidad hizo que hombres colocados en altas posiciones fueran los primeros en

cultivarlas (letras) y de este modo (éstas) se ofrecieron al público con más brillo y consideración. Luzán, Jovellanos, Forner, Cadalso, etcetera.

«Empero de un extremo se vino a caer en el opuesto; los jóvenes se hicieron literatos para ser políticos, unos cultivaron las musas para explicar las Pandectas, otros se hicieron críticos para pretender un empleo, cuales consiguieron un beneficio eclesiástico a premio de una comedia, cuales. (dieron)... un tomo de anacreónticas por una toga o una embajada. De aquí las singulares anomalías que vemos diariamente... ¿Fulano escribió una letrilla satírica? Excelente sujeto para intendente de Rentas. ¿Zutano compuso un drama romántico o un clásico epitalamio? Preciso es recompensarle con una plaza en la Amortización· Aquel que hace buenas novelas: a formar una estadística en una provincia. El que escribía un folletín de teatros, a representar al gobierno español en el extranjero» [21].

No se puede decir que fuera justo, pero evidentemente demostraba que existía una protección a la cultura; no pudiendo obligarse a los españoles a leer y a comprar las obras de los genios se les daba a éstos un puesto donde comer y desde el cual seguir produciendo. El puesto estaba mal cubierto, claro, pero la cultura se salvaba.

' GUSTOS LITERARIOS. LIBROS

El culto al escritor estaba muy por encima del culto al libro. Quiero decir con ello que de la misma manera que hemos visto a la gente admitir encantada en su tertulia al escritor y al gobierno premiarle con cargos, en cambio los libros no se vendían como esta afición parece indicar. Tampoco se imprimían demasiados. Inglis nos cuenta que después de los tres años de libertad explosiva a que nos hemos referido ya, desde 1820 a 1823 y en los que aparecieron gran número de ellos, no había habido una producción de libros alta. El habla en 1830 y sostiene que es difícil obtener permiso de la Censura para publicar libros aunque éstos no sean políticos. Y no sólo esto, sino que, a menudo, después de publicada la obra, es retirada por la misma censura, que se arrepiente de haber concedido el permiso.

Esto nos explica una organización típica de la vida literaria española de la época; las novelas por entregas y suscripción. Es decir, que los editores, ante el temor de perder el dinero puesto en la edición completa de una obra, lanzaba ésta por números sueltos y tras previo acuerdo con los suscriptores, con lo cual aseguraba la edición y no se imprimía más hasta que estaba colocado el número último. Al llegar tiempos de mayor libertad la gente siguió comprando por entregas, como veremos más adelante, porque resultaba más económico—como hoy las obras a plazos—y estaba acostumbrado a ello.

El mismo escritor inglés hizo una visita a las principales librerías para ver cuáles eran las obras que más se vendían. Su índice nos da una idea de los gustos de la época. La mayor parte de los libros que se leen están traducidos del francés y del inglés, pero hay algunas excepciones. Por ejemplo, lo tradicional de España sigue manifestándose en la venta de gran número de Vidas de Santos y de libros de Historia de España y obras dramáticas del XVI y XVII. Este renovado amor al teatro español clásico es un buen resultado del esfuerzo romántico, especialmente de Hartzenbusch y Durán, para lograr el éxito de obras de Lope y Calderón, tan injustamente tratadas por los neoclasicistas del siglo XVIII. Inglis nota, además, un entusiasmo por dos obras que han sido siempre populares: El «Don Quijote» y el «Gil Blas de Santillana». Por cierto, que en el caso de esta última obra estaba en pleno apogeo la teoría de considerarlo servil imitación, mejor robo de un original español hecho por el francés, y el título del ejemplar que Inglis encontró rezaba:

«Aventuras de «Gil Blas de Santillana», robadas a España y adaptadas en francés por Monsieur Le Sage; restituídas a su patria y a su lengua nativa por un español celoso que no sufre se burlen de su nación.»

Quizá como símbolo del gusto español para contraponer al entusiasmo por las novelas traducidas que, como digo, era cada día mayor. Especialmente Walter Scott era conocidísimo y su popularidad se mantendrá a lo largo de toda la centuria [22].

Otro libro muy leído en el tiempo era «Las ruinas de Palmira». Espronceda retrata a un comerciante que...

> ...Leyendo está las «Ruinas de Palmira»
> detrás del mostrador a aquellas horas
> que cuenta libres y a educarse aspira
> en la buena moral...» [23].

En el estilo de obras que debían dedicarse a las hijas o a las hermanas hubo también las discusiones pertinentes sobre lo importado y lo nacional. A través de un revelador cuento publicado en 1848 en la revista *La Luna,* parece deducirse que aun siendo, como es lógico, idéntico el espíritu delicuescente y romántico que animaba a los escritores de ambos lados de los Pirineos, los franceses propendían a mayor ampulosidad, encandilaban más con exageraciones pasionales

CORRIDA POPULAR

ANTES DE LA CORRIDA

EN EL TENDIDO

PEPE-ILLO

que luego, llevadas a la práctica, ocasionaban la ruina de las familias españolas. Al menos esta es la moraleja que el cuento citado llamado «Influencia de La Luna» intenta deducir. Finge un diálogo entre varias señoritas de la buena sociedad. Una, en un alarde de publicidad de la revista, dice:

«Cada día estoy más contenta... de ser suscriptora a este periódico exclusivamente nuestro y con el cual se entretienen algunas horas de tedio y displicencia agradablemente, sin contar la instrucción que podemos recibir de su materias, en las que hasta ahora preside el decoro y la moralidad más recomendables.»

La otra, en cambio, encuentra la revista ñoña.

«Siempre filosofando, mi querida Julia..., ¿cómo podrás comparar los artículos de *La Luna* con las bellísimas novelas de Eugenio Sué, Alejandro Dumas, Federico Soulié, Jorge Sand y tantos buenos autores franceses en cuyos artículos se describen con tal maestría y perfección las varias fases del amor, ora sea tranquilo, radiante, celoso, voluble, profundo y superficial?»

La tercera amiga está de acuerdo:

«¡Oh!, es verdad, es verdad..., ¡qué pensamientos los de Sué! ¡Cuánta persuasión en sus palabras! ¡Qué fidelidad en los ejemplos y ternura de Madame Dudevant!... Allí se aprende a querer, a sentir...»

«Bien, bien...—replica la muchacha «sensata»—, no niego el mérito de esos escritores franceses, que ocultan bajo la sombra de sus poéticas ideas una exaltación y un idealismo delirante que, acogido irreflexivamente por una imaginación inexperta, produce fatales resultados; ellos han aumentado los prosélitos del suicidio.»

Y como ejemplo de la mefítica influencia de los franceses, cuenta de una muchacha que arrojó vitriolo a la cara de su novio.

«Las poéticas expresiones de Eugenio Sué habían obrado en su delirante imaginación un efecto terrible; ella leyendo en los «Misterios de París» que Sarah, mujer de Rodolfo... (le echara) aguarrás, celosa a la vez, quiso practicar exaltada igual específico... labrándose con ello la infelicidad de toda su vida y cien remordimientos que le han acarreado los novelistas franceses y que, en modo alguno, le hubiera proporcionado *La Luna*» [24].

Uno de los grandes éxitos de la novela en España en el siglo XIX ha llegado casi hasta nuestros días y se ha considerado siempre como símbolo de toda una literatura. Se trata de la que se anunciaba en 1849 como a punto de agotar la séptima edición y de la que se había sacado un drama con el mismo título. «María, la hija de un jornalero» con la segunda parte: «La Marquesa de Bellaflor» [25].

Otro gran éxito eran las novelas del Vizconde d'Arlicount. «Había leído dos o tres novelas de Vizconde d'Arlincourt y me empeñé en encontrar alguna Isolina, alguna Yola. Y ¿sabes lo que encontré? Vanidad, mentira o materialismo y prosa... Hoy vivo enamorado de la Julieta de Bellini, de la Linda de Donizetti, de Desdémona, de Lucía»[26].

Como a este lector que hacía realidad de las novelas que leía o de las óperas que escuchaba, había muchos españoles en el siglo XIX, especialmente españolas. Las que copiaban cartas amorosas de los epistolarios de Abelardo y Eloísa, por ejemplo como en el «Casarse pronto y mal» que Larra contaba o quien, como la protagonista de la comedia de Gorostiza, rechazaba al pretendiente porque era rico y simpático y su padre lo aceptaba desde el primer momento es decir, porque no era pobre ni vivía en una buhardilla ni la raptaba románticamente[27].

EL PORQUÉ DE LAS NOVELAS POR ENTREGAS

Muchos costumbristas se burlan de ese tipo de muchachas enamoradas de un sueño y odiando la realidad por prosaica. Y el sistema de novelas por entregas a que aludimos antes enloqueció a muchas más porque llegaba a todas las casas.

Debemos a Nombela, que fué también autor de ese tipo de obras, una descripción de cómo se había organizado el sistema que podríamos llamar de producción de episodios emocionantes en serie o en cadena:

Nombela habla de 1830 y pico, y dice:

«Se publicaba regularmente con gran éxito y eran más o menos voluminosas, según el número de suscriptores que tenían y la aceptación que alcanzaban»[28].

O sea que el autor confiesa que la novela no era pensada como una unidad con normal desarrollo y fin, sino que podía terminarse en el capítulo doce o en el cincuenta, según las aventuras que en él se desarrollaban, gustasen o no. Para defender una obra de tan inferior calidad, Nombela trata de recalcar su popularidad que hacía más fácil la lectura para todos.

«Aquella producción de novelas que durante quince años disfrutó el favor de público poco acostumbrado a leer, contribuyó a fomentar la afición a la lectura, tan escasa en España y que tan provechoso ha sido a los escritores que vinieron después.

«Fernández y González (el más conocido de los novelistas por entregas) había inaugurado aquel período tan próspero para los editores. Gaspar y Roig, que fueron los primeros que adoptaron el sistema de la publicación por entregas, pusieron al alcance de las clases modestas la adquisicón de obras célebres...

«...cada entrega constaba de ocho · páginas, de letra del nueve o del diez, y el reparto se componía de ocho entregas que pagaban los editores a los novelistas de cinco a seis duros, lo que les proporcionaba cada semana 800 ó 1.000 reales de ganancia... Fernández y González, casi ciego, no podía escribir, pero dictaba a dos escribientes que acudían a prestarle servicio, uno por la mañana y otro por la tarde, y raro era el día... que no dictase un par de pliegos de dieciséis páginas cada uno...»

Todo el sistema estaba basado en la exactitud de la entrega, porque los suscriptores a quienes se dejaba cada semana con un problema pendiente (si iba a morir el protagonista o iban a raptar a la protagonista), exigían la absoluta puntualidad. Si el escritor no entregaba el original a tiempo, se avecinaba la catástrofe.

«Los editores, para conjurar estas eventualidades, añadían a los contratos una cláusula autorizándoles a suplir aquellas faltas, encargando el reparto a otro escritor escogido por el autor... en aquellos casos, el viernes por la noche, perdida para los editores la esperanza de contar con el original necesario... me enviaban el aviso y los últimos cuadernos de la novela que yo debía continuar. Llamaba a mi vez al taquígrafo; mientras llegaba, leía las entregas para enterarme de la situación en que se hallaban los personajes de la novela, me trazaba el plan para cumplir lo prometido sin alterar la marcha de la acción que desconocía, dictaba durante cuatro o cinco horas hasta las doce o la una, el taquígrafo velaba aquella noche... Los cajistas componían a escape y el lunes podían los repartidores recoger los cuadernos...»

«Los suscriptores—añade—solían ser de 12 a 14.000, tanto en Madrid como en Barcelona» [29].

La principal fuente de las novelas por entregas era la histórica, especialmente el tiempo de los Austrias. Pérez Galdós nos presenta ctro novelista por entregas satirizando de paso la profesión.

«Tomóme de escribiente un autor de novelas por entregas. El dictaba, yo escribía... cada reparto una onza. Cae mi autor enfermo y me dice: Ido, acaba ese capítulo. Cojo mi pluma y ¡rás! Lo acabo y enjareto otro. Y otro. Chico, yo mismo me asustaba. Mi principal dice: Ido, colaborador. Emprendimos tres novelas a la vez. El dictaba los comienzos; luego yo cogía la hebra, y allí te van capítulos y más capítulos. Todo es cosa de Felipe II, ya sabes; hombres embozados, alguaciles, caballeros flamencos, y unas damas; chico, más quebradizas que el vidrio y más combustibles que la yesca... mucha falda, mucho hábito frailuno, mucho de arrojar bolsones de dinero por cualquier servicio..., ahora me sale a ocho duros el reparto. Despacho mi parte en dos días... El editor es hombre que conoce el paño y nos dice: Quiero una obra de mucho sentimiento, que haga llorar a la gente y que esté bien cargada de moralidad» [30].

Este podía ser el argumento de la mayoría de las novelas por entregas, pero algunas veces eran más audaces. Aprovechando los tiempos alrededor de la república del 1871 con mayor libertad se lanzan obras de tipo anticlerical y al mismo tiempo de cierta inmoralidad. Estas son las que Sagrario le ofrece a Juan Santa Cruz:

«Mujeres célebres», «Mujeres de la Biblia», «Cortesanas célebres», «Persecuciones religiosas», «Hijos del Trabajo», «Dioses del paganismo»...; «no me gustan libros por suscripción» (contesta otro). «Se extravían las entregas y es volverse loco» [31].

BIBLIOGRAFIA DEL CAPITULO XII

1 *Regañón general (El) o Tribunal Catoniano de Literatura*. Educación y Costumbres. Madrid, núm. 16, 23 de julio de 1803.
2 *Cascabel (El)*. Periódico para reír. Enero de 1864.
3 *Aurora de la vida (La)*. Madrid, 10 de noviembre de 1860.
4 Mesonero Romanos, R.: *Memorias de un setentón*. Ob. cit., págs. 16 y 32.
5 Inglis: Ob. cit., pág. 267.
6 Mazade, Charles de: *Moeurs et la societé espagnole en 1847*. «Revue des Deux Mondes». París, 1847.
7 *Diario de Avisos de Madrid*. 12 de mayo de 1825.
8 Pérez Galdós, B.: *El Doctor Centeno*. Ob. comp. Madrid, 1941. Tomo IV, pág. 1319.
9 Nombela, J.: *Impresiones y recuerdos*. Ob. cit., pág. 56. Vol. II.
10 Fernán Caballero: *La Gaviota*. Ob. comp. Madrid, 1895. Vol. II, cap. 30, página 473.
11 Madrid. *Indicaciones de una española...* Madrid, 1883. Pág. 169.
12 Larra, M. J. de: *El casarse pronto y mal*. Art. de costumbres.
13 Inglis, Henry: *Spain in 1830*. Ob. cit. Vol. I, pág. 282. Vol. II, pág. 333.
14 Didier, Ch.: *Une année en Espagne*. Ob. cit.
15 Debrowski: *Deux ans en Espagne pendant la guerre civil*. París, 1841.
16 Fuente, V. de la: *El Estudiante. Los españoles pintados por sí mismos*. Madrid, 1851. Pág. 99.
17 *Diario de Madrid* de 7 de marzo de 1825.
18 Mesonero Romanos, R.: *Memorias de un setentón*. Madrid, 1880.
19 Ib.: *La Librería. Escenas matritenses*. Madrid, 1851.
20 Ib.: *Memorias de un setentón*. Ob. cit., vol. II, apéndice.
21 Ib.: *El Escritor. Escenas matritenses*. Ob. cit. pág. 106, ref. 1837.
22 Inglis, Henry: *Spain in 1830*. Ob. cit., vol. I, págs. 267 y ss.
23 Espronceda, J. de: *El diablo mundo*. Madrid, 1923, pág. 117. *Las ruinas de Palmira*. Se refiere a la obra del Conde de Volmey. *Les ruines o meditationes sur les revolutiones de Empires*, publicada en 1790 y traducida con el título señalado, en España, con mucho éxito años después.
24 *Luna (La)*: Periódico para el bello sexo. Madrid, 1848. Vol. I, pág. 109.
25 *Linterna Mágica (La)*: Periódico risueño. 1 de diciembre de 1849.
26 Alarcón, P. A. de: *El final de Norma*. Chap. IV.
27 Gorostiza, E.: *Contigo pan y cebolla*. Madrid, 1825.
28 Nombela, Julio: *Impresiones y recuerdos*. Ob. cit., vol. III, pág. 220.
29 Ibídem: Ob. cit., vol III, pág. 334.
30 Pérez Galdós, B.: *Tormento*. Ob. comp. Ob. cit., pág. 1.463, ref. 1.884, volumen V.
31 Ibídem: *Fortunata y Jacinta*. Ob. cit., pág. 91.

XIII

EL TEATRO

La afición al espectáculo teatral, de tanta tradición en España, no se interrumpe en el siglo XIX, antes, al contrario, aumenta. La libertad en la escena puede ser mayor o menor, según exista gobierno liberal o absolutista; las traducciones de obras pueden tener más éxito que las originales de españoles, o menos, pero en todo tiempo a través de los años la gente va al teatro y discute y comenta lo que ocurre en él.

Veamos algunos ejemplos que nuestros escritores nos darán. Oigamos, por ejemplo, un anónimo comunicador de la historia de nuestro teatro describirnos algo que sólo una gran afición puede ocasionar. Un motín por no tener entradas. En 1808 la cola pacientemente esperaba obtener billetes del despacho recién abierto en el teatro del Príncipe, cuando se terminaron las entradas. El pueblo, furioso, quiso linchar al taquillero. Llegaron los soldados, impusieron orden y se llevaron preso al empleado. Al día siguiente fué interrogado éste por el Ayuntamiento responsable del teatro y el taquillero confesó que el comisario de teatros, marqués de Perales, se llevaba diariamente el billetaje casi íntegro, dejando sólo algunos pocos palcos y algunas entradas de cazuela [1].

Con 'el siglo, pues, había entrado ya la reventa de localidades a precios abusivos, muestra de un entusiasmo, porque no se vende más caro de lo justo lo que nadie quiere comprar. Pero tenemos otra prueba mayor del entusiasmo de los españoles del XIX por la escena. Nos la da Zorrilla en sus «Recuerdos del Tiempo Viejo» y datándolo en 1827, cuando reinaba en España el absolutista Fernando VII. En aquel tiempo estaba prohibido que nadie de las provincias pasase a Madrid sin razón justificada, y el Superintendente visó setenta y dos mil pasaportes con esta explicación: «Pasa a Madrid a ver «La Pata de Cabra», comedia de gran éxito representada por entonces en la capital de España» [2]. Como se ve, mucha tenía que ser la afición teatral para que un desconfiado y receloso policía del rey absoluto creyera que bastaba a explicar un viaje a Madrid.

La afición al teatro se manifiesta en los españoles del tiempo de otras varias maneras y una de ellas, quizá la más característica, está en el intento de hacerlo además de presenciarlo. El teatro casero se había desarrollado mucho en el siglo XVIII y Ramón de la Cruz nos dió varias muestras de él en sus sainetes. Pero en el XIX con el mayor número de las tertulias crece en importancia; Mesonero Romanos nos explica con su habitual gracia las dificultades con que una idea generosa y literaria como representar una obra encontraba en lucha con los diversos sentimientos de los concurrentes. Dice que se constituyó una sociedad con «Socios actores», «Socios contribuyentes», «Socios agregados». Se lanzaron a buscar obras a representar... unas eran de tres decoraciones ¡demasiadas!; la otra tenía dos papeles de vieja y las actrices, mejor, las aficionadas que debían representarlas, no querían aparentar tanta edad..., «todos querían ser galanes; los que se avenían a los segundos apenas sabían hablar..., los amantes no querían que sus queridas saliesen de criadas ni que el oficial N. hiciese de galán enamorado».

Entre problemas empiezan los ensayos y con ellos más peleas intestinas. «Quién formaba coalición con el apuntador para que apuntase bajo a un rival; quién reñía porque su amada había dejado dos minutos más de lo preciso sus manos entre las del primer galán, etcétera.»

Por fin llega la representación. Se ha alquilado un local para ese día y se le ha llenado de bancos frente al escenario improvisado. En dichos bancos los socios encargados van colocando estrechamente a sus consocios, procurando el mejor sitio para sus amigas. De vez en cuando corren adentro y vuelven con noticias. Pronto se levantará el telón... mientras tanto obligan a quitarse los sombreros a quienes los llevan..., con mucho retraso se levanta la cortina; los actores son —dice Mesonero— o demasiado rápidos o demasiado lentos, de manera que a una pregunta fulminante contesta pausadamente el otro actor. Sólo se parecen los galanes en el manejo de los guantes, y las damas en el inevitable pañuelo en la mano [3].

Mesonero hace terminar la representación de una forma violenta, con pelea de los dos protagonistas, que toman en serio su papel; con bronca entre los espectadores que no pueden criticar a un actor sin encontrarse con la respuesta airada de un familiar suyo que está muy cerca. Lo mismo debía pasar al distraído espectador del teatrillo en el Seminario de Nobles donde Zorrilla cursaba sus estudios, haciendo al mismo tiempo de galán. Allí se ejecutaban obras de teatro antiguo refundidas por los jesuítas y en las cuales «atendiendo a la moral, los amantes se transformaban en hermanos, y con cuyo sistema resultaba un galimatías que hacía sonreír al malicioso Fernando VII y fruncir el entrecejo a su hermano el Infante Don Carlos, que asistían alguna vez a nuestras funciones de Navidad [4].

EL TEATRO, LOCAL Y PÚBLICO

Al principio del siglo la topografía del teatro es la misma del siglo anterior, es decir, absurda; en realidad sólo se había colocado un techo encima de los antiguos corrales, dando al local una estabilidad y una permanencia, pero la mayoría de los demás defectos permanecían. He aquí, por ejemplo, cómo describe Araceli su aspecto en una ocasión célebre: El estreno de «El sí de las niñas», en 1806:

«Muchos trabajos nos costó entrar en el Coliseo, pues aquella tarde la concurrencia era extraordinaria, pero al fin, gracias a que habíamos acudido temprano, ocupamos los mejores asientos de la región paradisíaca, donde se concertaban todos los discordes ruidos de la pasión literaria y todos los malos olores de un público que no brillaba por su cultura.

»...Existía (en la cazuela) un compartimiento que separaba los dos sexos y de seguro el sabio legislador que tal cosa ordenó en los pasados siglos se frotaría con satisfacción las manos... creyendo adelantar gran paso en la senda de la armonía entre hombres y mujeres. Por el contrario, la separación avivaba el natural deseo de entablar conversación y lo que la proximidad hubiera permitido en voz baja, la pérfida distancia lo autorizaba en destempladas voces. Así que entre uno y otro hemisferio, se cruzaban palabras cariñosas o burlonas o soeces... Frecuentemente de las palabras se pasaba a las obras y algunas andanadas de castañas, avellanas o cáscaras de naranja cruzaban de polo a polo...»

La iluminación no era mejor, conservándose todos los inconvenientes que los escritores del siglo habían señalado:

«Las vacilantes luces de aceite que encendía un mozo saltando de banco en banco, apenas le iluminaban a medias y tan débilmente que ni con anteojos se descubrían bien las descoloridas figuras del ahumado techo donde hacía cabriolas un señor Apolo con lira y borceguíes encarnados. Era de ver la operación de encender la lámpara central que, una vez consumada tan delicada maniobra subía lentamente por máquina entre las exclamaciones de la gente de arriba...

»Abajo también había compartimientos, y consistía en una fuerte viga llamada «degolladero» que separaba las lunetas del patio propiamente dicho. Los palcos o aposentos eran unos cuchitriles estrechos y oscuros donde se acomodaban como podían las personas de «pro» y como era costumbre que las damas colgaran a los antepechos sus chales y abrigos, el conjunto de las galerías tenía un aspecto tal que parecía hecha exprofeso para representar las calles de Postas o de Mesón de Paños...»

...El reglamento de 1803 decía: «En los aposentos de todos los pisos, y sin excepción de ninguno, no se permitirá sombrero puesto, gorro ni red al pelo, pero sí capa o capote para su comodidad» [5].

Fernández de Córdoba añade más defectos además de la poca luz y del olor insoportable: «Palcos estrechísimos, mal pintados, mal decorados y pésimamente amueblados, a los cuales no podían asistir las damas con vestidos medianamente ricos para no mancharlos con polvo y aceite; una cazuela destinada exclusivamente a las señoras con sólo bancos de madera sin respaldo sobre los cuales cada uno ponía los almohadones expresamente traídos para este objeto de su casa; lunetas de tafilete, rotas, mugrientas y desvencijadas, cuando no totalmente reventadas y descubriendo el pelote...; densa y constante atmósfera de humo; frío en el invierno, hasta el punto de que los espectadores asistieran a la representación cuidadosamente envueltos en sus capas; calor asfixiante en verano por la falta de ventilaciones convenientes...» [6].

Del mal olor se queja también Ford, cuando Fernández de Córdoba imaginaba que estaban ya modernizados y perfectos, en 1846, y Straforello en 1894, lo cual lo hace permanente a lo largo del siglo. Ese olor, según Ford, es una mezcla de humo de cigarro y de ajo. Algunos defectos más había entre el público. Por ejemplo, los descritos por Bretón de los Herreros:

Bernardo: No he perdido
función; pero en todas partes
me han perseguido los necios.
Gastaba mis doce reales
y pico, con el objeto
de instruirme y recrearme;
pero en vano muchas veces.

Ahora un lampiño elegante
flecha el anteojo en un palco,
y me pisa al perfilarse.
Poco después y en la escena
tal vez más interesante,
llora en la cazuela un niño.
No bien se logra que calle
dos títeres, que me puso
mi mala estrella delante,
a media voz deletrean
la traducción en romance
de una ópera italiana;
y después que ni una frase
de la comedia han oído,
dicen que es abominable.
Nunca me falta un moscón
que con preguntas me balde.
¿Qué función hay en la Cruz? (*Teatro de la Cruz*)
¿Qué sueldo tiene Vaccani?
¿Cuáles son los privilegios
de las damas y galanes?
¿Qué sainete hacen? ¿Vió usted
hacer el Otelo a Máiquez?
Otros, incomodando a todos,
y sólo porque reparen
en él, vienen a su luneta
poco antes del desenlace;
y si silban los de al lado,
silba; si aplauden, aplaude.
Otro... ¡vamos, no hay paciencia! [7].

El tipo de lechuguino es bien conocido. Sabe que en el teatro está lo que se llama «todo el mundo» y naturalmente donde está todo el mundo tiene que estar él. No le importa nada la obra. Llega tarde, sube al palco de un amigo o al suyo propio, luego se marcha antes de acabar, si le parece oportuno.

El diplomático que siempre habla con entusiasmo de España no dice nada desagradable en lo que se refiera al público de Madrid. en contra de la opinión general de los contemporáneos; nuestro autor dice que no hay ruido en los teatros españoles...

«...debo repetir, sin embargo, que los españoles como auditores son más bien fríos, o quizá estaría mejor dicho críticos... Las galerías están generalmente atestadas de gente de chaqueta y sombrero español con sus familias..., encontrando que les sale más barato estar en una sala bien alumbrada y oír buena música que encender las lámparas y los braseros en sus casas».

«Un asiento de galería cuesta tres reales y un sillón en el patio o sea lo que llaman aquí butacas, diez» [8].

Por cierto que Inglis nos cuenta el curioso detalle—que quizá le ocurrió a él solamente, pero como buen viajero convirtió en costumbre para todo el mundo—que tomó su asiento sin que nadie le exigiese el billete que no «no se pide aquí hasta el final» [9].

En fin, del público que llena los teatros de Madrid, Mesonero Romanos hace una breve y aguda descripción:

«En la tertulia—dice—, están separados, a la izquierda, mujeres, y a la derecha, hombres. ¿Por qué están separados en el teatro si no lo están en el templo ni en el circo?

Luneta: Aristocráticas pretensiones.

Sillones y gradas (laterales). Público atento, inteligente y de buena fe.

Patio: Humilde modestia» [10].

Con lo cual tenemos a todas las clases sociales representadas en el teatro como símbolo del amor que a este tenían los españoles sin distinción de actividades o riqueza.

LA CLAQUE

Aquella enumeración de chorizos, panduros y polacos que en el siglo anterior había dividido al público por razones políticas o sentimentales, se profesionalizó en el siguiente hasta formar la claque, que ha llegado hasta hoy día para excitar un entusiasmo totalmente extinto muchas veces que el público *debe* sentir. La de entonces, sin embargo, a veces no se conformaba con su papel de asalariados y se sentía muy compenetrada con el autor, a juzgar por lo que nos cuenta un periódico:

«El miserable remedo de los «claqueurs» franceses que se conocen en los teatros de la Corte con el nombre de alabarderos, va introduciéndose también en los de provincias, más osados, más dispuestos... En Jerez de la Frontera, el público empezó a dar desde las primeras escenas marcadas señales de disgusto, pero los alabarderos, no contentos con aplaudir extemporáneamente, y sin consideración alguna a lo que se merece un público ilustrado, pusieron mano a las navajas, y quizá habría que deplorar infinidad de desgracias si no lo hubiera impedido la prudencia de algunas personas notables» [11].

A esto se llama ganar honradamente un sueldo.

TEATRO.-OBRAS

¿Qué era lo que este público atento que hemos visto que podía ser ruidoso, pero que era siempre aficionado gustaba de ver? Muchas y muy variadas cosas, de mucho y muy vairado gusto, atrajeron a los españoles del siglo xix a los incómodos lugares que hemos revisado. Tal es la variedad de las obras presentadas, que sólo por mayoría puede apreciarse una tendencia en el teatro del xix. He aquí la cartelera de la época de Larra, en 1835. Los aficionados al teatro pueden escoger entre:

«*Comedia antigua*: Autores dramáticos anteriores a Comella *. Teatro de capa y espada, intrigas.

Drama o melodrama: Traducción de la Porte Saint-Martin. «El valle del Torrente», como ejemplo.

Drama sentimental o terrorífico: Hermano mayor del anterior, igualmente traducido. (Ejemplo: «El huérfano de Bruselas».)

Tragedia clásica: Traducida u original, verso asonantado y prosa casera.

Piececita de costumbres: Insulsita o graciosita. Traducción de Scribe.

Drama histórico: Crónica puesta en verso o prosa poética.

Drama romántico: Nuevo, original, cosa nunca vista ni oída, cometa con su cola y sus colas de sangre y mortandad, el único verdadero...; la naturaleza en las tablas, la luz, la verdad, la libertad en la literatura, el derecho del hombre reconocido, la ley sin ley» [12].

Aunque el sarcasmo con que Larra describe la situación es evidente, es cierto también que podemos encontrar en las carteleras de la época la mayor parte de los géneros que describe. Lo que más nos extraña es la abundancia de traducciones. Los escritores españoles traducían lo que los franceses habían dicho ya con natural despejo y facilidad. Muchas veces les parecía más natural escribir con el mismo asunto una obra adaptándola al ambiente español y representándola como propia. Los viajeros confiesan muchas veces su decepción al descubrir en el asunto de una pieza presentada como española otra ya vista en París como francesa. Incluso la famosa «Pata de cabra»

* El famoso imitador sin gracia, pero con sobra de fantasía, de los grandes clásicos.

a que antes nos referimos como muestra del entusiasmo español por
el teatro, está sacada, según Gautier, de la francesa «Pied de mouton».
Sobre todo era imitado, o simplemente traducido, el teatro de Scribe.
Larra, que ya ha hecho mención de él en su falsa cartelera, insiste
en otro artículo sobre esa popularidad. Un «lechuguino» está mirando a qué teatro irá con un grupo de amigos:

«—Qué se da en el teatro?—dice uno.

—Aquí: 1.º Sinfonía. 2.º Pieza del célebre Scribe. 3.º Sinfonía.
4.º Pieza nueva del fecundo Scribe. 5.º Sinfonía. 6.º Baile nacional.
7.º Comedia nueva en dos actos, traducida también del ingenioso
Scribe...

—Pero chico, ¿qué lees aquí? Si ese es el diario de ayer.

—Hombre, parece el de todos los días» [13].

La moda de las adaptaciones llegó a tal extremo que «El Mensajero» le lanzó una pulla que rezaba así:

«Según pública voz y fama parece que los traductores a destajo
han nombrado una comisión que gestione cerca del gobierno a fin
de que se establezca cuanto antes el telégrafo eléctrico de Madrid a
Irún, que empalme con el de Bayona a París, porque su furor *tra-
ducteril* no tiene paciencia para esperar a que les traiga la Mala,
vivitas y saltando, las piezas representadas allende el Pirineo, y quieren recibir copias por telégrafo la misma noche que allí se estrenen» [14].

FIN DE FIESTA

La costumbre dieciochesca de dar baile a continuación de la pieza
principal, fué desapareciendo con la influencia extranjera y la crisis
teatral, de la que ya se hablaba entonces. Un periódico dedicado a los
teatros exclusivamente cree que el retraimiento del público se debe
a que le ofrecen poco...

«...en París dan dos obras. No pretendemos sacar la deducción
de que haciendo dos dramas por noche se llenarían los teatros, ni
ésto es posible por parte de los actores...; pero no nos pesaría, sin
embargo, ver un poco aumentadas nuestras funciones. No ha muchos
años que después de «La huérfana de Bruselas»... o el «Delincuente
honrado», nos regalaba la Compañía con un intermedio de baile nacional y un divertido sainete. ¿Por qué ahora se nos han de ofrecer
a secas los dramas del señor Hartzenbusch o del señor Zorrilla?...»

Que no se crea, sin embargo, que añora lo neoclásico, las abu-
rridas obras de Ramón de la Cruz, él un romántico...

«¿Nos lamentamos del destierro que van sufriendo los sainetes?

Nada de eso; nos congratulamos infinito y quisiéramos que desaparecieran hasta el último. Lo que desearíamos es que después de todo drama siguiese irremisiblemente un intermedio de baile, variado entre los nacionales y los extranjeros: boleros, «pas-de-deux», manchegas y piececillas en un acto» [15].

REPERTORIO

Entre una moda que se viene y otra que no se decide a irse, el teatro del siglo XIX contiene la más extraña mezcla de géneros, especialmente en la primera mitad.

Cuando en 1832 los aficionados quieren representar una comedia casera, se ponen a elegir entre éstas que siguen y que muestran que Larra no exageraba en cuanto a variedad:

«Posibles obras: El «Otelo», «Las minas de Polonia», «Pelayo», «La pata de cabra», «La cabeza de bronce», «El viejo y la niña», «El rico hombre de Alcalá», «El español y la francesa», «El jugador de treinta años», «El médico a palos», «El delincuente honrado», «A Madrid me vuelvo», «García del Castañar», «Sancho Ortiz de las Roelas» y «El café».

Lo cual nos da, considerado a la misma altura de apreciación, autores de tan diversa significación y gusto como Shakespeare, Moratín, Molière, Jovellanos, Rojas, Zorrilla, Bretón de los Herreros, Quintana, etc. [16].

Poco a poco se imponen los grandes hitos que han pasado a nuestra literatura, como Zorrilla, cuyo «Zapatero y el Rey» presenta por vez primera el nombre del autor en el anuncio que anteriormente ofrecía sólo el de la obra; García Gutiérrez sale, por rara excepción y feliz precedente, a saludar al palco escénico después del estreno de «El trovador»; Hartzenbusch triunfa con sus «Amantes de Teruel»; Tamayo y Baus, Bretón, Echegaray, se imponen. Más tarde, con el estilo romántico, definitivamente marcado, llega la exageración y el golpe de efecto sin contenido. Entre esos malos epígonos está Camprodón. Así, no podemos compartir el alborozo con que un crítico señala:

«El Teatro Español ha dado seis representaciones de un drama de sentimiento y pasión, obra de un escritor que no por ser nuevo en la carrera dramática ha dejado de producir gran efecto. El drama se titula «Flor de un día». El escritor se llama don Francisco Camprodón» [17].

EL TEATRO. LOS ACTORES

Dos grandes nombres cubren la escena española en el siglo XIX en cuanto a papeles masculinos. Uno es Isidoro Máiquez. El otro es Julián Romea. Del primero nos habla Mesonero Romanos:

«El entusiasmo por él era extraordinario. Después de una prolongada enfermedad se presentó (1818) con la tragedia «Nino II». El público arrojó por vez primera al escenario coronas, palomas y poesías. El gobernador le mandó al destierro, celoso de su popularidad y de su fama de liberal» [18].

Era el representante del teatro neoclásico de gran espectáculo y gran énfasis. Su puesto al morir fué ocupado por otro gran actor, Julián Romea, de quien dice Zorrilla que vió en él uno de sus principales intérpretes:

«Tú has creado la comedia de levita que se ha dado en llamar de costumbres...; en estas escenas copiadas de nuestra vida de hoy, dialogadas por personajes que son a veces copias de personas conocidas que entre nosotros andan, que con nosotros viven y hablan...; tú no estorbas y no pareces intruso» [19].

Era, pues, el estilo nuevo que venía. El estilo más tranquilo y contemporáneo de los hechos, aunque pudiese llegar también al grito o al paroxismo del gesto.

Entre las actrices, la más importante, probablemente, fué Teodora Lamadrid, a quien el diplomático tantas veces citado elogia cumplidamente por haberla visto en una imitación de «Adriana Lecouveur», pieza francesa adaptada como tantas a la escena nacional por el señor Rubí, que era el especialista.

El mundillo alrededor de los grandes actores era siempre vivaz y lleno de intención, a veces malévola. Pérez Galdós nos dice algo de él en un «Episodio Nacional», y aunque la pintura se hace un poco antigua, tratándose todavía de costumbres supervivientes del siglo anterior, como son las banderías teatrales, la descripción del criado «que lo hace todo», es válida para mucho después. Esta es la jornada del servidor de una actriz importante en 1807:

«Ayudar el peinao de mi ama, que se verificaba entre doce y una, bajo los auspicios del maestro Richiardini, artista de Nápoles, a cuyas divinas manos se encomendaban las principales testas de la corte.

Llevar por las tardes una olla con restos de puchero, mendrugos de pan y otros despojos de comida a don Luciano Francisco Comella,

PEDRO ROMERO

TOREROS: PACO MONTES, RIGORES, CÚCHARES Y PUCHETA

CORRIDA EN LA PLAZA MAYOR DE MADRID

BURLA TAURINA CONTRA LOS FRANCESES

autor de comedias muy celebradas, el cual se moría de hambre *.

...Limpiar con polvos la corona y el cetro que sacaba mi ama haciendo de reina de Mongolia en la representación de la comedia titulada: «Perderlo todo en un día por un ciego y falso amor y falso Czar de Moscovia».

...Ayudarla en el estudio de sus papeles, especialmente en el de la comedia «Los inquilinos de Sir John o la familia de la India»...

...Ir en busca de la litera que había de conducirla al teatro y cargar también dicho armatoste cuando era preciso.

...Concurrir a la cazuela del Teatro de la Cruz para silvar despiadamente «El sí de las niñas (eran los rivales).

...Pasearme por la plazuela de Santa Ana fingiendo que miraba las tiendas, pero prestando disimulada y perspicaz atención a lo que se decía en los corrillos allí formados por cómicos o saltarines...

...Avisar puntualmente a los mosqueteros para indicarles los pasajes que debían aplaudir fuertemente a la comedia y en la tonadilla, indicándoles también la función que preparaban los de allá (otra vez el bando rival) para que se apercibieran con patriótico celo a la lucha» [20].

Es el mundo retozón y bullicioso alrededor del actor principal, todos los que se quedan entre sombras, pero sin los cuales es imposible obtener fama. Entre ellos vive, con importante cometido, un personaje imprescindible en los teatros a quienes todos llaman y de quien todos se sirven, a quien todos temen. Es el avisador. Sus misiones son múltiples, y para desempeñarlas se necesita un celo extraordinario.

«¡Avisador! Este oficio a los señores regidores de la comisión de espectáculos. ¡Avisador! Vaya usted a casa del Ingenio y que le dé a usted, con mil santos, la décima consabida para pedir al final una palmada. ¡Avisador!, que saquen de papeles este melodrama. ¡Avisador!, que vengan mañana al ensayo la Lujuria, la Gula y demás Virtudes de acompañamiento. ¡Avisador!, diga usted al de la imprenta que tire carteles de «Vísperas», vea a la bailarina..., cite al comité...» [21].

¿Cómo son los actores del tiempo en general? Si juzgamos a los extranjeros, muy malos. Gautier nos dice que las primeras figuras del drama en prosa no pueden compararse con las segundas de la Opera. Y los demás viajeros coinciden con estas despectivas opiniones [22]. Pero la crítica anterior resulta pálida ante lo que decían de ellos los escritores españoles. Larra, por ejemplo, que dedicó al asunto no solo gran parte de sus críticas teatrales explicando al pormenor a

---

* El mismo de antes rechazado ya por los nuevos gustos.

cada uno de los intérpretes cómo debían representar su papel, sino que publicó, además, un artículo: «Yo quiero ser cómico», particularmente cruel al dar como defectos naturales los más antiteatrales. Es un diálogo entre el pretendiente a actor y el escritor:

«—...¿Y qué sabe usted? ¿Qué ha estudiado usted?

—¿Cómo? ¿Se necesita saber algo?

—No; para ser actor ciertamente no necesita usted saber cosa mayor.

—Por eso; yo no quisiera singularizarme; siempre es malo entrar con ese pie en una corporación.

—¿Sabe usted castellano?

—Lo que usted ve...; para hablar..., las gentes me entienden.

—Pero la Gramática, y la propiedad, y...

—No, señor; no...»

La cultura no existe en ellos. Larra sigue demostrando que tampoco el sentido escénico. Que todo se hace siguiendo un cliché obligado.

«—...Y de educación, de modales, de usos de sociedad, ¿a qué altura se halla usted?

—Mal; porque si voy a decir verdad, yo soy un pobrecillo; yo era escribiente...; me echaron por holgazán y me quiero meter a cómico; porque se me figura a mí que es oficio en que no hay nada que hacer...; todo lo hace el apunte...

—Y ¿cómo representará usted tantos caracteres distintos?

—Le diré a usted: si hago de rey, de príncipe o de magnate, ahuecaré la voz, miraré por encima del hombro a mis compañeros, mandaré con mucho imperio...

—Sin embargo, en el mundo esos personajes suelen ser muy afables y corteses... Como están acostumbrados desde que nacen a ser obedecidos, mandan poco y sin dar gritos.

—Sí, ¡pero ya ve usted!, en el teatro es otra cosa... Si hago de juez, daré fuertes golpes en el tablado con mi bastón de borlas, y pondré cara de caballo como si los jueces no tuviesen entrañas...» [23]

Si la imagen es sangrienta, la que años más tarde hace Nombela refiriéndose al año 1850, es decir, unos diecisiete después de la queja de Larra, nos resulta todavía peor.

«El amaneramiento de los actores era tradicional. La acción acompañaba a la palabra a veces servilmente, y en son de burla se refiere que un cómico había realizado el colmo de lo que podríamos llamar recitado imitativo al declamar los siguientes versos, no recuerdo de qué autor:

«Entre dos álamos verdes
pasa silencioso el Tajo
por no despertar a Filis
que está durmiendo y soñando.»

Al recitar el primer verso elevaba los brazos simulando los álamos y señalaba acto seguido su ropilla, que era verde. Para acentuar el segundo verso, figuraba con la diestra el movimiento del río, mientras con el índice de la siniestra mano cerraba su boca; a seguido figuraba con la izquierda la superficie del Tajo, y con la derecha el golpe de hacha que sobre el tajo se da para partir lo que suele partirse con dicho artefacto. Al nombrar a Filis se pasaba la mano por la cara, procuraba imitar la expresión de la belleza y, para que se identificase con la acción el «durmiendo y soñando» del verso último, cerraba primero los ojos y luego expresaba con su apacible sonrisa lo delicioso del ensueño» [24].

Si el oficio en general era malo, la propiedad escénica no era mejor. Constantemente arremeten los escritores del tiempo contra ese desprecio de la propiedad, sobre todo en cuanto a trajes. Larra aprovecha cualquier ocasión para enmendar la plana al director de escena, que, además de ignorante, procura ahorrar dinero:

«¿Qué significan los caballeros gijoneses vestidos todos del mismo modo y uniformados y alineados como si fueran un regimiento de provinciales...? ¿Qué es ver en el siglo VIII, y antes de la invención del blasón y la heráldica, un escudo de armas acuartelado en vez de un liso pavés? ¿Por dónde se hicieron Pelayo y los suyos con espadas del siglo XV y XVI? ¿A qué propósito la valona en Alfonso, las levitas a la francesa, los sombreros con pluma del tiempo de Calderón, la armadura en cuatro piezas de Leandro?» [25].

Y en su interrogatorio al escribiente que quiere ser cómico no falta tampoco la pregunta sarcástica:

«...no sabrá usted lo que son trajes, ni épocas, ni caracteres históricos.

—Nada, nada; no, señor.

—Perfectamente.

—Le diré a usted...: en cuanto a trajes, ya sé que siendo muy antiguo, siempre a la romana.

—Esto es; aunque sea griego el asunto.

—Sí, señor; si no es tan antiguo, a la antigua francesa o a la antigua española; según...; ropilla, trusas, capacete, acuchillados, etcétera. Si es más moderna o del día, levita a la Utrilla en los «calaveras», y polvos, casacón y media en los padres»[26].

El público no estaba acostumbrado a más propiedad de la que le daban habitualmente; pero a veces su sentido humorístico se despertaba cuando los actores salían con excesiva solemnidad y mal gusto. Esto es lo que ocurrió en una de las primeras salidas de Zorrilla a escena, no como autor, sino como actor.

«Llegó el día 23 de diciembre y se puso en escena con grandes esperanzas una «Degollación de los inocentes», arreglada del francés y en la que hacía Lombía el papel de rey Herodes...; los inocentes fueron degollados en silencio en el acto segundo, en medio de cuya degollina se presentó Lombía con el flotante manto y el tradicional timbal de macarrones en la cabeza, con el que solían representar a Herodes los pintores y escultores de imaginería en la Edad Media; hilaridad del público de Nochebuena, que tomó en chunga a Herodes y a sus niños descabezados»[27].

A mediados de siglo, el panorama era el mismo. «La característica de los actores de aquel tiempo era la más absoluta ignorancia. Respecto de la indumentaria, sus nociones se limitaban a saber que las obras, según su antigüedad, se vestían con traje talar, tonelete, trusa, a lo Felipe II o a lo Luis XIV, de chupa o casaca o con calzón colán... y botas de campana»[28].

Si esto ocurría entre los actores principales, ¿qué sería entre los comparsas? Las obras históricas y de espectáculo que se presentaban a menudo en los escenarios, obligaban a los comparsas, y éstos en proporción vestían con mucha menos propiedad que los protagonistas, porque era más difícil y caro encontrar para todos trajes apropiados. Larra ha descrito la escena entre bastidores con su habitual gracia:

«Si hay comparsas se arma una disputa sobre si se deben afeitar o no; si tienen que afeitarse es preciso que les den dos reales más; ¿se han de poner limpios de balde? Para conciliar el efecto con la economía se conviene en que los cuatro que han de salir delante se afeiten; los que están en segundo término o confundidos en el grupo, pueden ahorrarse las navajas. Si deben salir músicos, es obra de romanos encontrarlos; porque es cosa degradante soplar en un serpentón o dar porrazos a un pergamino a la vista del público...»[29].

Poco a poco estos defectos y otros de un teatro que quería lanzarse a grandes espectáculos escenográficos sin tradición ni medios para ello, fueron corrigiéndose. Actuaron para ello eficazmente los hermanos Romea y algunos autores como Zorrilla, que no dejaba la obra hasta que estaba a punto de levantarse el telón, sin perdonar detalle del conjunto. Así la propiedad se impuso, si no total al menos discretamente.

LA ÓPERA

Con todo el amor que los españoles tenían por el teatro, era mayor el que sentían por la ópera. En el siglo XIX la ópera gana inmensa popularidad en España, y los elegantes que antes se contentaban con conocer a las actrices no tuvieron más remedio que admirar y regalar a las cantantes y bailarinas que aparecían en ellas. Tener una amiga que figurase en el escenario de la ópera era una especie de prueba de buen gusto y elegancia. Por ello es natural la resignación con que el personaje de Moratín acepta arruinarse por ella:

«Cuenta de Eliodora, saltatriz:

«Siete duros al mes de peluquero;
para calzarme, nueve; las criadas,
que necesito dos, no están pagadas
si no les doy cien reales en dinero.
Diez duros al bribón de mi casero;
telas, plumas, caireles, arracadas,
blondas, medias, hechuras y puntadas
de Madame Burlet y del platero,
—noventa duros, poco más... noventa,
diecisiete, nueve, cinco... ¿Y la comida?
—Yo la quiero pagar, y somos cuatro.
—¿Y esto en un mes? —Si a usted no le contenta...
—Sí calla. Bien. ¡Hermosura de mi vida!
¡Ay del que tiene amor en el teatro!» [30].

Si los lechuguinos de la época, como hemos visto antes, repetían continuamente palabras en italiano, era por la moda de la ópera. La primera que se puso en España fué «La Italiana en Argel». En 1821, «Adelaida» y «El Barbero de Sevilla». En vista del éxito se organiza la compañía de Montresor en 1825, con el furor filarmónico en las nubes. Se vestía a la Montresor, se peinaba a la Corbini. El público empieza a familiarizarse con los nombres de Rosini, Pacini, Meyerber, Donizetti, Bellini. Entre otras grandes figuras, las de la Tossi, María Lalande, y entre las óperas más conocidas, «Semiramide»,

«Mose», «L'último giorno di Pompei», «Il Crociato», «Il Pirata», «Lo Straniero» [31].

El amor a la ópera lleva a la reventa con la misma facilidad que en las obras de teatro muy conocidas. El camarero del artículo de Larra se queja de que sea él el que da la cara mientras el verdadero revendedor presume de honrado:

«Suele traerme, los días que hay apretura por ver la ópera, algunos billetes, que le vende por una friolera al duplo o al triplo, según es aquella; da una gratificación por una o dos docenas a quien se las proporciona a poco más del justo precio, y viene a sacar veinte, cuarenta o sesenta reales en luneta. Estoy seguro que la «Semíramis» le ha valido más de tres onzas. Luego suena que yo soy el revendedor porque saca con mi mano el ascua, y él gana mucho y no pierde su opinión» [32].

La diferencia con el teatro es que mientras a éste van todos los españoles sin casi excepción, a la ópera van sobre todo las elegantes, aunque se aburran mortalmente en el patio y palcos mientras los filarmónicos se deleitan arriba. El auge de la ópera no disminuye con los años, antes al contrario, crece, sobre todo cuando se inaugura el Teatro Real. El diplomático que nos informa a menudo nos da una descripción coloreada del coliseo dedicado exclusivamente al *bel canto,* como se decía entonces.

«Se comenzó (el Teatro Real) en 1818 y se inauguró el 19 de noviembre de 1850, cumpleaños de la Reina Isabel, con la ópera de Donizzetti «La Favorita», haciendo de *prima donna* la Alboni. Por lo grande, hermoso y cómodo y por lo elegante, quizá no haya teatro que lo supere. En su disposición interior campean tal sencillez y tal riqueza que parece una sala suntuosa. El rico damasco canesú de los palcos, las hermosas butacas de terciopelo del patio y los espléndidos dorados de la decoración general...»

«...El teatro estaba de bote en bote. La Reina tiene dos palcos, uno en medio de la fila de los del primer piso; el otro arrimado al escenario, que es el que ordinariamente ocupa. Ambos están elegantemente adornados con colgaduras carmesíes, espejos y sillones de regia apariencia. Enfrente del palco real de diario está el del Infante don Francisco.»

Fingiendo en un personaje un acento gallego, López de Ayala dió una lucida imagen de la llegada a la ópera de las señoras elegantes en el Madrid de 1878.

«Lorenzo: Esta noche
                      entraban *todas garridas.*

Por las *portas* de los coches
bajaban *encogidiñas*
y *arrugadiñas*; y *alogo,*
al tomar tierra, se erguían
dando un brinquito, y brillaban
cuajadas de *pedras* finas.
Todas con falda rumbosa;
todas sus brazos lucían
desnudos, pero *cubertos*
con un *pouco* de *farina*
y el pelo con miriñaque,
y los hombros sin camisa.
Es función regia. Vendrá
mu tarde la señorita» [33]

A la ópera precisamente la gente va para ver al público más que
la escena. Y allí es donde se usaría para quienes prefiriesen el disimu-
lo a la cínica observación, aquel anteojo «hecho de manera que se
dirige al costado opuesto a aquel a quien se quiere ver, y el artificio
está en un espejito en el que vienen a pintarse los objetos de modo
que aparezca el que los usa mirando como a la escena, al mismo paso
que registra el palco de su izquierda o de su derecha». Esta descripción avalorada por el magnífico verbo que es «registrar», nos explica
más que un serio tratado de ética lo que puede la curiosidad cuando
tiene vergüenza de ser notada [34].

Naturalmente, no faltan los inconvenientes. Los más son debidos
a la falta de confort, que es la principal queja de los extranjeros que
visitan la España del XIX.

«No están bien dispuestas las cosas para la salida de la ópera.
No hay cuarto para los abrigos, y además las señoras tiritan, tapán-
dose la boca con pañuelos mientras esperan sus coches en una especie de vestíbulo abierto. Los caballeros que las acompañan tienen que
estar envueltos en sus gabanes. Sólo los coches de la familia real
entran en el pórtico» [35].

Con el ejemplo de la persona real va la aristocracia, y detrás todas las personas que ambicionan ser algo en el Madrid del XIX. Veamos, por ejemplo, en 1862, a Cecilia haciendo cálculos para su vida
matrimonial. Después del coche «obligatorio» viene...

«...Palco en el Teatro Real. De ésto si que no se puede prescindir. Y a fe que está barato... ¡Pero qué remedio! Para ser persona
decente hay que concurrir a la ópera o en último extremo a la zarzuela...; al Teatro Real nos lleva la moda más que la afición a la

música. Oír la ópera es allí lo de menos; lo que importa es que nos vean en un palco, pagado a peso de oro, saludando a Fulanito y a Menganito, con la falda del traje rebosando por encima del antepecho, luciendo blondas, flores y diamantes y, sobre todo, muy escotadas, ¡muy escotadas!...

»Y cuando no tiene más remedio que suprimir gastos porque no alcanza el presupuesto..., se limita a tomar un tercer turno, o sea el menos elegante, pero no deja su palco»[36].

Normalmente los jóvenes de buena sociedad tomaban un palco con otros amigos, y sus familias tomaban otro cuando había dinero para ambos gastos, como en la casa de los Santa Cruz:

«...El abono que tomaron a un turno de palco principal fué idea de don Baldomero... Juan estaba abonado a diario con seis amigos a un palco alto del proscenio»[37].

Y Edmundo de Amicis se asombrará de ver un teatro de la ópera «vastísimo y riquísimo» y de la gran cultura musical que el pueblo español demuestra tener.[38].

CONCIERTOS

Además de las compañías de ópera que habían tomado carta de naturaleza en nuestra patria, los melómanos tienen conciertos alguna vez. Por ejemplo, llega a dar algunas audiciones el famoso Liszt, y de él daremos una referencia que de un enemigo nos llega. En nombre del patriotismo musical, este periodista satiriza al famoso compositor húngaro.

«Agradecido el famoso Listz a las demostraciones de aprecio que le ha dispensado esta Corte, se propone recorrer las primeras capitales de España, por ver si, además de la Cruz de Carlos III y del consabido alfilercillo de brillantes reune una buena cantidad de dobloncejos con que poderlo pasar en *extrangia* algo mejor que algunos célebres artistas españoles que están acaso pereciendo de hambre en su patria. Desengañémonos, lo primero que debe aprender un artista para prosperar es saber *dar en la tecla*. La notabilidad húngara entiende este busilis a las mil maravillas. Maneja el teclado que es un primor»[39].

Aceptemos esta nota, que no es una manifestación excesiva de hospitalidad en gracia a la indignación patriótica que movía a su autor, dolido de que lloviesen los regalos sobre los extranjeros mientras que una afamada actriz española como Maltilde Díez no era galardonada con condecoraciones ni preseas.

BIBLIOGRAFIA DEL CAPITULO XIII

1 *Historia del teatro en el siglo XIX.* «El Español». Madrid, 1942.
2 Zorrilla, José: *Recuerdos del tiempo viejo.* Madrid, 1882.
3 Mesonero Romanos, R.: *Escenas matritenses.* Madrid, 1851. Pág. 11. «El teatro casero».
4 Zorrilla, José: *Recuerdos del tiempo viejo.* Ob. cit., vol. I, pág. 19.
5 Pérez Galdós, B.: *La Corte de Carlos IV.* «Episodios Nacionales». Madrid, 1941.
6 Fernández de Córdoba, F.: *Memorias íntimas.* Madrid, 18...
7 Bretón de los Herreros, M.: *A Madrid me vuelvo.* Estreno, 1828. Madrid, 1879.
8 Anónimo: *Madrid hace cincuenta años a los ojos de un diplomático extranjero.* Madrid, 1904. Pág. 99.
9 Inglis, Henry: *Spain in 1830.* London, 1831, vol. I, pág. 103.
10 Mesonero Romanos, R.: *Teatro.* «Escenas matritenses». 1838. Madrid, 1851. Pág. 164.
11 *Mensajero (El):* «Diario político, religioso, literario y mercantil». Madrid, 4 de mayo de 1853.
12 Larra, M. J. de: *Una primera rpresentación.* Artículos de costumbres. Madrid, 1923, t. I, pág. 233.
13 Larra, M. J. de: *Vida de Madrid.* Artículos de costumbres. Madrid, 1923, t. I, pág. 209.
14 *Mensajero (El):* Per. cit., 4 de mayo de 1853.
15 *Pasatiempo (El):* Diario de teatros. Año I, núm. 6, 6 de abril de 1842.
16 Mesonero Romanos, R.: *Escenas matritenses.* Teatro casero, ob. citada, pág. 11. Madrid, 1851.
17 *Revista Semanal de Teatro y Literatura.* Núm. 5, 1851.
18 Mesonero Romanos, R.: *Memorias de un setentón.* Madrid, 1880. Página 431.
19 Zorrilla, José: *Recuerdos del tiempo viejo.* Madrid, 1882.
20 Pérez Galdós, B.: *La Corte de Carlos IV.* «Episodios Nacionales». Madrid, 1941.
21 Bretón de los Herreros, R.: *El Avisador.* «Los españoles vistos por sí mismos». Madrid, 1851. Pág. 182.
22 Gautier, T.: *Voyage en Espagne.* París, 1840. Ed. esp. Madrid, ¡1932. Página 157.
23 Larra, M. J. de: *Yo quiero ser cómico.* Artículos de costumbres. Madrid, 1923, t. II, págs. 62 y ss.
24 Nombela, Julio: *Impresiones y recuerdos.* Ref. 1850. Madrid, 1900. Página 175.
25 Larra, M. J. de: *Salida del señor Nicanor Puchol en Pelayo, tragedia de don Manuel José Quintana.* 1833. Artículos de costumbres. Ob. cit., tomo II, pág. 96.
26 Larra, M. J. de: *Yo quiero ser cómico.* Ob. cit., pág. 64.

27 Zorrilla, José: *Recuerdos del tiempo viejo*. Madrid, 1882. Pág. 64.
28 Nombela, Julio: ob. cit.
29 Larra, M. J. de: *Una primera representación*. 1835. Artículo de costumbres. Ob. cit., t. I, pág. 243.
30 Moratín, Leandro F. de: *Soneto*. Biblioteca de Autores Españoles. Página 597.
31 Mesonero Romanos, R.: *La Opera*. 1833. Madrid, 1851. Pág. 69.
32 Larra, M. J. de: *El Café*. Artículo de costumbres. Ob. cit., pág. 18.
33 López de Ayala, A.: *Consuelo*. Acto III, esc. II. Madrid, 1878.
34 *Hombre fino al gusto del día (El), o Manual completo de urbanidad, cortesía y buen tono.* Madrid, 1829. Pág. 201.
35 Anónimo: *Madrid visto hace cincuenta años*. Ob. cit., pág. 70.
36 Tamayo y Baus: *Lo positivo*. Madrid, 1862. Acto II, esc. IV.
37 Pérez Galdós, B.: *Fortunata y Jacinta*. Ref. 1870. Madrid, 1940. Obras completas.
38 Amicis, Edmundo di: *Spagna*. Torino, 1871.
39 *Fandango, El*. Madrid, 15 de diciembre de 1844.

XIV

ESPECTACULOS Y DEPORTES

LOS TOROS

En el siglo XIX los toros tienen más popularidad que en el XVIII. Los protagonistas de la fiesta no son ya como en tiempos anteriores, los nobles, sino los mismos hombres del pueblo surgido de la entraña de él para tomar parte en la fiesta cuando los nobles la desdeñaron por el influjo francés. Larra no se explica el fenómeno:

«Los hombres pasan extrañamente de unos extremos de locura a otros; no hacía mucho que la nobleza, celosa del alto honor de morir en las astas del animal, no permitía que plebeyo alguno le disputara la menor parte e inmediatamente se desdeña de lidiar con las fieras hasta el punto de declarar infame al que va a sucederle en tan arriesgada diversión.»

Por el tono de Larra ya se ve que no era amigo de los toros; con él está la mayoría de los escritores del tiempo, que habían visto su sensibilidad acrecentada con el Romanticismo mientras el espectáculo de los toros seguía siendo cruel. Esa actitud despectiva de la nobleza hacia lo que había constituído su mayor ilusión ayudaría también a que Larra, gran *snob*, dejase de asistir a las corridas. Pero en su alegato contra los toros usa también otras razones. Por ejemplo, la económica:

«El artesano irremisiblemente asiste y se divierte, tal vez a buena cuenta, de lo que piensa trabajar en la semana, pues el resto de la anterior pagó su tributo acostumbrado la noche del domingo en el despacho del vino de que es parroquiano..., esos parcos españoles se contentan con ser dichosos el domingo y el lunes.»

Pero con típica voltereta, Larra piensa quizá haber ido demasiado lejos en su ataque a una costumbre nacional y no vacila en burlarse a su vez de los afrancesados que la desprecian tras un viaje a París.

«... una clase de entes no van a esas funciones», esa bandada de sentimentales que han pasado el Bidasoa, que en sus aguas, como pudieran en las de Leteo, se despojaron de todo lo español que llevaban y volvieron a los dos meses haciendo ascos de su antiguo puchero, buscando las calles donde vivieron y no sabiendo como llamar a su padre...

«...Para éstos son insípios los toros y repiten con énfasis: ¡Función bárbara» [1]

Todos los observadores de las corridas están de acuerdo en que el público constituye un espectáculo tan interesante como el ruedo. El anónimo diplomático describe con admiración un lunes de corrida. Estamos a mediados de siglo y cada vez tienen más éxito, no ya solo entre la gente popular que Larra decía, sino también con la elegante:

«...Ibamos tan de prisa como nos lo consentía la muchedumbre que, afluyendo de todos los barrios de la villa, y a pie, a caballo o en vehículos de todas clases, aristocráticos y populares—berlinas, ómnibús, landós, etc.—se apiñaban en el trayecto.

«...La inmensa plaza, capaz para más de doce mil personas, estaba llena. Veíase en los palcos cubiertos a lo más elegante y distinguido de Madrid, sin exceptuarse las señoras del Cuerpo Diplomático. Como todos los palcos son de propiedad particular, el extranjero que desee asistir desde ellos a la corrida tiene que contar con algún abonado que le invite... Pero lo más notable y pintoresco del espectáculo está en las gradas descubiertas que ocupan el espacio que hay entre las barreras y los palcos, donde se extiende un mar de cabezas y se apiña una muchedumbre vestida de chaquetas y de trajes de colores y cubierta de sombreros españoles y de mantillas, en cuya confusa masa se percibe el constante agitarse de millares de abanicos. Las manolas de ojos deslumbradores, los jóvenes elegantes del pueblo con sus chaquetas bordadas y corbatas de vivos colores; el pueblo, en fin, en su traje de día de fiesta y con los semblantes rebosando buen humor y alegría, se amontonan en esas gradas formando una masa impenetrable.»

Y en su entusiasmo por las cosas españolas el buen diplomático llega a decir que «reina general armonía y unidad de sentimientos entre el público» y que ha oído decir que «nunca ha habido cuestiones en las corridas de toros» [2]. Cuando lo que caracteriza al español en la corrida y fuera de ella es precisamente estar en desacuerdo con el vecino, y mucho más en la plaza, con la pasión del momento. Mejor vió ese público burlón y gracioso Rodríguez Rubí hablando de un personaje popularísimo en la plaza, el picador. Se trata de un picador cobarde a quien el presidente llama la atención para que termine pronto...

«Si es picador siempre busca a la fiera por el terreno más largo para dar tiempo a que pase algún inconveniente... hasta que llega un alguacil y le dice de parte del presidente: Señor José, cite usted al toro.—*Digasté* a su señoría que esto no é *jasé* pasteles—. Y la multitud que comprende la alusión da grandes risotadas y muestras de aprobación al chiste, porque a los toros va mucha gente que le gusta ver en ridículo la autoridad, sobre todo si hay alguaciles de por medio» [3].

Así veía la plaza antes de empezar la corrida con una mirada más de crítico amargo que de aficionado Don Benito Pérez Galdós:

«...Los pañuelos de crespón van siendo cada vez más raros: (1878) con todo, algunas manchas rojas y amarillas mariposeaban aquel día sobre la mancha oscura del público, y los abanicos animaban con su constante aleteo las largas filas de hombres y mujeres. Los tendidos de sombra y especialmente el tendido 2, centro de muchachos alegres y bulliciosos estudiantes, presentaban un gentío espeso, con alineación apretada como la de los granos de una mazorca. Más claros los de sol, daban cabida a los inquietos grupos de la gente jornalera, a los paletos, a un centenar de gandules, cuyas maneras y trajes parecen la exageración más grotesca de la caricatura del torero, a infelices artesanos que van a buscar en aquella orgía de impresiones fuertes un descanso a la insulsez metódica del trabajo. La esclarecida sociedad de los mataderos, de las carnicerías, de las fábricas de curtidos, los industriales del Rastro y los mercaderes de la Cebada hervían allí como potaje en el fuego...

»...La delantera de gradas ofrecía un aspecto mejor. Allí había no pocas mantillas blancas prendidas en hermosas cabezas, donde lucían, tan propiamente como si en ellas hubieran nacido, rosas y camelias, quier blancas como leche, quier como sangre rojas. Las entretenidas, con su aire especial característico y que parece un aire de familia, su lujo chillón y su belleza comunmente provocativa, ocupaban buena parte de la vasta hilera, codeándose aquí y allá con otras hembras de virtud no ya dudosa, sino completamente juzgada...

»...Había caras de peregrina belleza, otras que querían fingirla de impropia manera, con aplicaciones de blanquete, carmín y corcho quemado. Honradas familias de la clase media se mostraban también allí, en doméstica fila que empezaba por el padre (comerciante, bolsista incipiente, jefe de negociado, contratista de tocino para los Asilos de Beneficencia, comandante de Infantería, magistrado cesante, barítono de zarzuela, agente de exhortos, habilitado de clases pasivas, notario, profesor de piano; en fin, lo que se quiera hacer de él) y acababa con el más pequeño de los niños, alumno de San Antón, y de trecho en trecho, se observaba la figura nacional de la chula rica, guapa hembra vistosa, generalmente gorda y con cierta hinchazón de matrona romana unida a la desenvoltura de la maja castiza; orgullosa de sus ojos negros y de sus anillos que aprietan la carne enchorizada de sus dedos; esparciendo a un lado y otro miradas altivas; queriendo dar a entender que es muy señora, que tiene mucho dinero, que su prendería de ricos muebles, o su carnicería o su casa de préstamos son su segundo Banco Nacional, y que mientras ella viva no pasará necesidades este o el otro de aquellos feos circenses que están abajo, ya de verde y oro, ya de amarante y plata...

»...Tras de la delantera, cuatro grandes filas de gente modesta, dominando el género entretenido al género honrado. Mujeres equívocas, personas sencillas, feas, bonitas o insignificantes, llenaban la grada en la región de sombra. En la palcos de arriba había también mantillas blancas... y el imprescindibe abaniqueo, lenguaje mudo, charla de mil colores, que es embeleso mareante en las grandes reuniones de gente española, lo mismo en los palcos de un teatro que en los balcones de las calles, cuando hay procesión o parada, cuando entra un rey o sale a relucir una Constitución nueva...

»...En los palcos abundan los grupos de hombres solos, todos de negro, con los códos en la barandilla, el sombrero encasquetado; nada de resabios manolescos en el vestir, pero sí un lenguaje entre parlamentario y chulesco, do aparecían revueltas... las frases de discurso, los conceptos agudos y los *voquibles*...; era un lenguaje fútil y escéptico como el de quien no cree ya ni en los toros, y con la puntería de gemelos atisbando arriba y abajo, a la corrida y a las damas, coincidían comentarios brutales sobre algunas de éstas.

»...Allí había hombres que en los días feriados se ocupan en hacernos leyes, y otros que diariamente nos surten de decretos y reglamentos; aristócratas empobrecidos, plebeyos llenos de dinero, ricos primogénitos de provincia, toreros recogidos, viejos bien conservados, algunos extranjeros curiosos. Pero lo más florido de la juventud adinerada campa en las localidades de barrera, sitio predilecto del *dilettantismo,* donde tiene su asiento un ilustre senado de señores cuyos nombres engalanan las páginas de la historia patria, de jóvenes a quienes no falta cultura ni aun talento, de periodistas que suelen mojar la pluma en la sangre abrasada del toro para escribir una especie de prosa impregnada, como la atmósfera del tendido de sol de un heterogéneo tufillo de ajos crudos, almizcle y aguardiente». [4]

LA FAENA TAURINA

No nos referiremos a ella de una forma amplia, porque aparte de algunos detalles como el del peto para los caballos, en su aspecto general sigue hoy en vigor. Sólo apuntaremos que la montera es introducida por Francisco Montes hacia 1835. Para muestra de las corridas del siglo xix he aquí una reseña de una celebrada en 1842 que demuestra la potencia de los toros en aquella época; evidentemente no era «jaser pasteles» como decía el otro:

«Corrida del lunes 18. De Gaviria, el primero, colorado, tostado, muy hermoso y boyante. Tomó diez varas, mató un caballo, dió una fuerte y arriesgada caída al Montañés, de la que quedó parado y saliendo en su reemplazo el conocido por el Pescadero; le puso cuatro varas, llevando igualmente un descomunal porrazo. Le pusieron a este toro cuatro pares de banderillas.

El segundo recibió doce puyazos. Trigo le quitó la divisa, mató tres caballos, pusiéronle dos pares de banderillas y Miguel lo mató de una estocada recibiendo.

El tercero tomó siete varas, mató un caballo. Lo saltaron al trascuerno Yust y Minuto.

El cuarto tomó... once varas.

El quinto tomó siete varas... mató un caballo.

El sexto... huía de los caballos y no le pusieron vara alguna, aunque sí le echaron perros.

Los picadores, muy valientes...; las cuadrillas, mal dirigidas, pues con la mayor frecuencia veíanse seis o siete capotes al lado de un caballo distrayendo la atención del toro» [5].

Espectáculo curioso que no hemos alcanzado, debió ser la división de plaza que Goya inmortalizó en uno de sus aguafuertes y que Cossío describe diciendo que los carpinteros la construían a la vista del público, que aplaudía o silbaba, según la destreza. Un grabado de la Biblioteca Nacional presenta este momento y un comentario: «Muy mal puesta, Ha tardado nueve minutos». Lo que demuestra que se hacía en menos.

La corrida era, pues, doble. En la parte de la sombra toreaba la cuadrilla más antigua. Cuando los espadas eran tres, el más antiguo no estoqueaba, pero estaba al cuidado de una y otra faena alternativamente. Si el toro saltaba la valla, la cuadrilla que estaba toreándole tenía que seguirle al otro lado, con lo cual se encontraban dos toros, dos cuadrillas y la confusión que el lector puede imaginar.

No había más que una presidencia para ambas partes de plaza y los cambios de suerte eran comunes. Con lo cual un toro mal picado tenía que pasar a banderillas sin más, y al contrario [6].

En cuanto a las señoritas toreras también, hoy idas para siempre, tuvieron sus momentos de éxito. Empezaron como rejoneadoras, pero 1841 ve ya una cuadrilla que sale de faldilla corta. Luego, más tarde, la Fragosa sale ya de hombre y lo mismo harán las que actuaron a últimos de siglo, y aún se asomaron al nuestro empeñadas en demostrar que donde llegue un hombre puede llegar también una mujer [7].

MOJIGANGAS

Si la corrida de toros que se celebraba en el siglo XIX no tiene diferencia excesiva con la que se realiza hoy para una descripción cuidada, no ocurre lo mismo con los espectáculos que con el nombre de mojigangas y con intervención de un novillo o becerro daban lugar a grandes festivales. En un anuncio de la época encontramos una explicación detenida.

«La variedad excita la diversión; y como la experiencia enseña que las cosas nuevas agradan de ordinario, la empresa, a fin de complacer, se propone variar las funciones todo lo posible para fomentarlas... y así, en ésta, presentará una idea tan rara como nueva y es la siguiente:

»Luego que el segundo novillo salga de la plaza, delante del toril se colocarán unas camas y en ellas sus enfermos; al lado de cada uno los útiles necesarios, practicantes y médico para su asistencia; a otro lado se figura una sala de convalecencia, donde se pondrán otros enfermos convalecientes que los sacaron entre varios, porque ellos no podrán salir por sí a causa de sus dolencias; en otro punto estará la botica con su mostrador, botes y demás enseres propios de esta oficina; el boticario y mancebo la cuidarán; la cocina ocupará otro sitio con las hornillas, ollas y demás anejo a su servidumbre, al cuidado de los cocineros; así preparado, saldrá el celador del establecimiento de tan mal humor que es regular eche a rodar los enfermos y las camas...

»Este «celador» tan ingeniosa e imaginativamente recibido, es claro que se trata de un novillo. Pues aún hay más. Para otro novillo salen cuatro barcos con artillería «con lo cual se completará la diversión, y el rato será de los más agradables». Y para que todos se puedan sentir actores «habrá, además, ocho novillos para que los

CORRIDA POPULAR

Especies	Enero	Febrero	Marzo	Abril	Mayo	Junio	Julio	Agosto	Sepbre	Octubre	Novbre	Dicbre		
Lobas			1								4	2	7	7
Lobos			1									1	2	2
Zorras	2	3	5	5		1	3		2	13	5	12	55	55
Gatos monteses			2										2	2
Gato montes			1										1	
Jabalíes	3		1	2			1	2					16	16
Jabalinas	1												1	1
Cochastros	5												5	
Venados	1						1	4	16	4	4	8	34	34
Venados de Indias							1	8	26	117	163	75	347	347
Gamos	6	11							3	13	25	34	117	117
Gamas	5	8	1						2	4	2	9	12	12
Liebres	1	24				4	66	13	31	7	8	2	156	158
Conejos	5	5	359				6			2	30	11	206	
Perdizes	26	161			56		68	103	157	161	39	7	732	732
Perdigones						12	268	258	154	7			1100	
Codornizes	1	3	2	2			13	213	183				425	
Chochas	213	273	54		13					4	67	52	682	786
Tórtolas					130	14	30	11					195	207
Mirlas	7	18	61	12				110	53	38	2		282	285
Zorzales	1		128								9		138	138
Pajaros			80	4	19			38	24				163	165
													7565	7878
Sumas de S.M.	932	804	765	1637	262	69	1311	789	681	42	321	222	7563	
Sumas con las particulares	944	841	775	1637	270	72	1339	801	855	493	347	235	7878	

CACERÍAS DE CARLOS IV

aficionados se diviertan y completen el buen rato, a excepción de los ancianos y los muchachos, bajo la multa de cincuenta ducados»[8].

José María de Cossío cita otras mojigangas. Una que podría llamarse de actualidad, glosaba los actos del bandolerismo andaluz, peligroso en los primeros años del siglo:

«Se hallará la plaza plantada de varios ramajes que imitarán un bosque, y al empezar la función saldrán diecinueve jóvenes con ropas y armas de bandoleros, los cuales se emboscarán entre las ramas para ayudar la salida del primer valiente novillo de cinco años (!), embolado, portador de cinco bolsillos de doscientos reales cada uno... Le acometerán con la idea de despojarle del dinero. La brabura del novillo conductor de los bolsos, lo difícil de cogerlos donde los lleve y al mismo tiempo el deseo de brillar con utilidad de los expresados...»

Otras mojigangas históricas versarán sobre la toma de Orán o el sitio de Zaragoza (1868). También en el 42 llegó a representarse en la plaza con intervención de un toro «Las ruinas de Palmira»[9].

Entre las fiestas que llevaban a la multitud a la plaza, encontramos, además, luchas de animales. El español presumía de que su animal nacional, el toro, era capaz de enfrentarse con las fieras más salvajes; y los empresarios con más o menos suerte—a uno le quemaron la plaza porque no hubo lucha—presentaban estas peleas. Cossío señala las de toro contra tigre, contra león, contra elefante. Sólo en el último caso no fué el toro el vencedor[10].

EXTRANJEROS EN LA FIESTA

Tenemos varios comentarios a la fiesta brava, unos en pro y otros en contra, pero aun los enemigos no dejan de apreciar la grandeza del espectáculo. Sírvanos como ejemplo de forzada admiración (si podemos llamarla así) la reacción de Edmundo di Amicis, el cual describe la corrida vista en Andalucía con positivo disgusto, citando la crueldad con los caballos y el peligro constante de morir los toreros. Al salir, un español le pregunta:

«—¿Verdad que es un espectáculo horrible, cruel?

—Así es—contesta Amicis—, cruelísimo.

—¿Verdad que es indigno de un pueblo civilizado?

—Eso mismo creo yo.

—Ya me lo imaginaba—dice el español—. Bueno, adiós, ¿cuándo nos veremos.?

—¿Cuándo?—contestó Amicis—pues aquí el próximo lunes. En la corrida.—Porque era horrible, pero fascinante [11].

Y otro italiano, monseñor Bonomelli, se quedó asombrado cuando supo que los sacerdotes españoles iban a la corrida «Nos está prohibido—dijo uno—. ¿Obedecen?—Alguno se viste de seglar y va. Pero hay una excomunión papal contra todos los que intervengan en la corrida..., incluso reyes y reinas.—Lo sé..., pero ¿qué quiere? Van» [12].

Y en esta anécdota está clara la actitud española, que a veces puede coincidir en principio con el escritor italiano o el cura español: la corrida puede ser bárbara, ilegal o inmoral. Pero ¿qué quiere? Van.

OTRAS DISTRACCIONES

El deporte no está muy popularizado en la España del siglo XIX, pero no se puede decir tampoco que falte. Entre los elegantes, cuya era la posibilidad por las dificultades económicas, la diversión más corriente y en la que se jugaba al mismo tiempo a dos cartas, a la social y a la higiénica, era naturalmente el paseo a caballo. De los paseos a caballo habla Zorrilla como un útil y sano ejercicio que la «juventud dorada de la época hacía por gusto y algunas personas de cuerpo enclenque y lo que más probablemente llamaríamos hoy carácter deprimido hacían por obligación médica». A su «sietemesina naturaleza» atribuye el autor del Don Juan Tenorio la necesidad que le llevaba al ejercicio [13].

Este deporte, como a menudo sucede, adquirió mayor popularidad gracias a su profesionalización, es decir, a cuando se hizo espectáculo. Las carreras de caballo, dentro de la influencia inglesa sobre las costumbres, produjo una afición en la que lo crematístico tenía mayor influencia que lo puramente deportivo. Inglis nos explica que el primer intento de carreras de caballos se verificó en 1830 a lo largo del canal, desde el Puente de Toledo, carretera arenosa adelante. Competían—y esto suele ser un símbolo plástico de la lucha entre la influenca extranjera y la tradición resistiéndose a morir—, combatían, digo, un caballo inglés con jockey, contra un caballo español a la andaluza. Venció el inglés y el público se defraudó un tanto. A la segunda carrera—insiste el escritor inglés, un poco molesto—el orgullo nacional apretó al caballo indígena dejando poco espacio a su adversario y dándole a nuestro campeón con palos y con piedras hasta que consiguieron que llegara el primero, un poco salido de sus casillas, pero el primero. La carrera fué patrocinada, no sabemos si incluso en sus excesos, por el duque de San Carlos [14].

De esta primera y un poco bárbara forma se introdujo la moda en España. De cómo se civilizó nos da idea un texto de Sepúlveda en el que dice que al Hipódromo se iba a caballo, pero mejor de etiqueta y en *landau* de resortes con lacayos de empolvada peluca. Chisteras y Velázquez, hongos de media naranja, chaqués entallados, botines de colores llamativos y colas de pavo real... Los modestos podían ir en los coches «Rippert» que compiten con los tranvías [15].

TIRO

El otro gran deporte, además de la esgrima, era el tiro, y ambos tenían como fin no sólo adelgazar o hacer más ágil la silueta de los españoles de la época, sino prepararlos por si ocurría la funesta situación del desafío. El tiro se hizo tan popular que a su vez se admitían apuestas. Zorrilla explica que M. Arnaud, propietario del tiro de Vallecas, recibía de manos de un tirador famoso, Valleras, la mitad del valor de cada tiro para que no se pusiera de acuerdo con algún paisano suyo (era francés) para desigualar las cargas o las ventajas de las apuestas... Esto indicará la importancia de las tiradas del famoso Valleras, que casaba sus nueve balas con otras tantas colgadas a distinta altura sin interrupción. Y rara vez le fallaba el tiro [16].

NATACION

Puede llamarse así al deporte de meterse en el agua con mayor o menor miedo. Aun dando por buenas todas las burlas de nuestros comentaristas, evidentemente algún culto al ejercicio físico representaba el auge de los baños madrileños. Las palabras del anónimo cronista de «El Mensajero» no dejan lugar a dudas sobre su higiene ni sobre la inquina que se les tenía:

«Los dueños de los lavaderos de nuestro caudaloso brazo de mar, están haciendo su agosto... La gente se agolpa en tropel a orillas del Manzanares y es tal la afluencia que, en las horas desde las cinco a las ocho de la tarde, tienen los infelices bañistas que meterse por tandas de cuatro y de cinco personas en aquellas raquíticas pocilgas... [17]

El baño de mar estaba unido naturalmente al veraneo, pero no todas las personas veraneaban, ni siquiera los más pudientes. Nombela, viéndolo desde el alborear del siglo xx, y refiriéndose a los años alrededor de 1850, advierte que la estación calurosa no quitaba por entonces animación a la villa y corte «como sucede desde hace treinta y cinco o cuarenta años». El verano se limitaba para los ricos a trasladarse a los Reales Sitios de San Ildefonso o de El Escorial; algunas familias aristocráticas veraneaban en sus amplias y famosas quintas de los Carabancheles; los enfermos iban en diligencia o en otro vehículo a los baños medicinales, que aún dejaban mucho que desear en su ornato y comodidades, y los simples mortales se contentaban con tomar el fresco por las noches en el Prado o en la Plaza de Oriente. Unos años más tarde, en 1866, el cronista Sepúlveda, nos da una impresión plástica de la playa; ha empezado ya el auge de San Sebastián:

«Con el traje de lana, la bata, el pantalón y la gorra de hule, las nayades de la Concha y de la playa de los locos, parecen un ejército de monos tiritones corriendo por la arena...

»...Las señoras conocidas se visten de *caoutchut* o de novedad llamativa, y acompañadas de toscos bañeros o arrastradas con casetas y todo por bueyes domésticos, llegan patinando a orillas del mar, se santiguan con el índice, mojan el blanco pie en el líquido elemento y empiezan la algarabía en cuanto la primera ola, desatenta, pasa por encima de la primera belleza del interior...; los tritones, en traje de malabares y el pelo cortado a la última moda de... Lagartijo, nadan si saben, y... si no... se zambullen y tragan agua.

Hay abonado, desde la orilla, que usa calcetines de color, zapato escotado con lazo, guantes de hilo, quitasol de dril y gemelos de mar [18].

En 1869 apareció una «Guía del bañista en el mar», que ambicionaba contestar exhaustivamente a todas las preguntas que sobre ese tema se formulasen, especialmente desde el punto de vista medicinal. ¿Cuáles son las formas de bañarse? ¿Cuáles las aconsejables? Veamos lo que nos dice el señor Sáiz Cortés:

«a) La preferida por muchos bañistas. El sujeto parte de la caseta o establecimiento, penetra en el mar y se adelanta despacio; mas a cada paso que da en el agua, la sensación molesta de frío se renueva... Colocado ya en el paraje del baño, revela en sus actitudes que le molestan sensaciones angustiosas, y, si en este momento se le examina de cerca, obsérvanse en su semblante rasgos característicos de su enojoso sufrimiento, de esa opresión del tórax, que nunca falta entre los efectos constantes que el baño determina... Semejante proceder, por demás vicioso, debe reprobarse...; expone a contraer rigideces de los músculos, dolores reumáticos, espasmos, odontalgias y neuralgias faciales.»

Quizá sea mejor usar el procedimiento de no dejarse cubrir del todo, quedarse en el rompeolas. Pues no. Tampoco el escritor lo cree conveniente...

«b) Donde esos sujetos se colocan no llegan de ordinario las olas, revientan a distancias...; cuando una ola les sorprende, vacilan y caen, dando lugar a la sorpresa, el miedo y la sacudida a perturbaciones generales que en muchas personas se vencen con dificultad.

»...al salir muchos se quejan de aturdimientos, peso frontal, neurosis de la cabeza y otras molestias.»

El mejor sistema para el comentarista es el de chapuz, o bien dejarse llevar por el guía hasta el paraje que éste elija y sumergiéndose después. «El guía le sostiene y le trae a la superficie, le coloca en posición horizontal, y mientras está a flote ejecuta movimientos.»

Hay que reconocer a favor del escritor que comentamos que considera idiota la idea de que sean nueve los baños a tomar porque éstos son pocos. Dice que tienen que ser de 20 a 25 en cuarenta o cuarenta y cuatro días. Que la duración vaya de tres a veinte minutos, según complenxiones, y que la mejor hora es de ocho a diez de la mañana, menos para las personas propensas a resfriados, que harán bien en escoger las de una a tres de la tarde.

VELOCÍPEDOS

La juveutud de moda de Madrid fué animándose en sus actividades deportivas a medida que pasaba el tiempo. Hacia 1870 llegaron los velocípedos, como se llamaba a la bicicleta primitiva. Hubo un intento de profesionalizar la nueva aportación de ultrapuertos con unas carreras, pero fracasaron. Con palabras más concretas de la «Ilustración Española y Americana»: «hicieron fiasco». «No por eso—sigue el periódico—se ha extinguido la afición a andar en dos ruedas en nuestra juventud dorada.

Todas las mañanas se ven cruzar por los jardines de Recoletos, por el salón del Prado y por las alamedas de la Castellana numerosas velocipedistas [20].

PATINAJE

Igualmente procedente del extranjero, y especialmente de París y Viena, arribó a nuestra patria el deseo de patinar sobre hielo. Las autoridades municipales por una vez sirvieron eficazmente ese deseo deportivo, y el alcalde, señor Alvareda, «hizo construir un extenso lago de medio pie de profundidad, en el que sin peligro pueden aquéllos entregarse a sus rápidos ejercicios. Con este motivo... ha sido el Parque de Madrid favorecido por muchos elegantes e intrépidas pollas y no pocos aristócratas del sexo feo» [21]. De ambos deportes no puede decirse que fueron populares, como se colige de la poca gente que podía dedicarse a ellos; pero no por no repetirse en exceso dejan de constituir una estampa de nuestro siglo XIX en su aspecto deportivo.

RIÑAS DE GALLOS

He aquí un espectáculo que gustaba extraordinariamente a nuestros abuelos. Un poco estremecido por la visión de la lucha nos lo cuenta el viajero Straforello. Nos encontramos ya en los últimos años del siglo. En 1894, para ser más precisos; lo vió en Cádiz, pero puede servir para Madrid.

«Cada propietario tenía el gallo bajo la silla en la cual estaba, y al llegar la hora los pesaron, como se hace con los caballos antes de la carrera, y sólo entraron los de pesos iguales. La lucha dura hasta la muerte de uno de los dos.

Los espolones son tan afilados que pueden partirse la nuca uno al otro; en la feroz lucha, si uno queda ciego, el dueño puede dirigirlo por la cola» [22].

Otro italiano, Amicis, dijo que en Madrid las peleas se efectúan en un lugar donde caben mil personas. El campo es circular y alto: tres palmos sobre el nivel del suelo, circundado por hilos metálicos muy finos que permiten la visión. Los gallos son sin cresta, plumas en el pecho ni en la cola.

Las apuestas se suceden tras las incidencias de las peleas. ¡Un duro por el derecho! ¡Por el izquierdo! ¡Una onza por el pardo! ¡Va! No chillan, se fijan; atacan por todos lados. Cuando uno empieza a ceder, los espectadores apuestan a la resistencia. «¡Cinco duros a que no tira tres veces!» [23].

BIBLIOGRAFIA DEL CAPITULO XIV

[1] Larra, M. J. de: *Los toros*. Artículos de costumbres, vol. I.
[2] Anónimo: *Madrid hace cincuenta años*. Ob. cit., pág. 34.
[3] Rodríguez, T.: *El Torero. Los españoles pintados por sí mismos*. Obra citada, pág. 3.
[4] Pérez Galdós, B.: *La familia de León Roch*. Ob. comp. Madrid, 1941. páginas 829 y ss.
[5] *Pasatiempo, El*. Diario de teatros. 25 de mayo de 1842.
[6] Cossío, J. M. de: *Los Toros*. Vol. I, pág. 672, ref. 1828.
[7] Ibidem, págs. 752 y ss.
[8] *Diario de Madrid*. 9 de enero de 1825.
[9] Cossío, José María de: *Los Toros*. Vol. I pág. 731.
[10] Ibídem pág. 698.
[11] Amicis, Edmundo di: *Spagna*. Torino, 1897.
[12] Bonomelli, Mons. G.: *Un autumno in occidente*. Ob. cit.
[13] Zorrilla, José: *Recuerdos de mi niñez y mocedad*. Pág. 50.
[14] Inglis: Ob. cit., vol. I, pág. 201.
[15] Sepúlveda, E.: *La vida en Madrid*, Madrid, 1886. Pág. 118.
[16] Zorrilla: *Recuerdos...* Pág. 125.
[17] *Mensajero, El*. 22 de julio de 1855.
[18] Sepúlveda: Ob. cit., págs. 78 y ss.
[19] Sáiz Cortés, Julián: *Guía del bañista en el mar*. Madrid, 1865.
[20] *Ilustración Española y Americana*, 25 de abril de 1870.
[21] Ibídem. 10 de febrero de 1870.
[22] Straforello: Ob. cit.
[23] Amicis, Edmundo di: *Spagna. Torino*, 1897.

INDICE DEL TEXTO

INDICE DE ILUSTRACIONES